The German Heritage

The German Heritage

revised

Compiled and edited by

Reginald H. PHELPS and Jack M. STEIN

Harvard University

HOLT, RINEHART AND WINSTON   NEW YORK

Preface to the First Edition

Our purpose in assembling this book is to make available to students of German, early in their study of the language, mature primary material of the highest quality and the greatest intrinsic interest. Our procedure in preparing the selections has been adjusted in each case to the type of material treated. Where feasible, as in the chapters on Lessing and Grimm, we have presented units which are unabridged, or nearly so. In others, we have abridged freely, in order to eliminate passages which were too difficult. In the chapter on Goethe's *Faust*, for example, the student will find scenes originally encompassing a dozen pages condensed to three or four, but through omission only. In certain chapters, occasional very slight alterations have been made, most of them modernizations of archaic expressions, when such were deemed too obscure to be interesting from a cultural point of view. In the first two chapters, *Germania* and *Karl der Große*, since they are translations from the Latin, and in the sixth, *Das Faustbuch*, since it contains German of a non-literary character by an anonymous writer, we have taken the liberty of substituting more common words and expressions where possible, in order to reduce the difficulty. In doing so, we have sought to retain the flavor of the original, and we believe that the substitutions will not be detected without actual consultation of the sources. We have given no indication of these editorial changes, since to do so would have marred the appearance of the passages and served no sound pedagogical purpose.

Short English introductions are provided for each chapter or section. We trust that in them we have avoided the pitfalls of pedanticism. Since they are necessarily brief, it is our hope that each instructor will supplement them according to the interests and capabilities of his class.

The end vocabulary is generally limited to words occurring in C. M. Purin's *A Standard German Vocabulary* (D. C. Heath, Boston), or to words in our view easily derivable from them. All others were considered less important for the student at this stage of his study, and have therefore been translated in the marginal notes accompanying the text, except for identical or obvious cognates and certain proper names, which are identified by a small superior circle, thus: *Gold°*. This method results in an end vocabulary largely restricted to words of such high frequency that the student may reasonably be expected, in the course of studying elementary and intermediate German, to learn them.

The chapters appear in chronological order, hence the easier texts are not all in the early part of the book. However, the student is likely to get a pleasant lift from coming on *Der Bärenhäuter* or the scene from *Wilhelm Tell* between more demanding chapters like those from Goethe or Bismarck. On the other hand, if the instructor should so desire, the chronology can be disregarded and the easier chapters taken first without impairing the effectiveness of the book.

Beyond our immediate purpose is the hope that students who see for themselves that it is possible to read some Goethe or Nietzsche or Mann in the original with two semesters training or less will be encouraged by the realization that not all the interesting material is so difficult it can be read only after long and tedious study. This should afford them satisfaction for the present and a stimulus toward acquiring as soon as possible a firmer command of the language, so they are not always dependent upon carefully selected and edited texts. We want at the same time to convince them of the value of their foreign language study by giving them at an early stage direct contact with German documents which possess universal significance in the history of civilization and which are a part of Germany's contributions to western culture.

We acknowledge with pleasure our debt to our colleagues, Professors Helen Mustard, André von Gronicka, Henry Hatfield and Dr. Frederick Wolinsky, and to Julia Phelps and Isabel Stein for invaluable assistance and advice.

Reginald Phelps
Jack Stein

March 1, 1950

Preface to the Second Edition

The principles stated in our original preface have, we believe, proved themselves in the years since this book was first issued. The book has demonstrated that much of the finest and most significant prose and poetry in German, if properly presented, can be read with satisfaction by second-year college students of German, or in the second semester by those taking an intensive course. For those who prefer to use the chapters in the order of difficulty, rather than chronologically, the following gradation may be helpful: easy—Grimm, Faustbuch, Schiller, Karl der Große, Germania; moderate—Faust, Beethoven, Lyrik, Gottfried, Luther, Dürer, Bismarck; more difficult—Aufklärung, Lessing, Heine, Wagner, Nietzsche, Mann, Hesse.

The new edition contains five new chapters (Gottfried von Straßburg: *Tristan und Isolde;* Die Aufklärung; Heinrich Heine: *Die Harzreise;* Thomas Mann: *Buddenbrooks;* Hermann Hesse: *Der Steppenwolf*); a number of the chapters retained from the first edition have been revised or expanded; we have omitted two chapters; and we have revised the questions. The illustrations, which are in all cases closely related to the text, have been provided with captions in German. Translations of the more difficult of these are listed following the *Fragen.* These changes are the result of experience in teaching the text and of the suggestions received from many colleagues, particularly in response to the questionnaire sent out by the publishers in 1956. We wish to acknowledge with gratitude the generous help we have thus received, in particular from our colleagues at Columbia University, and to express special thanks to Messrs. Gustave Mathieu and Hugo Schmidt, and to Prof. Gerard Schmidt.

R. H. P.
J. M. S.

September, 1957

viii

Contents

Chapter	Page
1. Tacitus: *Germania*	1
2. Einhard: *Karl der Große*	9
3. Gottfried von Straßburg: *Tristan und Isolde*	21
4. Albrecht Dürer	36
5. Martin Luther	47
6. *Das Faustbuch*	61
7. Die Aufklärung	69
8. Lessing: *Nathan der Weise*	83
9. Goethe: *Faust*	97
10. Schiller: *Wilhelm Tell*	136
11. Ludwig van Beethoven	162
12. Deutsche Lyrik	171
13. Jakob und Wilhelm Grimm: *Der Bärenhäuter*	194
14. Heine: *Die Harzreise*	204
15. Richard Wagner: *Tristan und Isolde*	218
16. Bismarck	236
17. Friedrich Nietzsche: *Also sprach Zarathustra*	247
18. Thomas Mann: *Buddenbrooks*	253
19. Hermann Hesse: *Der Steppenwolf*	267
Fragen	283
Vocabulary	i

The German Heritage

THE DESCRIPTION OF GERMANIE: AND CVS-
TOMES OF THE PEOPLE, BY
CORNELIVS TACITVS.

ALL Germanie is diuided from the Galli, the Rhætians, and Pannonians, with two riuers, Rhene and Danubius; from the Sarmatians and Dacians by mutuall feare of one the other, or high hils. The reft the Ocean doth enuiron, compaffing broad and wide gulphes, and large and fpatious Ilands; the people and Kings of which hath beene of late difcouered by warre. The riuer of Rhene hauing his beginning on the top of the inacceffible, fteep Rhætian Alpes, and winding fomewhat towardes the Weft, falleth into the North Ocean. Danubius fpringing from the top of the hill Abnoba, not fo fteepe, paffing by manie nations, falleth by fixe channels into the Ponticke fea: the feuenth is loft in the marifhes. I may thinke that the Germans are home-bred and the naturall people of their countrey, and not mixed with others, comming from other places; bicaufe fuch as in times paft fought new habitations, came by fea and not by land: and that huge and fpatious Ocean, and as I may terme it, different from the other, is feldome trauelled by our men. For befides the daunger of the rough and vnknowen fea; who (vnleffe it were his natiue foile) would leaue Afia, or Affricke, or Italie, and plant himfelfe in Germanie? Be-ing a countrey of it felfe rude, and the aire vnpleafant and rough, to looke on iffa-uoured; not mannured nor husbanded. They giue it out as a high point in old ver-fes (which is the onely way they maintaine the memorie of things, as their Annales) that the god *Tuifto*, fonne of the earth, and his fonne *Mannus*, were their firft foun-ders and beginners. To *Mannus* they affigne three fonries; whofe names the Ingæ-uones tooke, a nation neere the Ocean: the Iftæuones, and Herminones lying be-tweene them both. But fome through a licence which antiquitie doth giue, affirme that the King had moe fonnes, from which moe nations tooke their names; as the Marfi, Gambriui, Sueui, Vandali, all true and auncient names. As for the name Ger-manie, it is a new name lately coyned: for thofe which firft paft the riuer [......] & droue out the Gallois, were now called Tungri, now Germani: fo the na[me] people, not of the whole nation, growing great by little and little: as they [......] at the firft called for feare, as beft liked the Conquerour; fo at laft, German[s] name of their owne inuention. And they record that *Hercules*, came amon[g......] of all that euer was the valianteft perfon. They goe finging to the warres. A[......] certaine verfes, by finging of which, calling it Barditus, they incourage their [......] d by the fame fong foretell the fortune of the future battell: for they both [......] re into others, and are themfelues ftriken with feare, according to the m[......] d tune of the battell: feeming rather an harmonie of valour than voices; a[......] ct principally a certaine roughnes of the voice, and a broken confufe mu[......] utting their targets before their mouthes, to the end their voice by the reu[......] n might found bigger and fuller. Yea fome are of opinion, that *Vliffes* i[......] and fabulous wandring, being brought to this Ocean, came into Germa[nie......]

Germania: **Englische Ausgabe, 1598**

Courtesy New York Public Library

1

I

Tacitus:

GERMANIA

The influence of classical Greece and Rome on our culture has been so profound that we tend to think of our civilization as extending continuously back into ancient times. In reality, of course, European civilization north of the Alps was in its very primitive beginnings when Greece was at the height of its culture. During the hegemony of Rome, in the days of Christ, the barbaric forebears of our modern European stock, roaming throughout the vast territory to the north, must have seemed to the Romans much as did the American Indians to the colonists from the Old World.

The following excerpts are from a work entitled *Germania*, written originally in Latin by the Roman historian, Tacitus. *Germania* gives a vivid and reasonably accurate picture of the state of northern European civilization around 100 A.D. It is especially important in the study of German culture, because it is the earliest extensive source of information on the *Germanen* (inhabitants of Germania, Teutons), that branch of northern tribes who inhabited the territory roughly equivalent to present-day Germany.

2

Rome had been able to establish very little contact with these *Germanen*, who successfully repulsed every Roman attempt at penetration. In describing them, Tacitus lays stress on the vigor and energy with which they lived their lives. In fact, one of the chief charms of this delightfully written account is Tacitus' frequent implied criticisms of his own decadent Roman civilization in contrast to the energetic culture of the far north.

Das Volk der Germanen scheint mir ureinge-   ureingeboren *indigenous*
boren zu sein und ganz und gar nicht berührt von
fremden Stämmen. Wer hätte denn Afrika°, Asien°,
oder Italien° verlassen und nach Germanien ziehen
5 mögen, in ein so häßliches Land unter rauhem
Himmel, so wüst zu bewohnen für alle, die da nicht
geboren sind? Daher sind wohl die Stämme
Germaniens rein und vor irgend einer Mischung
mit Fremden geschützt. Sie sind ein eigenes, unver-
10 dorbenes Volk, mit keinem anderen zu vergleichen.
Daher auch, trotz der großen Menschenzahl,
überall das gleiche Aussehen: hellblaue, trotzige
Augen, rotblondes Haar, gewaltige Leiber, immer
nur zu kühner Tat bereit; schwerer Arbeit sind sie
15 nicht in gleichem Maße gewachsen. Durst und
Hitze können sie gar nicht ertragen, an Kälte aber
und Hunger sind sie in ihren Breiten, auf ihrem   Breiten *latitudes*
Boden gewöhnt.

Markus-Säule in Rom: Gefangene Germanen   L'Erma di Bretschneider

Silber° und Gold haben die Götter ihnen nicht geschenkt (ob aus Gunst oder Zorn?), doch möchte ich nicht behaupten, daß Germanien gar keine Ader Silbers oder Goldes habe; wer hätte danach gesucht? Es zu besitzen und zu gebrauchen, macht 5 ihnen jedenfalls nicht viel aus. Man kann bei ihnen silbernes Gerät sehen (wie es ihre Gesandten und Fürsten als Geschenk erhalten), das sie nicht höher schätzen als irdenes.

Selbst Eisen haben sie nicht allzuviel, wie ihre 10 Waffen zeigen. Nur wenige tragen Schwerter oder längere Lanzen°; meist brauchen sie Speere mit schmaler, kurzer Eisenspitze, aber so scharf und so handlich, daß sie dieselbe Waffe im Nahkampf wie im Fernkampf gebrauchen können. Schild und 15 Speer allein genügen dem Reiter. Das Fußvolk, nackt oder im leichten Mantel, wirft auch Geschosse, und zwar unglaublich weit. Die Schilde bemalen sie mit den buntesten Farben. Panzer haben sie kaum, Helme aus Bronze° oder Leder hat 20 nur einer und der andere.

Sie nehmen auch Bilder und gewisse Götterzeichen in die Schlacht mit, und ein besonders

Ader vein

Gerät utensils

irdenes earthen

handlich handy

Geschosse javelins

Helme helmets

Götterzeichen augury

Markus-Säule: Römische Soldaten mit gefangenen Germaninnen

L'Erma di Bretschneider

Markus-Säule: Römischer Soldat im Kampf mit einem Germanen

wirksamer Anreiz zur Tapferkeit ist es, daß Familien° und Sippen zusammenhalten. Dann sind auch für jeden seine Lieben ganz nahe, und da hört er das schrille° Geschrei der Frauen und das
5 Wimmern der Kinder. Hier hat er die heiligsten Zeugen, und das lauteste Lob: zur Mutter, zur Frau kommt er mit seinen Wunden, und sie schrecken nicht zurück. Es ist uns überliefert, daß Frauen mehr als einmal schon wankende und
10 weichende Reihen durch ihr unablässiges Flehen, die Brüste entblößend und auf die drohende Gefangenschaft deutend, wieder hergestellt haben. Denn ihre Frauen gefangen zu denken, ist ihnen ganz unerträglich. Ja, sie schreiben den Frauen
15 etwas Heiliges, Seherisches zu und verschmähen nicht ihren Rat.

 Sie glauben an eine Art Schicksalserforschung, durch die sie den Ausgang schwerer Kriege erfahren wollen. Aus dem Volk ihrer Gegner stellen sie einen
20 Krieger, den sie irgendwie gefangen haben, ihrem eigenen besten Kämpfer gegenüber, jeden mit seinen heimischen Waffen: der Sieg des einen oder des anderen bedeutet dann den Sieg des einen oder des anderen Volkes in der kommenden Schlacht.
25 Kommt es zum Kampf, so ist es ein Schimpf für den Fürsten, sich an Tapferkeit übertreffen zu lassen, ein Schimpf für das Gefolge, der Tapferkeit

Sippen *kin*

Wimmern *whimpering*

wankende *wavering*

Schicksalserforschung *auguries, divination of the future*

Germanischer Kriegsgott

5

Modelle germanischer Häuser

nachzueifern *to emulate*

des Führers nicht nachzueifern. Höchste Schmach und Schande ist es für das ganze Leben, ohne den Herrn lebend vom Kampffeld zu weichen: ihn zu verteidigen ist höchste Pflicht. Fürsten kämpfen für den Sieg, das Gefolge kämpft für den Fürsten. 5

Wenn sie nicht Krieg führen, so verbringen sie ihre Zeit entweder auf der Jagd, oder häufiger noch müßig. Gerade die Tapfersten und Kriegstüchtigsten tun gar nichts und überlassen die Sorge um Heim und Herd den Frauen und Greisen; sie selber 10 sehen träge zu. Sonderbarer Zwiespalt ihres Wesens, daß dieselben Menschen so sehr das Nichtstun lieben und doch die Ruhe hassen!

Zwiespalt *contradiction*

Daß die germanischen Stämme keine Städte haben, ist genügend bekannt, auch daß sie selbst 15 organisierte° Siedlungen nicht gern haben. Sie bauen ohne Richtung und Ordnung, wo ihnen eben eine Quelle, eine Wiese oder ein Wald gefällt. Wohl haben sie Dörfer, aber nicht nach unserer Art mit verbundenen und aneinanderstoßenden Gebäuden; 20 jeder umgibt sein Haus mit einem freien Raum, vielleicht zum Schutz gegen Feuersgefahr, vielleicht weil er nicht besser zu bauen versteht. Überall verwenden sie nur ungefüges Holz, ohne Schmuck und Reiz. Doch bedecken sie einzelne Stellen recht 25 sorgfältig mit einer Art glänzender Erde, daß es farbig und dekorativ° wirkt.

Siedlungen *settlements*

ungefüges *rough-hewn*

6

Ihre Ehesitten sind streng und von allen ihren Sitten wohl am meisten zu loben. Denn fast allein bei diesem Barbarenvolk ist jeder Mann mit einer Frau zufrieden. Eine Mitgift bringt nicht die Frau
5 dem Manne, sondern der Mann der Frau. Dazu kommen Eltern und Verwandte zusammen und prüfen die Geschenke. Sie sollen aber nicht als Weibertand noch zum Schmuck für die neue Braut dienen. Typische° Geschenke sind Rinder, ein
10 Pferd oder ein Schild mit Speer und Schwert. Dafür bringt die Frau selber dem Mann auch eine Waffe zu: dies gilt ihnen als das stärkste Band, und als Segen der Ehegötter.

Die Frauen leben von ihrer Keuschheit
15 geschützt, weder von den Lockungen des Schauspiels noch von den Freuden der großen Gesellschaft verdorben; und von geheimen Liebesaffären weiß weder Mann noch Weib. Höchst selten kommt es in dem so zahlreichen Volk zu Ehebruch; und
20 dann folgt die Strafe unmittelbar und ist dem Mann überlassen. Mit abgeschnittenem Haar, entblößt, vor den Augen der Verwandten, jagt er das Weib aus dem Hause und schlägt sie mit Ruten durch das ganze Dorf. Und für verlorene Keusch-
25 heit gibt es keine Verzeihung: nicht Schönheit, nicht Jugend, nicht Reichtum könnte ihr einen Mann gewinnen. Denn dort lacht niemand über das Laster, und Verführen und Sichverführenlassen heißt nicht „der Geist der Zeit". Besser steht es
30 gewiß um Völker, bei denen nur Jungfrauen heiraten. So erhalten sie einen Mann, wie sie einen Leib und ein Leben erhalten haben, und sie lernen gleichsam nicht den Ehegemahl, sondern die Ehe selber zu lieben. Die Zahl der Kinder zu be-
35 schränken oder ein Kind zu töten, das nach dem Tode des Vaters geboren wird, gilt als schändliche Tat: mehr vermögen dort gute Sitten als anderswo gute Gesetze.

Kein anderes Volk zeigt so große Neigung für
40 Gelage und Bewirtungen. Es gilt als Unrecht, irgendeinen Menschen vom Hause zu weisen. Jeder

Mitgift *dowry*

Weibertand *feminine trifles*

Keuschheit *chastity*

Ehebruch *adultery*

Ruten *whips*

Gelage und Bewirtungen
banqueting and entertaining

7

ladet den Fremden zum Mahl ein. Wenn alles
verzehrt ist, was der Gastgeber zu bieten hat, zeigt
er den Weg zu einem anderen Gastfreund und
begleitet den Gast dahin. So treten sie ungeladen
ins nächste Haus, wo sie mit gleicher Freundlich- 5
keit aufgenommen werden. Zwischen Bekannten
und Unbekannten unterscheidet man im Gastrecht
nicht.

Gerste *barley*

Ihr Getränk ist eine Art Wein aus Gerste oder
Weizen. Die Speise ist einfach, wilde° Früchte, 10
frisches Fleisch, saure° Milch. Ohne Würzen stillen°
sie ihren Hunger°. Im Durst haben sie nicht die
gleiche Mäßigkeit. Wer ihnen zu trinken ver-
schaffte, so viel sie verlangten, der könnte sie
dadurch fast leichter als mit bewaffneter Hand 15
überwinden.

Würzen *spices*

Germanisches Gefäß
Rhein. Landesmuseum, Bonn

würfeln (inf.) *to throw dice*

Es gibt nur eine Art von Schauspiel, und die
ist bei jedem Feste gleich. Nackte Jünglinge, die es
zum Vergnügen tun, schwingen° sich im Tanz
zwischen Schwertern und drohenden Speeren°. 20
Übung hat sie geschickt und anmutig gemacht;
doch suchen sie keinen Lohn: der Preis ihres so
verwegenen Spieles ist die Freude der Zuschauer.

Merkwürdig sind sie beim Würfeln; sie treiben
es ernsthaft, wie ein Geschäft, und mit so toller 25
Leidenschaft bei Gewinn und Verlust, daß sie, wenn
alles verloren ist, auf den letzten entscheidenden
Wurf Freiheit und Leben setzen. Und wer verliert,
wird freiwillig Sklave; sei er auch jünger und
stärker, er läßt sich geduldig binden und verkaufen. 30

Römische Münze

Bildarchiv, Rh. Museum, Köln

II

Einhard:

KARL der GROSSE

Krönung Karls des Großen

Alfred Rethels, **Die Karlsfresken,** L. Röhrscheid, Bonn, 1940

1

On Christmas Day, 800, Pope Leo III placed the crown of the Roman Empire on the head of Karl, King of the Franks. This act, Viscount Bryce wrote in his history of the Holy Roman Empire, was "the central event of the Middle Ages"; it symbolized the union of the Roman and the Teuton, and "from that moment modern history begins."

The king's close friend and biographer Einhard recounts, in a style patterned to a large extent on Suetonius, a biographer of Roman emperors, not only the great events of Karl's reign but also the homely details of his hero's life. Einhard had first to explain the somewhat irregular way in which Karl's family had come to the Frankish throne. So he describes how Childerich, last of the Merovingian dynasty that preceded Karl's, was dethroned, his long hair and beard—tokens of royalty—were shorn, and he himself was shunted away into a monastery.

Merowinger *Merovingians*
  *(the Frankish royal dynasty
  preceding Karl's)*
Franken *Franks*

Das Geschlecht der Merowinger, aus dem die Franken ihre Könige zu wählen pflegten, dauerte bis zu König Childerich°. Der wurde auf Befehl des

10

Erbauung des Aachener Doms

Alfred Rethels, **Die Karlsfresken**, L. Röhrscheid, Bonn, 1940

Papstes Stephan° abgesetzt, geschoren und in ein
Kloster gesteckt. Wenn es auch scheint, als hätte
erst mit ihm dies Geschlecht sein Ende gefunden,
so war es doch schon längst ohne jede Bedeutung;
5 durch nichts mehr war es ausgezeichnet als durch
den Königsnamen, und auch der war leerer Schall.
Denn der königliche Besitz und Macht waren in
den Händen der Vorsteher des Palasts, die das
ganze Reich regierten. Der König mußte mit dem
10 bloßen Titel° zufrieden sein und durfte nur mit
langem Haare und wallendem Barte auf dem
Throne° sitzen und so die Rolle° des Herrschers
spielen.
    Außer dem wertlosen Königstitel und dem
15 unsicheren Unterhalt besaß er nichts als ein Landgut mit sehr kleinem Einkommen. Dort hatte er
sein Haus, und von hier nahm er sich seine kleine
Dienerschaft, die ihm die nötigen Dienste leistete
und ihm gehorchte. Alle Reisen machte er auf
20 einem Wagen, der von einem Ochsengespann

Papst *pope*
scheren (inf.) *to shear*

Vorsteher *administrators,*
  stewards

wallendem *flowing*

Ochsengespann *yoke (team)*
  of oxen

11

Reichsapfel

Krönungsmantel Karls des Großen

gezogen wurde, das ein bäuerlicher Ochsentreiber lenkte. So begab er sich zum Palast, so zur öffentlichen Versammlung seines Volkes, und so kehrte er nach Hause zurück.

2

Karl's hardest struggle as king of the Franks was against the pagan Saxons, who lived in what is now northwestern Germany. He overcame them after more than thirty years of intermittent warfare.

Sachsen *Saxons*
unbändiger *unruly*
Dämonenkult *cult (worship) of demons*

Die Sachsen sind—wie übrigens fast alle 5 Stämme Deutschlands—von unbändiger Natur°, dem Dämonenkult ergeben, Feinde unserer Religion°. Dazu kamen noch andere Umstände, die täglich den Frieden stören konnten. Unsere und ihre Grenzen stießen fast überall aufeinander, und 10 es gab immer Mord, Raub und Brand. Dadurch wurden die Franken so erbittert, daß sie es für gut

12

Kunsthistorisches Museum, Wien

Reichskreuz

hielten, den Krieg offen aufzunehmen, der volle 33 Jahre dauerte.

Er hätte früher beendet werden können, wenn dies die Treulosigkeit der Sachsen zugelassen hätte.
5 Es ist schwer zu sagen, wie oft sie sich als besiegt ergaben, wie oft sie versprachen, die Befehle zu vollziehen und die Gesandten, die zu ihnen geschickt wurden, aufnahmen. Zuweilen waren sie so weit gebändigt, daß sie sogar versprachen, den | gebändigt *subdued*
10 Kult° ihrer Dämonen° aufzugeben und sich der christlichen° Religion° zu unterwerfen. Aber sie waren doch auch stets gewillt, all das wieder um- | gewillt *determined*
zustürzen.

Doch der König ließ sie niemals etwas unge-
15 straft ausführen. Für jeden Treubruch schickte er zu ihnen eine Strafexpedition und forderte eine | Strafexpedition *punitive expe-*
passende Strafe, bis er schließlich die Rebellen° | *dition*
völlig unterwarf. Außerdem führte er 10 000 Mann mit Weib und Kind von den beiden Ufern der
20 Elbe° weg und verteilte sie über die verschiedenen Länder Frankreichs und Deutschlands.

13

Originalhandschrift der *Vita Karoli* Bildarchiv d. Öst. Nationalbibliothek

Cond.tion Der Krieg wurde nun unter folgenden Bedingungen beendet: Sie hatten den Dämonenkult
aufzugeben und dafür die Sakramente° des christ-
lichen Glaubens anzunehmen, sich mit den Franken
zu vereinigen und mit ihnen e i n Volk zu werden. 5

3

*Karl was not only a warrior but also the father of a family, eager to have
his sons ride, fight, and hunt, while his daughters learned to spin and weave.*

Bei der Erziehung seiner Kinder hielt er es für
gut, seine Söhne und auch seine Töchter zunächst
freien Künsten *liberal arts* in den freien Künsten unterrichten zu lassen, mit
denen er sich selbst beschäftigte. Nachher mußten
nach Frankenart *in the* seine Söhne, sobald sie alt genug waren, nach 10
Frankish fashion Frankenart reiten, jagen und sich im Gebrauche
der Waffen üben. Seine Töchter mußten sich an
das Wolleweben gewöhnen und spinnen lernen.

14

Von allen seinen Kindern verlor er nur zwei
Söhne und eine Tochter vor seinem Tode. Den
Verlust ertrug er mit wenig Geduld; sein Familien-
sinn war eben stark und ließ ihn Tränen vergießen.   vergießen *to shed*
5 Auf die Erziehung seiner Söhne und Töchter
verwandte er so große Sorgfalt, daß er zu Hause
nie ohne sie speiste und nie ohne sie reiste. Seine
Söhne ritten ihm zur Seite, während die Töchter
nachfolgten. Da sie außerordentlich schön waren
10 und er sie ungemein liebte, so ist es sehr merkwürdig,
daß er sie niemand aus seiner Umgebung und auch
keinem Fremden zur Ehe gab. Alle behielt er bis
zu seinem Tode in seinem Palaste bei sich, indem
er sagte, er könne nicht ohne sie sein.

4

Einhard describes his hero, no Apollo despite his huge physique; healthy,
fond of swimming, blessed with a good appetite, and inclined like some modern
statesmen to take a short nap in the afternoon.

15 Er hatte einen stattlichen, kräftigen Körper;
sein Kopf war oben rund, seine Augen waren sehr
groß und lebhaft, die Nase ging etwas über das   ging . . . über das Mittelmaß
Mittelmaß hinaus, dazu hatte er herrliches weißes   hinaus *was larger than the*
Haar und ein frohes und heiteres Gesicht. Und so   *average*
20 gewann seine Gestalt hohes Ansehen und Würde,
wenn auch sein Nacken dick und etwas zu kurz war,
und sein Bauch etwas vorsprang. Sein Gang war   Bauch *belly*
fest, die ganze Körperhaltung männlich, die   vorspringen (inf.) *to protrude*
Stimme hell, doch im Verhältnis zu dem gewaltigen
25 Körper etwas zu schwach. Er erfreute sich immer
guter Gesundheit, nur während seiner vier letzten
Jahre ergriff ihn häufig ein Fieber, und zuletzt
hinkte er auf einem Fuße. Und da handelte er   hinkte *limped*
mehr nach seinem eigenen Willen als nach dem
30 Rate der Ärzte, die er beinahe haßte, weil sie ihm
rieten, den gewohnten Braten aufzugeben und
dafür sich an gesottenes Fleisch zu gewöhnen.   sieden (inf.) *to boil*

15

Aachener Dom: Blick vom Thron Karls des Großen in die Kuppel Deutsche Zentrale für Fremdenverkehr

Unermüdlich war er im Reiten und Jagen. Er hatte eine große Freude an dem Dampfe der von Natur° heißen Quellen und übte seinen Körper häufig im Schwimmen. Er baute deshalb auch
5 seinen Palast zu Aachen. Und nicht nur seine Söhne, auch die Vornehmen und seine Freunde lud er zum Baden ein, so daß sich manchmal hundert und mehr Menschen zugleich badeten.

Karl kleidete sich nach Vätersitte, das heißt
10 auf Frankenart. Ausländische Kleidung, und war sie noch so herrlich, wies er zurück.

In Speise und Trank war er mäßig. Bei seinen täglichen Mahlzeiten wurden nur vier Gerichte aufgetragen, und dazu kam noch der Braten, den
15 Jäger am Spieße hereinzutragen pflegten. Bei Tische hörte er sich Musik° oder einen Vorleser an; geschichtliche Werke und die Taten der Alten wurden dabei vorgetragen. Im Sommer nahm er nach dem Mittagsmahl etwas Obst, trank einmal,
20 legte wie zur Nachtzeit Kleider und Schuhe ab und ruhte zwei bis drei Stunden.

Aachen (*a city in northwestern Germany*)

auf Frankenart *in the Frankish fashion*
ausländische *foreign*
und . . . noch so *no matter how*

vortragen (inf.) *to recite*

Reichskrone

Kunsthistorisches
Museum, Wien

17

5

Karl's respect for learning appeared in many ways—the establishment of a palace school where the leading scholars of his day taught; the high intellectual tone of his intimate court circle; and his own diligent study of the customary curriculum, though he himself could hardly write.

entströmte *flowed from*

Sprach er, so entströmte in reicher Fülle das Wort seinem Munde. Klar und deutlich vermochte er alles, was er wollte, auszudrücken. Latein° be-

Griechisch *Greek*

herrschte er wie Deutsch, Griechisch konnte er besser verstehen als sprechen. Er pflegte eifrig die 5 Wissenschaften, schätzte ihre Lehrer und zeichnete sie mit den höchsten Ehren aus. Karl verwandte viel Zeit und Mühe, um sich in Rhetorik°, Dialektik° und vor allem in der Astronomie° unterrichten zu lassen. Außerdem übte er sich im 10 Schreiben. Zu diesem Zwecke hatte er stets Schreibtäfelchen und Büchlein unter dem Kissen seines Bettes, damit er in schlaflosen Stunden seine Hand an das Formen von Buchstaben gewöhne; doch machte er dabei nur geringe Fortschritte, er 15 war eben spät, zu spät, an diese Arbeit gegangen.

6

Einhard says surprisingly little of the imperial coronation by the Pope on that earth-shaking Christmas Day in 800 ("the central event of the Middle Ages"). He precedes his account by a brief allusion to the troubles of Leo III, whose sufferings at the hands of his foes he magnifies. In Einhard's eyes it is rather Karl the Frankish King than Carolus the Roman Emperor who died at Aachen, after turning over the empire to the weak hands of his son. Shortly it collapsed, and with it the unity Karl had enforced on western Europe from the Elbe to far beyond the Alps and the Pyrenees.

Römer *Romans*

Die Römer zwangen Papst Leo, der schweres Unrecht erlitten hatte—es waren ihm die Augen und die Zunge ausgerissen worden—den Schutz des

18

SCS PETRVS

CARVLO REGI

BEATE·PETRE·DONAS VITA·LEONI·PP·BICTO RIA·CARVLO·REGI·DONAS

Karl der Große und Papst Leo III. vor Petrus

Königs anzurufen. Er begab sich also deshalb nach
Rom°, um die schwer erschütterte Kirche wieder in
Ordnung zu bringen. Das dauerte den ganzen
Winter. Damals erhielt Karl auch den Namen
5 Kaiser. Zuerst war er sehr dagegen; er versicherte,
hätte er die Absicht des Papstes gekannt, so hätte
er an diesem Tage die Kirche überhaupt nicht
betreten, obgleich es ein Hochfest war.

    Als ihn gegen sein Lebensende Krankheit und
10 das hohe Alter bedrückten, rief er seinen Sohn
Ludwig°, den König von Aquitanien, zu sich, ließ
aus dem ganzen Reiche den Adel zusammen-
kommen und machte mit der Zustimmung aller
Ludwig zum Mitregenten in seinem ganzen Reiche
15 und zum Erben des Kaisernamens. Er setzte seinem

Aquitanien *Aquitania (a kingdom in western France)*
Adel *nobility, nobles*

Mitregenten *co-ruler*

19

**Ludwig der Fromme,
Sohn Karls des Großen**

einjagen (inf.) *to instill (into)*

Sohne die Krone auf das Haupt und befahl, daß er von da an Kaiser genannt werde. Alle Anwesenden nahmen dies mit großem Beifall auf. Diese Tat hob noch sein kaiserliches Ansehen und jagte den fremden Völkern keinen geringen Schrecken ein. 5 Er kehrte ungefähr am ersten November nach Aachen zurück. Hier ergriff ihn ein heftiger Fieberanfall. So starb er am siebenten Tage, nach Empfang der heiligen Kommunion°, im zweiundsiebzigsten Lebensjahre. 10

Sein Körper wurde nach altem Brauche gewaschen und unter der tiefsten Trauer des ganzen Volkes in die Kirche getragen. Hier wurde er noch an demselben Tage begraben. Dann wurde über seinem Grabe ein Bogen mit seinem Bilde und einer 15 Inschrift errichtet. Auf der Inschrift stehen die Worte:

„In diesem Grabe liegt der Leib Karls des großen Kaisers, der das Reich der Franken rühmlich mehrte und der XLVII Jahre glücklich 20 herrschte.''

20

III

Gottfried von Strassburg:

TRISTAN und ISOLDE

In the late twelfth and early thirteenth centuries, German literature reached a degree of perfection which it was not again to attain
until the age of Goethe. The great courtly epics, *Parzival* by Wolfram
von Eschenbach; *Tristan und Isolde* by Gottfried von Straßburg; the
narrative poem, *Der arme Heinrich* by Hartmann von Aue; the heroic
epic, *Das Nibelungenlied;* and the exquisite lyric poetry of Walther von
der Vogelweide (see p. 173) are but the most famous of many works
produced during this brief period of about fifty years.

Tristan und Isolde is one of the great love stories of the ages. It is
the tale of a passion which is all-powerful and irresistible, its magic
symbolized by the love potion which Tristan and Isolde unwittingly
drink, to be forever after helpless to withstand its force. The central
section of the epic is a series of episodes in which Tristan and Isolde
manage to fulfill their love under the watchful eye of the suspicious
King Marke, Isolde's husband. Over and over again Marke is out-
witted in his attempts to confirm his suspicions of his wife's infidelity
by the devices of the lovers. But such intrigue is conceived by Gottfried
and his age as a battle of wits rather than acts of disloyalty, (one section
of the poem is entitled "List wider List") and brings no serious discredit
on Tristan and Isolde, who are throughout portrayed in a sympathetic
manner. Moreover, their responsibility is lessened by the fact that they
are acting under the spell of the magic potion.

Like *Romeo and Juliet*, it is a tragic story, yet the love which is its
theme, joined with Gottfried's sparkling wit and enthusiasm for life,
imbue the poem with a buoyancy and esthetic charm which counter-
balance the tragic theme.

21

Illustration aus der großen Heidelberger Liederhandschrift

1

Tristan, a knight at the court of King Marke of Cornwall, has slain the Irish hero Morold and thus freed his country from subjugation to Ireland. But he has been wounded by Morold's poisoned sword and learns that only Isolde, Morold's sister and Queen of Ireland, can cure him. Assuming the name of Tantris, he goes to Ireland, is healed, and becomes a favorite of both Queen Isolde and her daughter (the heroine of the epic), whose name is also Isolde. He returns home to Cornwall, but some time later again journeys to Ireland to obtain the hand of young Isolde for his king, Marke. He still conceals his real identity, but, in the scene which follows, young Isolde discovers that a splinter of steel which had been found in the head of the slain Morold fits exactly into the sword of Tantris. She thus knows that Tantris is really Tristan, slayer of her uncle.

Gar oft betrachtete Isot
Des Manns Gestalt, sein ganzes Tun,
Und insgeheim begann° sie nun   insgeheim *secretly*
Nach seinem Antlitz, seinen Händen
5 Manchen Seitenblick zu senden°.
So hatte sie auf alles acht,
Was eine Maid° an einem Mann
Mit Züchten wohl betrachten kann,   mit Züchten *with propriety*
Und alles schien ihr auserlesen.   auserlesen *exquisite*
10   Ich weiß nicht, wie sie dazu kam,
Daß sie sein Schwert zu Händen nahm,
Sie zog es aus und schaut' es an
Von allen Seiten, bis sie da
Die Lücke in der Klinge sah.   Klinge *blade*
15 Lang stand die Maid° und starrte
Auf die seltsame Scharte   Scharte *notch*
Und dacht' in ihrem Mute:
"Mir helfe Gott° der Gute!
Den Fehl an diesem Eisen,   den Fehl *the missing piece*
20 Das wird sich gleich erweisen,
Ich glaub', den hab' ich hier im Schrein."—   Schrein *chest*
Sie holte ihn und setzt' ihn ein,
Und sieh, da ward die Lücke   Lücke *gap*
Von dem unsel'gen Stücke
25 So ganz und glatt geschlossen,
Als wär's hineingegossen.

23

	„Ach, unselige Isot!”
	So rief sie, „Ach und wehe mir!
leid'ge *abominable*	Wer hat die leid'ge Waffe hier
	Vom Lande° Kornwall° hergetragen?
Ohm *uncle*	Damit ward mir mein Ohm erschlagen,
	Und der ihn schlug, der hieß Tristan.
	Wer gab sie diesem fremden Mann?
	Der ist Tantris doch genannt.”—
hub . . . an *began*	Da hub sie an, wie festgebannt
festgebannt *spell-bound*	Die Namen zu betrachten,
	Auf beider Laut zu achten.
	„O Himmel”, sprach sie da bei sich,
	„Diese Namen quälen mich:
	Woher auch beide stammen,
	Sie lauten nah zusammen.”
	„Ja”, sprach sie, „Tantris und Tristan,
klingt mir an *strikes my ear*	Da klingt mir ein Geheimnis an.
	Dies Schwert, das soll sein Ende° sein.
	Nun eile, räch dein Leid, Isot!
	Liegt er von diesem Schwerte tot,
	Womit er deinen Ohm erschlug,
	Dann tatst der Rache du genug.”—
	Schnell trat die junge Königin
blankem *shining*	Mit blankem Schwert vor Tristan hin,
	Der eben dort im Bade saß.
	„Tristan”, sprach sie, „des bin ich gewiß,
	So bist du Tantris und Tristan:

5

10

15

20

25

Illustrationen aus einer Tristanhandschrift
Links: **Tristan und Morold vor dem Kampf**
Rechts: **Tristan erschlägt Morold**

Bayer. Staatsbibliothek, München

Die beiden sind e i n toter Mann.
Für das, was Tristan mir getan,
Soll Tantris nun den Lohn empfahn.''—   empfahn *receive*
„Gnade, schöne Maid° Isot!''
5 Rief Tristan.—„Ei, verruchter Mann,   verruchter *infamous*
Ei, rufst du mich um Gnade an?
Gnade gehöret nicht zu dir:
Tristan, dein Leben läßt du mir.''
  Hiermit lief sie ihn wieder an,
10 Und wieder rief hiermit Tristan:
„Gnade, Gnade, schöne Maid!''—
Er mochte ohne Sorgen sein:
Und hätte sie ihn auch gefunden
Mit Stricken in das Bad gebunden,   Stricken *ropes*
15 Und hätt' auch niemand ihr gewehrt,
Sie hätt' ihm doch kein Haar versehrt.   versehrt *harmed*
Die süße frauenmilde Maid,   frauenmilde *gentle*
Die nie im Herzen Bitterkeit
Und Herzensgalle nie getragen,   Herzensgalle *rancor*
20 Die sollte einen Mann erschlagen!
Sie tat nur so vor Zorn und Leid,
Als wäre sie dazu bereit;
Sie hätt' es auch vielleicht gewagt,
Hätte das Herz ihr nicht versagt: versagt *failed*
25 Das wollte, so zu hassen,
Sich nicht gebieten lassen.
Sie warf das Schwert danieder

25

alsbald	*at once*	Und hob es alsbald wieder:
		Gut oder bös, was wählt sie nun?
		Sie will es lassen, will es tun.
		So schwankt der ungewisse Streit,
		Bis doch die süße Weiblichkeit 5
		Zu Tristans Heil den Zorn vertrieb
		Und Morold ungerochen blieb.

2

Tristan finally obtains the consent of Queen Isolde for her daughter's marriage to King Marke, and the young Isolde agrees to accompany Tristan to Cornwall. Just before their departure, Queen Isolde prepares a love philter and entrusts it secretly to her daughter's maid and companion Brangäne, who is to see that Isolde and Marke drink it after the wedding.

Geleit	*retinue*	Doch während er und sein Geleit
		Sich fertig machten und bereit,
braute	*brewed*	Braute Frau Isot indes 10
Glasgefäß	*vessel of glass*	In einem kleinen Glasgefäß
		Einen Trank der Minne,
		Den sie mit weisem Sinne,
		Mit feiner Wissenschaft erdacht
vollbracht	*created, produced*	Und dann mit Zauberkunst vollbracht: 15
		Es mußten, die ihn tranken,
		In Herzen und Gedanken
		Sich lieben wider Willen
		In Sehnsucht, nicht zu stillen°,
fortan	*thenceforth*	Eins fortan in Glück und Not, 20
		Eins im Leben und im Tod.

Tristan und Isolde   Bayer. Staatsbibliothek, München

26

Mit diesem Tranke kam die Weise,
Und zu Brangäne sprach sie leise:
„Du sollst mit meiner Tochter hin.
Nun richte darauf deinen Sinn,
5 Und was ich sage, merke dir:
Dies Glas° mit diesem Tranke hier,
Das nimm in deine treue Hut
Und hüt' es über alles Gut.
Sieh, daß kein Aug' auf Erden
10 Es möge inne werden,
Und sorg' vor allem andern Dinge,
Daß niemand es zum Munde bringe.
Doch nimm die Stunde wohl in acht:
Bevor ihr in der Hochzeitnacht
15 Isot mit Marke läßt allein,
Schenk' ihnen diesen Trank für Wein,
Doch so, daß sie und niemand mehr
Das Glas° zusammen trinken leer.''

3

*On board the ship, the fateful potion is accidentally drunk by the un-
suspecting Tristan and Isolde.*

Man hielt an eines Hafens Strand;
20 Zur Kurzweil ging das Volk ans Land°,   Kurzweil   *diversion*
Und still° und einsam ward's an Bord°.
Tristan aber kam sofort
Ins Kämmerlein der Frauen,
Um nach Isot zu schauen,

Melot und Marke auf dem Baum   Bayer. Staatsbibliothek, München

der Lichten *the fair one* Und als er bei der Lichten saß
Und plauderte bald dies, bald das,
Hieß er zu trinken bringen.
Nun war da bei der Königin
Niemand in der Kammer drin   5
Als ein'ge kleine Mägdelein;
Von denen rief eins: „Hier steht Wein,
Ein Glas voll,° seht, in diesem Schrank."—
Wohl glich dem Weine dieser Trank:
Ach, leider nein, es war kein Wein,   10
Es war die ungestillte Pein,
Die endlos heiße Herzensnot,
Von der einst beide lagen tot.

arglos *unsuspecting* Doch arglos sprang das Kind empor,
Zog den verborgnen Trank hervor,   15
Und reicht' ihn seinem Meister hin;
Der bot ihn erst der Königin.

Begehr *request* Ungern und nur auf sein Begehr
Trank sie, und danach trank auch er,

währten *believed* Und beide wähnten, es sei Wein.   20

28

Inzwischen trat Brangäne ein;
Die hatte kaum das Glas gesehn,
So wußte sie, was hier geschehn.
„O weh mir Armen!" rief sie, „weh,
5 O weh Tristan, o weh Isot,
Der Trank ist euer beider Tod!"—
Doch als die Jungfrau und der Mann,
Als nun Isolde und Tristan
Den Trank getrunken, was geschah?
10 Gleich war der Welt Unruhe da,
Minne, die Herzensjägerin,
Und schlich zu ihren Herzen hin
Und unterwarf sie mit Gewalt.
Eins und einig wurden bald,
15 Die zwei gewesen und entzweit,
Nun hatten sie nach langem Streit
In raschem Frieden sich gefunden.
Der Haß Isoldens war entschwunden:
Minne, die Versöhnerin,
20 Die hatte ihrer beider Sinn
Von Hasse so gereinigt,
In Liebe so vereinigt,
Daß eins dem andern hell und klar
Und lauter wie ein Spiegel war.
25 Sie hatten nur ein einz'ges Herz:
Isoldens Leid war Tristans Schmerz
Und Tristans Schmerz Isoldens Leid.
Sie einten sich für alle Zeit
In Freude und in Leide.

Herzensjägerin *hunter of hearts*

entschwunden *vanished*

Versöhnerin *conciliator*

29

4

Tristan and Isolde, now the victims of an overpowering love, become involved in deception and intrigue to keep their love from Marke. A dwarf, Melot, attached to Marke's court, having become suspicious, persuades the king into a scheme to surprise the lovers by concealing himself in a tree at their trysting place. But they discover his presence and by quick thinking and adroit conversation allay his suspicions.

Und als sie kamen in den Garten°
Geheim zu nächt'ger Stunde
Und suchten in der Runde,
Da fand der König mit dem Zwerge
Keinen Ort, wo er sich bärge,   5
Um selber ungesehen
Die beiden auszuspähen.
Doch in des Gartens° Mitte stand
Ein Ölbaum an des Brunnens Rand,
Niedrig, doch von Ästen breit: 10
Schnell machten beide sich bereit,
Daß sie den Baum bestiegen.
Dort saßen sie und schwiegen.
Herr Tristan, da es dunkel ward,
Schlich wieder hin auf seine Fahrt.   15
So kam's, daß er den Schatten sah
Vom König und dem kleinen Wicht;
Denn durch die Zweige klar und licht
Von oben fiel des Mondes Schein.
Doch als er so von diesen zwein   20
Nahm die Gestalten deutlich wahr,
Sofort erkannt' er die Gefahr.
«Gott und Herr", dacht' er bei sich,
«Beschirme du Isold und mich!
Denn fallen diese Schatten nicht   25
Ihr gleich von Anfang zu Gesicht,
So eilt sie gradaus her zu mir."
Und ihres Mantels Falten wand
Isot ums Haupt mit schneller Hand°
Und schlich durch Gras° und Blumen dann   30

Glossary (left margin):
- sich bergen (inf.) — *to hide*
- auszuspähen — *to spy out*
- Ölbaum — *olive tree*
- Wicht — *creature, wight*
- beschirme — *protect*
- wand — *wound*

30

Zum Ölbaum, wo der Brunnen rann.
Doch als sie Tristan kam so nah,
Daß eines nun das andre sah,
Blieb jener unbeweglich stehn,
5 Was doch zuvor noch nie geschehn:
Denn kam sie sonst zu ihm gegangen,
So lief er hin, sie zu empfangen.
    Das wunderte die Königin,
Und ängstlich fuhr's ihr durch den Sinn;
10 Sie frug sich bang, was heute   frug = fragte
Der fremde Brauch bedeute.
Da ward ihr Herz von Sorgen schwer;
Sie schlich gesenkten Haupts daher,
Furchtsam zögernd Schritt für Schritt:
15 So kam's, wie sie mit scheuem Tritt
Dem Baum sich nahte, daß sie da
Im Gras drei Mannesschatten sah,
Und stand doch nur ein einz'ger dort.
Daran erkannt' auch sie sofort
20 Die Schlingen und Gefahren
Und an des Freunds Gebaren,   Gebaren   *actions*
Der sich ihr fern hielt wie noch nie.
Und wieder dachte sie bei sich:
„Kennt Tristan wirklich die Gefahr?
25 Gewiß, er kennt sie offenbar:
Das zeigt er mir ja deutlich an."—
    Sie stand von ferne und begann:
„Herr Tristan, ich bin schlecht erbaut,   schlecht erbaut   *not pleased*
Wie meiner Torheit Ihr vertraut
30 Und deren also sicher seid,
Daß Ihr von mir zu solcher Zeit
Zwiesprach mögt begehren.   Zwiesprach   *a private talk*

Nun, Herr, was Ihr mir habt zu sagen,
Das saget mir; denn ich will gehn:
Ich kann nicht länger bei Euch stehn.

Märe tale

Man hat so manche Märe
Von Euch erfunden und von mir: 5
Sie schwören alle drauf, daß wir

begehrlich trachten passionately strive

Begehrlich trachten jederzeit
Nach sündiger Vertraulichkeit.
So geht der Wahn von Mund zu Mund,
Daß mit solch quälendem Verdacht   10
Mein Herr, der König, mich bewacht
Um Euretwillen, Herr Tristan,
Gott weiß, er tut nicht recht daran.”
       „Ach, güt'ge Herrin”, sprach Tristan,
„Ihr ließt—ich zweifle nicht daran—   15
In Wort und Tat Euch nimmer scheiden

heischt demands

Von dem, was Ehre heischt und Pflicht.
Doch dulden das die Lügner nicht,
Die Arges über uns erdacht
Und damit grundlos uns gebracht   20

Hulden favor

Um meines Herren Hulden,

Verschulden offense

Gott weiß, für kein Verschulden.
Ihr wißt, daß gegen Euch und ihn
Ich doch so ganz unschuldig bin:
Bedenkt das mit gerechtem Sinn   25

erbarmungsvoll mercifully

Und ratet ihm erbarmungsvoll:

sich anstellen (inf.) to act

Er stelle sich, und so auch Ihr,
Freundschaftlich an, als ob ihr mir
Noch gnädig wäret wie vor Zeiten.”
       „Herr Tristan”, sprach darauf Isot,   30
„Eure Not und Traurigkeit,
Das wisse Gott, die sind mir leid.
Zwar hätt' ich Ursach', Euch zu hassen;
Doch will ich's aus Erbarmen lassen,
Weil Ihr in solchem Herzeleid   35
Schuldlos um meinetwillen seid.

wie mir's gelinge as far as possible

Wie mir's gelinge, Eure Bitte
Trag ich ihm vor, so gut ich kann.”
       „Dank, edle Herrin”, sprach Tristan.
So schieden sie bei diesem Wort.   40
Die Königin ging wieder fort.

Tristan lenkte trauernd auch
Von dannen seine Schritte.
Der König als der dritte
Saß auf dem Baume trauervoll,
5 Das Leid, davon das Herz ihm schwoll,
Das ging ihm recht an Seel' und Leib,
Daß er den Neffen und das Weib
Mit bösem Wahn befehdet.
Melot, den mißgeschaffnen Wicht,
10 Schalt er mit grimmigem Gesicht,
Er hätte schmählich ihn betrogen
Und auf sein reines Weib gelogen.
Dann stiegen sie vom Baume nieder
Und ritten nach dem Walde wieder.

von dannen *from there*

befehdet *attacked*

mißgeschaffnen Wicht *mis-shapen creature*

Kampfszene　　Bayer. Staatsbibliothek, München

5

In the last complete section of Gottfried's unfinished poem, Tristan is
forced to go into exile, Marke at long last having discovered the lovers together.
The poignant leave-taking contains some of the most moving verse of the entire
epic.

15 „Nun, Herzenskönigin Isot,
Nun müssen wir uns scheiden,
Und ach, wann wird uns beiden
Je wieder hier auf Erden
Solch süße Stunde werden?

**Aus der großen Heidelberger
Liederhandschrift**

Doch haltet fest im Sinne,
Wie wir in treuer Minne
Uns angehört bis diesen Tag:
Seht, daß sie treu verbleiben mag.
Laßt mich aus Eurem Herzen nicht;   5
Denn aus dem meinen, bis es bricht,
Da kommt Ihr nun und nimmer;
Vergesset mein um keine Not!
Süße, herrliche Isot,
Lebt wohl und küßt mich noch einmal!"—   10
    Sie trat zurück in banger Qual
Und sah mit Seufzen nach ihm hin:
„Herr, unser Herz und unser Sinn,
Ach, die sind doch zu lange
Und mit zu vollem Drange   15
Einander hingegeben,
fortan *henceforth* Um je fortan im Leben
Zu lernen, was Vergessen sei.
Hier nehmet hin dies Ringelein,
Und laßt Euch das ein Zeichen sein   20
Der Treue und der Minne,
Und werden Eure Sinne

Jemals fern im fremden Land
Einer andern zugewandt,
So seht es an und denkt dabei,
Wie weh mir jetzt im Herzen sei.
5 Mein Leben zieht mit Euch von hier.
So kommt denn her und küsset mich!
Isot und Tristan, Ihr und ich,
Wir zwei sind immer beide
Ein Leib in Lieb und Leide.
10 Laßt diesen Kuß das Siegel sein,
Daß ich bin Euer und Ihr mein
In steten Treuen bis zum Tod,
Untrennbar Tristan und Isot."

zugewandt *turned to*

Straßburg.

Straßburg, Unbekannter Meister, 1540

IV
ALBRECHT DÜRER

1

Albrecht Dürer's paintings, woodcuts, engravings, and drawings helped to give to his beloved city of Nürnberg a position in sixteenth-century Germany comparable to that of Florence or Venice in Renaissance Italy. The illustrations in this chapter will give you an idea of his greatness. He remained, with all his fame, a simple and attractive personality, who honored the memory of his father—a goldsmith, immigrant to Nürnberg from Hungary—and his poor, careworn mother; and in his Gedenkbuch, *recollections of his life, there is a moving passage on her last illness and death.*

Nun sollt ihr wissen, daß im Jahr 1513 meine arme elende Mutter, die ich zwei Jahre nach meines Vaters Tod zu mir nahm in meine Pflege, nachdem sie neun Jahre bei mir gewesen war, an einem Morgen früh also tödlich krank wurde, daß 5 wir die Kammer aufbrachen, denn wir, da sie nicht aufmachen konnte, sonst nicht zu ihr konnten. Also trugen wir sie herab in eine Stube, und man gab ihr beide Sakramente°. Denn alle Welt meinte, sie sollte sterben. Denn sie hatte keine gesunde Zeit 10 nie nach meines Vaters Tod. Und ihre guten Werke und Barmherzigkeit, die sie gegen jedermann genugsam *sufficiently* erzeigt hat, kann ich nicht genugsam anzeigen und ihr gutes Lob. Diese meine fromme Mutter hat achtzehn Kinder getragen und erzogen, hat oft die 15 Pestilenz° gehabt, viele andere schwere bedeutende Verspottung *mockery* Krankheiten, hat große Armut gelitten, Verspottung, Verachtung, höhnische Worte, Schrecken Widerwärtigkeit *distress,* und große Widerwärtigkeit, doch ist sie nie rach- *affliction* rachgierig *vengeful* gierig gewesen. 20

Als man zählte 1514 Jahre, es war der 17. Tag im Mai°, zwei Stunden vor der Nacht, ist meine

36

Dürers Mutter. Zeichnung

verscheiden (inf.) *to die*
päpstlicher *papal*

Weihwasser *holy water*

allweg *always*

fromme Mutter Barbara Dürer verschieden christlich° mit allen Sakramenten°, aus päpstlicher Gewalt von Pein und Schuld absolviert°. Sie hat mir auch vorher ihren Segen gegeben und den göttlichen Frieden gewünscht mit viel schöner 5 Lehre, daß ich mich vor Sünde hüten sollte.

Und sie fürchtete den Tod hart, aber sie sagte, vor Gott zu kommen fürchtete sie sich nicht. Sie ist auch hart gestorben, und ich merkte, daß sie etwas Grausames sah. Denn sie forderte das Weih- 10 wasser, und hatte doch vorher lange nicht geredet. Also brachen ihr die Augen. Ich sah auch, wie ihr der Tod zwei große Stöße ans Herz gab, und wie sie Mund und Augen zutat und verschied mit Schmerzen. Ich betete für sie. Davon habe ich 15 solche Schmerzen gehabt, daß ich es nicht aussprechen kann. Gott sei ihr gnädig. Und ihre gewöhnliche Freude ist allweg gewesen, von Gott zu reden, und sie sah gern die Ehre Gottes. Und sie war im 63. Jahr, als sie starb. Und ich habe sie 20 ehrlich nach meinem Vermögen begraben lassen. Gott der Herr verleihe mir, daß ich auch ein seliges Ende° nehme, und daß Gott mit seinem himmlischen Heer, mein Vater, Mutter und Freunde zu meinem Ende kommen wollen, und daß uns der 25 allmächtige Gott das ewige Leben gebe. Amen. Und in ihrem Tod sah sie viel lieblicher aus, denn als sie noch das Leben hatte.

Randverzierungen aus dem Gebetbuch des Kaisers Maximilian

2

Dürer's restless desire to know the best of Italian art led him to Venice. During a year of study and creation there, he wrote to his friend Pirkheimer, a Nürnberg humanist, letters full of details of his pleasant life, and in the end he expressed his sorrow at leaving this happy land for the less appreciative north.

Ich wollte, daß Ihr hier zu Venedig wärt, es sind so viele artige Gesellen unter den Welschen, vernünftige Gelehrte, gute Lautenspieler, Verständige im Malen und viele von edlem Sinne, und
5 sie tun mir viel Ehre. Giovanni Bellini hat mich vor vielen Herren sehr gelobt. Er wollte gern etwas von mir haben und ist selber zu mir gekommen und hat mich gebeten, ich sollte ihm etwas machen, er wollte's wohl bezahlen. Und mir sagen alle die
10 Leute, daß er ein so frommer Mann ist, daß ich ihm gleich günstig bin. Er ist sehr alt und ist noch der beste unter den Malern.

Da Ihr schreibt, ich soll bald heimkommen, will ich so früh kommen, wie ich kann. Denn ich
15 habe für meinen Unterhalt verdienen müssen. Ich habe ungefähr 100 Dukaten° für Farben und andere Sachen ausgegeben. Ich habe auch zwei Teppiche bestellt, die werde ich morgen bezahlen. Aber ich habe sie nicht billig kaufen können.
20 Ich mache Euch bekannt, wann ich kommen will. Ich bin in 10 Tagen hier fertig. Danach werde ich nach Bologna° reisen, zum Unterricht in der heimlichen Perspektive°, die mich einer dort lehren will. Da werde ich in ungefähr 8 oder 10 Tagen
25 bereit sein, wieder nach Venedig zu fahren. Danach will ich mit dem nächsten Boten kommen. O, wie wird's mich nach der Sonne frieren—hier bin ich ein Herr, daheim ein Schmarotzer!

Venedig *Venice*
Welschen *Italians*
Lautenspieler *lute players*

Bellini (*a renowned Venetian painter*)

Schmarotzer *parasite*

St. Anton—mit Nürnberg im Hintergrund

3

Dürer combined grandeur of imagination with meticulous craftsmanship and an extraordinary scientific interest in the technique of painting developed in Renaissance Italy. He prepared a text on the problem of human proportions in art, dedicating it to his friend Pirkheimer. From the dedication comes the following passage.

Vorhaben *intention*

ausgelegt *interpreted*

verweisen (inf.) *to reproach*

Wenn die Bücher der Alten, die von der Kunst des Malens geschrieben haben, noch vorhanden wären, so könnte mein Vorhaben, als dächte ich, etwas Besseres zu erfinden, unfreundlich ausgelegt werden. Da aber solche Bücher ganz verloren 5 worden sind, so kann mir billig nicht verwiesen werden, daß ich, wie auch die Alten getan haben, meine Meinung und Erfindung schriftlich ausgehen lasse, damit die Kunst der Malerei mit der Zeit wieder zu ihrer Vollkommenheit kommen möge. 10

Es ist offenbar, daß die deutschen Maler mit ihrer Hand und ihrem Brauch der Farben nicht wenig geschickt sind, obwohl sie bisher an der Kunst der Messung, auch Perspektive° und anderem dergleichen Mangel gehabt haben. Daher 15 ist wohl zu hoffen, wenn sie auch diese erlangen und also den Brauch und die Kunst miteinander besitzen, so werden sie mit der Zeit keiner anderen Nation° den Preis vor sich lassen.

Exlibris

Willibald Pirkheimer. Zeichnung

Nach einem Kunstblatt der Bundesdruckerei

41

Traumgesicht. Aquarell

4

The turmoil of the Reformation and the Peasants' War accompanying it stirred in Dürer, as in many of his contemporaries, an almost apocalyptic feeling; dreams and visions disturbed them, the end of the world seemed close at hand. Dürer dreamed one night of a flood descending from heaven, like that which Noah escaped, and the next morning he painted his vision, writing below it what he had seen.

Pfingsttag *Whitsunday, Pentecost*

Erdreich *earth*

Zerspritzen *burst of spray*
ertränkte *drowned, flooded*

Im Jahre 1525 nach dem Pfingsttag zwischen dem Mittwoch und dem Donnerstag in der Nacht im Schlaf habe ich dies Gesicht gesehen, wie viele große Wasser vom Himmel fielen. Und das erste traf das Erdreich ungefähr vier Meilen° von mir 5 mit einer solchen Grausamkeit; mit einem übergroßen Rauschen und Zerspritzen und ertränkte das ganze Land. Dabei erschrak ich so gar schwer, daß ich daran erwachte, ehe die anderen Wasser fielen. Und die Wasser, die da fielen, die waren 10 sehr groß. Und von ihnen fielen etliche weiter, etliche näher, und sie kamen von so hoch herab, daß sie schienen gleich langsam zu fallen. Aber da das erste Wasser, das das Erdreich traf, bald herbeikam, da fiel es mit einer solchen Geschwin- 15

42

Im 1525 Jar noch dem pfingstag zwischen dem ~~jtem~~ mitwoch und pfintztag Jn der nacht Jm schlaff hab jch das gesicht gesehen wÿ fill grosse wasser vom himell fillen vnd das erst traff das ertrich vngfer 4 müll fon mir mit einer sölchen grausamkeitt mit einem über grossen rauschen vnd zersprützen vnd ertrenkett das gancz lant Jn sölchem erschrack Jch so gar schrecklich das Jch doran erwachett ehe dÿ andren wasser fillen vnd dÿ wasser dÿ do fillen dÿ woren fast gros vnd der fill etliche weitt etliche neher vnd sÿ komen so hoch herab das sÿ Jm gedancken gleich longsam fillen abir do das erst wasser das das ertrich traff schier herbeÿ kom so fill es mit einer sölchen geschwindikeitt wint vnd brausen das Jch also erschrack do Jch erwacht das mir all mein leichnam zittertt vnd long mit recht zu mir selbs kom Aber do Jch am morgen auffstund molt Jch hie oben wÿ Jchs gesehen hett Got wende alle ding zw besten

Albrecht dürer

digkeit, Wind° und Brausen, daß ich also erschrak,
als ich erwachte, daß mir all mein Körper zitterte
und ich lange nicht recht zu mir selbst kam. Aber
da ich am Morgen aufstand, malte ich hier oben,
5 wie ich es gesehen hatte. Gott wende alle Dinge
zum besten.

5

The last of Dürer's major works, and perhaps the finest, is the "Four Apostles"—John and Peter, Paul and Mark—a theme that moved him especially, as he saw the chaos created in Nürnberg by "false prophets"—rabble-rousing extremists who misinterpreted the Gospels. Heinrich Wölfflin, outstanding among modern European art critics, wrote of this painting:

Hier wollte er wenigstens einmal in monumentaler° Form° sich aussprechen. Niemand hat die Bilder bestellt, niemand hat sie gekauft, sie sollten auch nicht in eine Kirche kommen. Dürer schenkte sie dem Rat seiner Vaterstadt. In Zeiten, 5 wo alles wankt, will er die Bilder der Lehrer aufstellen, die der Menschheit als einzige Weiser zum Rechten dienen können. Mit merkwürdiger Auswahl sind es nicht die Apostelfürsten Petrus° und Paulus°, denen das erste Wort gegeben ist, 10 sondern Johannes° und Paulus, und dann erst folgen Petrus und Markus°.

    Es sind hohe schmale Tafeln, gerade ausreichend, einen Mann zu fassen. Jede Raumschönheit im italienischen° Sinne bleibt ausgeschlossen. 15 Alles ist Ausdruck. Die Bewegung wird aber mehr gefühlt als gesehen, denn die Figuren° sind in große Mäntel gehüllt. Mit der ganzen ungeheuren Energie°, die Dürer in sich trug, sind die wuchtigen Massen° der weißen Hülle bei Paulus modelliert, 20 und dann im ausgesprochenen Gegensatz dazu der weichere Stoff bei Johannes. Seine Farbe ist ein ziemlich warmes° Rot, das Weiß des Paulus, kühl an sich, ist mit grün-grauen Schatten noch mehr abgekühlt. Dürer wußte, wie viel Ausdruck in der 25 Farbe liegt.

    Das Motiv° bei Johannes ist eine lässige Neigung des Kopfes mit dem Blick in ein offenes Buch, bei Paulus nichts als das gerüstete Dastehen mit aufgesetztem Schwert und einer gewaltigen 30 Bibel°, das Auge nach außen. Er trägt den Band auf dem vorgestreckten Unterarm°.

wanken (inf.) *to totter*

Weiser *guides*

Apostelfürsten *chief apostles*

wuchtigen *weighty, heavy*

modelliert *modelled, molded*

ausgesprochenen *decided*

lässige *relaxed*

das gerüstete Dastehen *his standing there in readiness*

44

Die vier Apostel. Ölgemälde

Bayer. Staatsgemäldesammlungen, München

Im Blick liegt ein Kontrast°, der selbst für die Nebenfiguren festgehalten ist. Es scheint, daß alle Kraft der Wirkung dem Auge des Paulus vorbehalten bleiben und Johannes, der mit gesenkten

Konkurrenz *competition*

aufgerissener Lidspalte *wide-open eyes*

vulkanischen *volcanic*

Helleraltar *the Heller altar (a painting by Dürer)*

Apostelauge *apostle's eye*

Lidern° niedersieht, ihm keine Konkurrenz machen sollte. Auch Petrus zeigt das Auge nicht, während Markus mit aufgerissener Lidspalte fast furchtbar blickt.

Johannes° ist ein Jünglingskopf. Petrus° ist der 5 gute alte Mann, wirkt aber fast gleichgültig neben dem vulkanischen Markus°, in dessen gelbem Kopf die dunklen Augen rollen wie ein Gewitter. Er ist der psychologische° Kontrast° zu der ruhigen Gewalt des Paulus. 10

Dieser Hauptkopf unter den Vieren hat Dürer wohl zwanzig Jahre lang im Sinne gelegen—es ist eine Vorstellung, die schon in Venedig auftaucht. Dann erscheint sie wieder beim Helleraltar; jetzt aber erreicht sie erst ihre Ausbildung ins Großartige. 15

Wer einmal unter der Macht dieses Apostelauges gestanden hat, der weiß, daß hier nicht nur ein neuer Begriff von heiligen Männern in die Erscheinung getreten ist, sondern ein neuer Begriff von menschlicher Größe überhaupt. Von solchen 20 Männern ist das Werk der Reformation° getan worden. Und nur in solchen männlichen Typen° hat Dürer sein Höchstes geben können.

Abendmahl. Holzschnitt

V
MARTIN LUTHER

1

No matter what one's religious views may be, the personality and accomplishments of Martin Luther stand forth as among the most significant in the age of the Reformation in Germany, and indeed in all Europe. For Luther not only headed a religious reformation; German language and literature, German education, political and social theory and action, all bear the marks of his extraordinary influence. Most memorable culturally is of course his translation of the Bible. The preparation and the continuing revisions of this colossal work extended over two decades, though Luther translated with astonishing speed, completing the New Testament in three months. He did not "create" the German literary language by this one book, but he did establish something of a norm for literary German, rising above both the local boundaries of dialects and the artificial style of government offices. You will find in the opening verses of Genesis (in German, das erste Buch Mose) *the combination of majesty and simplicity that characterizes his Bible.*

1. Am Anfang schuf Gott Himmel und Erde.

2. Und die Erde war wüst und leer, und es war finster auf der Tiefe, und der Geist Gottes schwebte auf dem Wasser.

3. Und Gott sprach: Es werde Licht. Und es ward Licht. 5

4. Und Gott sah, daß das Licht gut war. Da schied Gott das Licht von der Finsternis.

5. Und nannte das Licht Tag und die Finsternis Nacht. Da ward aus Abend und Morgen der erste Tag. 10

Feste *firmament*   6. Und Gott sprach: Es werde eine Feste zwischen den Wassern, und die sei ein Unterschied zwischen den Wassern.

7. Da machte Gott die Feste und schied das Wasser unter der Feste von dem Wasser über der Feste. Und es geschah also. 15

8. Und Gott nannte die Feste Himmel. Da ward aus Abend und Morgen der andere Tag.

9. Und Gott sprach: Es sammle sich das Wasser unter dem Himmel an besondere Örter, 20 daß man das Trockne sehe. Und es geschah also.

48

10. Und Gott nannte das Trockne Erde, und die Sammlung der Wasser nannte er Meer. Und Gott sah, daß es gut war.

11. Und Gott sprach: Es lasse die Erde auf-
5 gehen Gras und Kraut, das sich besame, und fruchtbare Bäume, da ein jeglicher nach seiner Art Frucht trage und habe seinen eignen Samen bei sich selbst auf Erden. Und es geschah also.

sich besamen (inf.) *to yield seed*

12. Und die Erde ließ aufgehen Gras und
10 Kraut, das sich besamte, ein jegliches nach seiner Art, und Bäume die da Frucht trugen und ihren eigenen Samen bei sich selbst hatten, ein jeglicher nach seiner Art. Und Gott sah, daß es gut war.

13. Da ward aus Abend und Morgen der
15 dritte Tag.

14. Und Gott sprach: Es werden Lichter an der Feste des Himmels, die da scheiden Tag und Nacht und geben Zeichen, Zeiten, Tage und Jahre.

15. Und seien Lichter an der Feste des Him-
20 mels, daß sie scheinen auf Erden. Und es geschah also.

Verzierter Anfangs-buchstabe aus der ersten Lutherbibel

Courtesy New York Public Library

16. Und Gott machte zwei große Lichter: ein großes Licht, das den Tag regiere, und ein kleines Licht, das die Nacht regiere, dazu auch Sterne.
25 17. Und Gott setzte sie an die Feste des Himmels, daß sie schienen auf die Erde.

18. Und den Tag und die Nacht regierten und schieden Licht und Finsternis. Und Gott sah, daß es gut war.

30 19. Da ward aus Abend und Morgen der vierte Tag.

20. Und Gott sprach: Es errege sich das Wasser mit webenden und lebendigen Tieren, und Gevögel fliege auf Erden unter der Feste des
35 Himmels.

webenden *moving*
Gevögel *winged creatures*

21. Und Gott schuf große Walfische und allerlei Getier, das da lebt und webt, davon das Wasser sich erregte, ein jegliches nach seiner Art, und allerlei gefiedertes Gevögel, ein jegliches nach
40 seiner Art. Und Gott sah, daß es gut war.

Walfische *whales*
Getier *beasts*

gefiedertes *feathered, winged*

22. Und Gott segnete sie und sprach: Seid

Aus der ersten Lutherbibel

Gefieder   *winged creatures*

fruchtbar und mehret euch und erfüllet das Wasser im Meer; und das Gefieder mehre sich auf Erden.

23. Da ward aus Abend und Morgen der fünfte Tag.

24. Und Gott sprach: Die Erde bringe hervor 5 lebendige Tiere, ein jegliches nach seiner Art; Vieh,

Gewürm   *worms, creeping things*

Gewürm und Tiere auf Erden, ein jegliches nach seiner Art. Und es geschah also.

25. Und Gott machte die Tiere auf Erden, ein jegliches nach seiner Art, und das Vieh nach seiner 10

Das Erst Buch Mose. I.

I.

JM anfang schuff Gott himel vnd erden/Vnd die erde war wüst vnd leer/vnd es war finster auff der tieffe/vnd der Geist Gottes schwebet auff dem wasser.

Vnd Gott sprach/Es werde liecht/Vnd es ward liecht/vnd Gott sahe das liecht fur gut an/Da scheidet Gott das liecht vom finsternis/vnd nennet das liecht/Tag/vnd die finsternis/Nacht/Da ward aus abend vnd morgen der erste tag.

Vnd Gott sprach/Es werde eine feste zwisschen den wassern/vnd die sey ein vnterscheid zwisschen den wassern/Da macht Gott die Feste/vnd scheidet das wasser hunden/von dem wasser droben an der Festen/Vnd es geschach also/Vnd Gott nennet die Festen/Himel/Da ward aus abend vnd morgen der ander tag.

Vnd Gott sprach/Es samle sich das wasser vnter dem himel/an sondere örter/das man das trocken sehe/vnd es geschach also/Vnd Gott nennet das trocken/Erde/vnd die samlung der wasser nennet er/Meere/Vnd Gott sahe es fur gut an.

Vnd Gott sprach/Es lasse die erde auff gehen gras vnd kraut/das sich besame/vnd fruchtbare beume/da ein jglicher nach seiner art frucht trage/vnd habe seinen eigen samen bey jm selbs/auff erden/Vnd es geschach also/Vnd die erde lies auff gehen/gras vnd kraut/das sich besamet/ein jglichs nach seiner art/vnd beume die da frucht trugen/vnd jren eigen samen bey sich selbs hatten/ein jglicher nach seiner art/Vnd Gott sahe es fur gut an/Da ward aus abend vnd morgen der dritte tag.

Vnd Gott sprach/Es werden Liechter an der Feste des Himels/vnd scheiden tag vnd nacht/vnd geben/zeichen/monden/tage vnd jare/vnd seien liechter an der Festen des himels/das sie scheinen auff erden/Vnd es geschach also/Vnd Gott macht zwey grosse liechter/Ein gros liecht/das den tag regire/vnd ein klein liecht/das die nacht regire/dazu auch sternen/Vnd Gott setzt sie an die Feste des himels/das sie schienen auff die erde/vnd den tag vnd die nacht regirten/vnd scheideten liecht vnd finsternis/Vnd Gott sahe es fur gut an/Da ward aus abend vnd morgen der vierde tag.

Vnd Gott sprach/Es errege sich das wasser mit webenden vnd lebendigen thiern/vnd mit geuogel das auff erden vnter der Feste des himels fleuget/Vnd Gott schuff grosse walfische vnd allerley thier/das da lebt vnd webt/vnd vom wasser erregt ward/vnd ein jglichs nach seiner art/vnd allerley gefiderts geuogel/ein jglichs nach seiner art/Vnd Gott sahe es fur gut an/vnd segnet sie/vnd sprach/Seid fruchtbar vnd meh

Zeichen / als der sonnen vnd monden finsternis / vnd andere wunder am himel. Monden / als die Jar feste/ als new monden vol monden etc. Tage / als die Ostern / Pfingsten / etc. vnd bey vns die Quatember / vnd andere namhafftige tage im Jar.

Art und allerlei Gewürm auf Erden nach seiner Art. Und Gott sah, daß es gut war.

26. Und Gott sprach: Lasset uns Menschen machen, ein Bild das uns gleich sei, die da herrschen
5 über die Fische im Meer und über die Vögel unter dem Himmel und über das Vieh und über die ganze Erde und über alles Gewürm, das auf Erden kriecht.

27. Und Gott schuf den Menschen ihm zum Bilde, zum Bilde Gottes schuf er ihn; und schuf sie,
10 einen Mann und ein Weib.

51

2

Many earlier translations of the Bible had appeared in German, all of them based on the Vulgate, the Latin text of the Bible, while Luther went back to the Greek and Hebrew originals.

Here is a sample of an early translation of the Twenty-third Psalm ("The Lord is my shepherd"), a very literal rendering of the Latin, which you can compare with Luther's translation in the standard revised version.

gebresten (inf.) *to be wanting, lacking*

Aue *pasture, meadow*
Wiederbringung *restoration, refreshment*
bekehret *restores, converts*

Steige *(steep) path*
ob . . . schon = obschon *although*

Stecken *rod*

Rute *rod*

salbest *anoint* (old: *anointest*)

Angesicht *sight*

erfaistet *anointed*

Kelch *cup*

Erbarmen *mercy*

Der Herr regieret mich und mir gebrist nichts, und an der Stätte der Weide, da setzte er mich. Er hat mich geführet auf dem Wasser der Wiederbringung, er bekehret meine Seele. Er führet mich aus auf die Steige der Gerechtigkeit, um seinen Namen. Wenn ich auch gehe mitten in Schatten des Todes, ich fürchte nicht die üblen Dinge, denn du bist bei mir; Deine Rute und dein Stab, dieselben haben mich getröstet. Du hast bereitet den Tisch in meinem Angesicht, wider die, die mich betrüben. Du hast erfaistet mein Haupt in dem Öl, und mein Kelch machet trunken, wie lauter er ist. Und dein Erbarmen folget mir nach, alle Tage meines Lebens, daß auch ich wohne in dem Haus des Herrn, in die Länge der Tage.

Der Herr ist mein Hirte, mir wird nichts mangeln. Er weidet mich auf einer grünen Aue, und führet mich 5 zum frischen Wasser. Er erquicket meine Seele, er führet mich auf rechter Straße, um seines Namens willen. Und ob 10 ich schon wanderte im finstern Tal, fürchte ich kein Unglück, denn du bist bei mir, dein Stecken und Stab trösten mich. 15 Du bereitest vor mir einen Tisch gegen meine Feinde, du salbest mein Haupt mit Öle, und schenkest mir voll ein. 20 Gutes und Barmherzigkeit werden mir folgen mein Leben lang, und ich werde bleiben im Hause des Herrn im- 25 merdar.

30

52

Der pſalter.

werden / vnd rhumen den
HERRN die nach yhm fra-
gen / Ewr hertze muſſe leben
ewiglich.
Es werde gedacht aller wellt en-
de/das ſie ſich zum HERRn
bekeren/vnd fur yhm anbeten
alle geſchlecht der heyden.
Denn der HERR hat ein reich/
vnd er iſt eyn herre vnter den
den heyden.
Las eſſen vnd anbetten alle fetten
auff erden / Las knye beugen
fur yhm alle die ym ſtaub
liegen/vnd der ſeyne ſeele nicht
leben leſſt.
Eyn ſame wird yhm dienen/vom
HERRN wird man verkun-
digen zu kinds kind.
Sie werden komen vnd ſeyne ge-
rechtickeit predigen/dem volck
das geborn iſt/das ers thut.

23
Eyn pſalm Dauids.

DEr HERR iſt meyn
hirtte / myr wird ni-
chts mangeln.
Er leſſt mich weyden
da viel gras ſteht / vnd furet
mich zum waſſer das mich er-
kulet.
Er erquickt meyne ſeele / er furet
mich auff rechter ſtraſſe vmb
ſeyns namens willen.
Vnd ob ich ſchon wandert ym
finſtern tal/furcht ich keyn vn-
gluck / Denn du biſt bey myr.
Deyn ſtecken vnd ſtab troſten
mich.
Du bereytteſt fur myr eynen tiſch
gegen meyne feynde / Du ma-
chſt meyn heubt fett mit ole
vnd ſchenckeſt myrvoll eyn.
Gutts vnd barmhertzickeyt werden myr nach lauffen meyn le-

ben lang / vnd werde bleyben
ym hauſe des HERRN ym-
merdar.

24
Eyn pſalm Dauids.

DIe erde iſt des HER-
RN vnd was dryn-
nen iſt / Der erdbo-
den vnd was dryn-
nen wonet.
Denn er hat yhn an die meere ge-
grundet / vnd an den waſſern
bereyttet.
Wer wird auff des HERRN
berg gehen/vnd wer wird ſte-
hen an ſeyner heyligen ſtette?
Der vnſchuldige hende hatt vnd
reynes hertzen iſt/der nicht ſeyne ſeel vergeblich erhebt/vnd
ſchweret nicht felſchlich.
Der wird den ſegen vom HER-
RN empfangen/vnd gerech-
tickeyt von dem Gott ſeynes
heyles.
Das iſt das geſchlecht/das nach yhm fragt / Das do ſucht
deyn andlitz Jacob. Sela.
Yhr thore hebt auff ewre heub-
ter/vnd erhebt euch yhr thure
der wellt / das ereyn gehe der
konig der ehren.
Wer iſt der ſelbe konig der ehren?
Es iſt der HERR/ſtarck vnd
mechtig/Der HERR mech-
tig ym ſtreytt.
Yhr thore hebt auff ewer heub-
ter/vnd erhebt euch yhr thure
der wellt / das ereyn gehe der
konig der ehren.
Wer iſt der ſelbe konig der ehren?
Es iſt der HERR Zebaoth/
Es iſt der konig der ehren.ſela.

25
Eyn pſalm Dauids.
Zu dyr

(Fetten) das ſind
die reiche vnd gro-
ſſen / Die ym ſtaub
liegen ſind die ar-
men vnd geringen/
die yhre ſeele nicht
leben laſſen / ſind /
die ſterben odder
zu tod bereyt ſind /
Alle ſollen ſie Chri
ſtum anbeten.

Aus der ersten Lutherbibel

Courtesy New York Public Library

Martin Luther: Das Neue Testament, 1522

This is Luther's version of the Lord's Prayer:

Unser Vater in dem Himmel! Dein Name werde geheiliget.

Dein Reich komme. Dein Wille geschehe auf Erden wie im Himmel.

Unser täglich Brot gib uns heute. 5

Und vergib uns unsere Schulden, wie wir unsern Schuldigern vergeben.

Und führe uns nicht in Versuchung, sondern erlöse uns von dem Übel. Denn dein ist das Reich und die Kraft und die Herrlichkeit in Ewigkeit. 10 Amen.

3

Luther's translation of the Bible did not, of course, receive universal acclaim, and was attacked because of his non-literal versions of some passages. He defended himself in an essay Über Dolmetschen *(On Translating), from which the following is taken.*

Man muß nicht die Buchstaben in der la-
teinischen Sprache fragen, wie man soll deutsch
reden; sondern man muß die Mutter im Hause°,
die Kinder auf der Gasse, den gemeinen Mann auf
5 dem Markt° fragen und denselbigen auf den Mund
sehen, wie sie reden, und darnach dolmetschen; so   dolmetschen   *translate*
verstehen sie es denn und merken, daß man deutsch
mit ihnen redet. Als wenn Christus° spricht die
Worte Matth. 12, 34. Wenn ich da denen soll   Matth. = Matthäus   *St.*
10 folgen, die mir die Buchstaben vorlegen, und also   *Matthew*
dolmetschen: «Aus dem Überfluß des Herzens redet
der Mund”: sage mir: Ist das deutsch geredet?
Welcher Deutsche versteht solches? Was ist Überfluß des Herzens für ein Ding? Also redet die
15 Mutter im Hause und der gemeine Mann: «Wes
das Herz voll ist, des gehet der Mund über.” Das
heißt gut deutsch geredet.

Das kann ich mit gutem Gewissen zeugen, daß
ich meine höchste Treue und Fleiß im Dolmetschen
20 erzeiget und nie keine falschen Gedanken gehabt
habe. Denn ich habe ja keinen Heller dafür   Heller   *a small coin*
genommen, noch gesucht, noch damit gewonnen,
so habe ich meine Ehre darinnen nicht gemeinet,
das weiß Gott, mein Herr, sondern hab' zu Dienst
25 getan den lieben Christen, und zu Ehren Eines,
der droben sitzt.

Doch habe ich wiederum die Buchstaben nicht
allzufrei° lassen fahren, sondern mit großen Sorgen
darauf gesehen, daß wo etwa an einem Ort gelegen   an einem Ort gelegen ist   *a*
30 ist, habe ich es nach den Buchstaben behalten und   *passage is especially important*
bin nicht so frei° davon gegangen. Als Joh. 6, 27,   Joh. = Johannes   *St. John*
da Christus° spricht: Diesen hat Gott der Vater
versiegelt. Das wäre wohl besser deutsch gewesen:
Diesen hat Gott der Vater gezeichnet, oder: diesen   gezeichnet   *marked*
35 meint Gott der Vater. Aber ich habe eher wollen
der deutschen Sprache abbrechen, denn vom
Worte weichen.

Ach, es ist Dolmetschen ja nicht eines jeglichen   jeglichen = jeden
Kunst; es gehört dazu ein recht treues, frommes,
40 fleißiges, furchtsames, christliches, gelehrtes, er-
fahrenes, geübtes Herz.

Aus der ersten Lutherbibel   Courtesy New York Public Library

4

Luther's "Ein' feste Burg", *familiar in English translation, is often called the battle hymn of the Reformation. The hymn was set to music of his own composition, and Bach, two centuries later, used it as the basis of a cantata. The first two stanzas follow.*

Ein' feste Burg

Ein' feste Burg ist unser Gott,
Ein' gute Wehr und Waffen.
Er hilft uns frei aus aller Not,
Die uns jetzt hat betroffen. 5

ers itzt meint, gros macht vñ vil list, sein grausam rü
stung ist, auff erd ist nicht seins gleichen,

EIn feste burg ist vnser Gott / ein
gute wehr vnd waffen / Er hilfft vns
frey aus aller not / die vns itzt hat be-
troffen/ Der alt böse feind/ mit ernst
ers itzt meint/gros macht vñ viel list/
sein grausam rüstung ist / auff erd ist
nicht seins gleichen.

Mit vnser macht ist nichts gethan/
wir sind gar bald verloren / Es streit
für vns der rechte man / den Gott hat
selbs erkoren/Fragstu wer der ist? er
heisst Jhesus Christ/der HERR Ze

Der alt' böse Feind,
Mit Ernst er's jetzt meint,
Groß' Macht und viel' List
Sein' grausam' Rüstung ist,
5   Auf Erd' ist nicht sein'sgleichen.

Mit unser Macht ist nichts getan,
Wir sind gar bald verloren.
Es streit' für uns der rechte Mann,
Den Gott hat selbst erkoren.   erkoren *chosen*
10   Fragst du, wer der ist?
Er heißt Jesus Christ,
Der Herr Zebaoth,   Zebaoth *Sabaoth, Lord of hosts*
Und ist kein ander·Gott.
Das Feld muß er behalten.   das Feld behalten *win the battle*

57

5

In his early years as a reformer, Luther wrote eloquently on behalf of religious freedom. This is a passage from the document "Von weltlicher Obrigkeit (*authority*), wie weit man ihr Gehorsam schuldig sei."

Regiment *government*

äußerlich *external*

sich vermessen (inf.) *to presume*

er wisse denn *unless he knows*

gen = gegen

Untertanen *subjects*

sie es dünkt *they deem*

Herzen (*object of the several infinitives*)

vorbehalten (inf.) *to reserve*

Ein jegliches Reich muß seine Gesetze und Rechte haben, und ohne Gesetz kann kein Reich noch Regiment bestehen. Das weltliche Regiment hat Gesetze, die sich nicht weiter erstrecken denn über Leib und Gut und was äußerlich ist auf Erden. 5 Denn über die Seele kann und will Gott niemand regieren lassen denn sich selbst allein. Darum, wo weltliche Gewalt sich vermißt, der Seele Gesetze zu geben, da greift sie Gott in sein Regiment, und verführt und verderbt nur die Seelen. Das wollen 10 wir so klar machen, daß man's greifen solle, damit die Fürsten und Bischöfe sehen, was sie für Narren sind, wenn sie die Leute mit ihren Gesetzen und Geboten zwingen wollen, so oder so zu glauben.

Der Seele soll und kann niemand 15 gebieten, er wisse denn ihr den Weg zu weisen gen Himmel. Das kann aber kein Mensch tun, sondern Gott allein. Denn es kann nimmer ein Mensch eine Seele töten oder lebendig machen, gen Himmel oder Hölle führen. Nun sage mir, wie viel 20 Witz muß der Kopf wohl haben, der da gebieten will, wo er gar keine Gewalt hat? Wer wollte den nicht für unsinnig halten, der dem Mond geböte, er sollte scheinen, wenn er wollte?

Noch jetzt verfahren unser Kaiser und die 25 klugen Fürsten also, daß sie ihren Untertanen gebieten zu glauben, ohne Gottes Wort, wie sie es gut dünkt, und wollen dennoch christliche Fürsten heißen.

Was wäre mir das für ein Richter, der blind° 30 die Sache richten wollte, die er weder hört noch sieht? Nun sage mir, wie kann die Herzen sehen, erkennen, richten, urteilen und ändern ein Mensch? Denn solches ist allein Gott vorbehalten. Darum

58

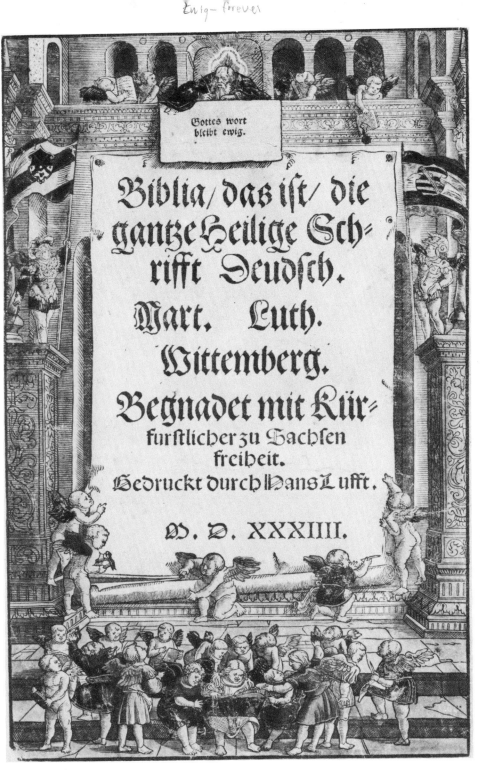

Gottes wort
bleibt ewig.

Biblia/ das ist/ die
gantze Heilige Sch-
rifft Deudsch.

Mart. Luth.

Wittemberg.

Begnadet mit Kür-
furstlicher zu Sachsen
freiheit.
Gedruckt durch Hans Lufft.

M. D. XXXIIII.

Titelseite der ersten Lutherbibel, 1533

ist es unmöglich, jemand zu gebieten oder zu zwingen mit Gewalt, so oder so zu glauben.

Weil es denn einem jeglichen auf seinem Ge- wissen liegt, wie er glaubt oder nicht glaubt, und damit der weltlichen Gewalt kein Schaden ge- 5 schieht, soll sie auch zufrieden sein und so oder so glauben lassen, wie man kann und will, und nie- mand mit Gewalt drängen. D e n n e s i s t e i n f r e i e s W e r k u m d e n G l a u b e n , d a z u n i e m a n d z w i n g e n k a n n . 10

es ist ein freies Werk um den Glauben *faith is a free act*

Die Wartburg. Zeichnung von Goethe

60

VI
DAS FAUSTBUCH

Faust, the theologian, physician, alchemist, astrologer, and necromancer, who sold his soul to the devil in return for a deeper knowledge of the mysteries of the universe, is a famous figure in European literature. He has been made so chiefly by Johann Wolfgang von Goethe's masterpiece, *Faust, eine Tragödie°*, (see pp. 97–135).

But the Faust legend antedates Goethe's version by several centuries. The excerpts on the next few pages are drawn from the sixteenth-century chapbook, the first printed account of the Faust legend, published in 1587, called "Historia° von Doktor Johann Faust, dem Zauberer und Schwarzkünstler, wie er sich dem Teufel auf eine bestimmte Zeit verschrieben (*sold*), was für seltsame Abenteuer er gesehen und getrieben, bis er endlich seinen wohlverdienten Lohn empfangen hat. Aus seinen eigenen hinterlassenen Schriften, allen gottlosen Menschen zum schrecklichen Beispiel, abscheulichen (*awful*) Exempel° und treuherziger Warnung° in den Druck gesetzt."

This work enjoyed enormous popularity, not only in Germany but in translation throughout Europe. Among the many adaptations of the legend, the best known are Marlowe's Elizabethan tragedy, *Tragical History of Dr. Faustus*, Goethe's tragedy, the opera by Gounod, a symphony by Liszt, a dramatic cantata by Berlioz, an overture by Wagner, and most recently, Thomas Mann's musical novel, *Doktor Faustus*.

The title of the chapbook would seem to imply that Faust was a historical character. As a matter of fact, there is evidence that a rather dubious personage of that name did roam through Germany during the late Middle Ages, claiming, if not demonstrating, extraordinary occult powers. Around the figure of this charlatan, the fertile folk imagination wove a fantastic web of adventures which ultimately crystallized into the story of the pact with the devil that has established the basic pattern of all subsequent versions of the legend.

HISTORIA

Von D. Johañ

Fausten/ dem weitbeschreyten Zauberer vnd Schwartzkünstler/

Wie er sich gegen dem Teuffel auff eine benandte zeit verschrieben/ Was er hierzwischen für seltzame Abenthewr gesehen/ selbs angerichtet vnd getrieben/ biß er endtlich seinen wol verdienten Lohn empfangen.

Mehrertheils auß seinen eygenen hinderlassenen Schrifften/ allen hochtragenden/ fürwitzigen vnnd Gottlosen Menschen zum schrecklichen Beyspiel/ abschewlichem Exempel/ vnnd trewhertziger Warnung zusammen gezogen/ vnd in Druck verfertiget.

IACOBI IIII.

Seyt Gott vnderthänig/ widerstehet dem Teuffel/ so fleuhet er von euch.

CVM GRATIA ET PRIVILEGIO.

Gedruckt zu Franckfurt am Mayn/ durch Johann Spies.

M. D. LXXXVII.

Titelseite des ersten Faustbuchs, 1587

1

In the first excerpt, Faust dips his pen in his own blood, and fashions the famous agreement.

Ich, Johannes Faustus Doktor, bekenne öffentlich mit meiner eigenen Hand in Kraft dieses Briefes; ich hatte mir vorgenommen, die Elementa zu spekulieren, fand aber in den Gaben, die mir
5 von oben gnädig mitgeteilt worden sind, solche Fähigkeit in meinem eigenen Kopfe nicht. Da ich sie auch von den Menschen nicht erlernen konnte, so habe ich mich gegenwärtigem gesandtem Geist untergeben, der sich Mephistopheles, ein Diener des
10 höllischen Prinzen°, nennt. Er hat mir auch versprochen, in allem untertänig und gehorsam zu sein.

Dagegen verspreche ich: wenn 24 Jahre von Dato° dieses Briefes herum und vorüber gelaufen sind, soll er Macht über mich haben, und über
15 alles, was mir gehört, es sei Leib, Seele, Fleisch, Blut oder Gut, nach seiner Art und Weise und seinem Gefallen zu schalten, walten, regieren und führen. Hierauf sage ich allen denen, die leben, allem himmlischen Heer, und allen Menschen ab,
20 und das muß sein.

Als Zeugnis dessen habe ich diesen Receß mit eigener Hand geschrieben und unterschrieben, und mit meinem eigenen Blut versiegelt und bezeugt, usw.

25   Unterzeichnet,
    Johann Faustus, der Erfahrene der
    Elemente° und der geistlichen Doctrin°.

in Kraft *by means of*

die Elementa zu spekulieren *"to speculate the elements", i.e., to experiment with the supernatural*

sich untergeben (inf.) *to submit*

untertänig *submissive, obedient*

schalten und walten (infs.) *to have full control*

Receß *agreement*

63

2

One of Faust's most frequently performed marvels is to conjure up the spirits of figures long since dead. For the edification of his students one evening, he calls forth the beautiful Helen of Troy.

Am Sonntag kamen die Studenten wieder zum Nachtessen in Doktor Fausts Haus, und brachten ihr Essen und Trank mit, welche angenehme Gäste waren. Als nun der Wein herumging, wurde am Tisch von schönen Frauen geredet, und einer unter 5 ihnen sagte, er möchte keine Frau lieber sehen als die schöne Helena° aus Griechenland, wegen deren die schöne Stadt Troja° zerstört wurde. «Sie mußte schön gewesen sein'', sagten sie alle. Doktor Faustus antwortete, «Weil ihr denn so begehrt, die schöne 10 Gestalt der Königin Helena zu sehen, will ich sie euch vorstellen, damit ihr persönlich ihren Geist in Form° und Gestalt, wie sie im Leben gewesen ist, sehen sollt.'' Darauf warnte Doktor Faustus, daß keiner ein Wort sagen, noch vom Tisch aufstehen, 15 noch sie zu berühren versuchen sollte, und ging zur Stube hinaus.

Als er wieder hereinkam, folgte ihm die Königin Helena nach, so wunderschön, daß die Studenten nicht wußten, ob sie wachten oder 20 träumten, so verwirrt waren sie. Diese Helena erschien in einem kostbaren schwarzen Kleid, ihr schönes, herrliches, goldfarbiges Haar hing ihr so lang herab, daß es ihr bis an die Knie reichte. Sie hatte schöne, kohlschwarze Augen, ein liebliches 25

Griechenland *Greece*

64

Gesicht, mit einem runden Köpflein, ihre Lippen° rot wie Kirschen, mit einem kleinen Mündlein, einen Hals wie ein weißer Schwan°, rote Backen wie ein Röslein, ein außerordentlich schönes Ge-
5 sicht, und eine längliche, aufgerichtete, gerade   längliche *tall* Gestalt. In summa°, es war an ihr nichts zu tadeln. Sie sah sich überall in der Stube um, mit gar frechem und unverschämtem Gesicht, daß die Studenten sich alle in sie verliebten. Weil sie sie
10 aber für einen Geist hielten, verging ihnen diese Liebe leicht, und Helena ging also mit Doktor Faust wieder zur Stube hinaus.

3

As the 24 years draw to their close, Faust invites his students to a banquet at a certain inn, where he reveals to them his approaching doom. He requests them to stay the night with him and to rescue his body the following morning, so that it may receive burial.

Die 24 Jahre waren abgelaufen, und in der letzten Woche erschien ihm der Geist, und zeigte
15 ihm an, daß der Teufel in der nächsten° Nacht seinen Leib holen werde. Doktor Faust klagte und weinte die ganze Nacht so sehr, daß der Geist wieder vor ihm erschien, und zu ihm sprach: «Mein Faustus, sei doch nicht so kleinmütig. Obgleich du   kleinmütig *faint-hearted*

65

From Franz Neubert, **Vom Doktor Faustus zu Goethes Faust**, J. J. Weber, Leipzig, 1932

THE
TRAGICALL
Hiſtory of the horrible
Life and death

OF

DOCTOR FAVSTVS.

Written by C H. M A R L.

Imprinted at London by *G. E.* for *John wright* and are to be ſold at Chriſt-church gate
1 6 0 9.

deinen Leib verlierst, ist es doch noch lange, bis der Tag deines Gerichtes kommen wird.''

Doktor Faustus, der nicht anders wußte, als daß er das Versprechen mit seinem Leib bezahlen mußte, ging an dem Tag, an dem der Geist gesagt 5 hatte, daß der Teufel ihn holen werde, zu den Studenten, die ihn vorher besucht hatten. Er bat sie, mit ihm in ein gewisses Dorf, eine halbe Meile° von der Stadt entfernt, spazieren zu gehen, und eine Mahlzeit mit ihm da zu halten. Sie gingen also 10 zusammen dahin und hielten ein Nachtessen mit

66

vielen köstlichen Gerichten. Doktor Faustus war mit ihnen fröhlich, doch kam es ihm nicht vom Herzen. Er bat sie alle, ihm einen großen Gefallen zu tun und die ganze Nacht bei ihm zu bleiben, denn er hätte ihnen etwas Wichtiges zu sagen. Als nun der Schlaftrunk getrunken wurde, bezahlte Doktor Faustus den Wirt und bat die Studenten, mit ihm in eine andere Stube zu gehen.

«Meine lieben Freunde", sprach er, «warum ich euch zusammengerufen habe ist dies: Ihr habt seit vielen Jahren gewußt, was für ein Mann ich bin, in vielen Künsten und Zaubereien erfahren. Was ihr aber nicht gewußt habt, ist daß diese Künste von dem Teufel kommen, dem ich meinen Leib und meine Seele versprechen mußte. Nun ist die Zeit bis auf diese Nacht zu Ende gelaufen, und das Stundenglas steht mir vor Augen. Er wird mich diese Nacht holen, weil ich ihm Leib und Seele mit meinem eigenen Blut verschrieben habe. Darum habe ich euch, freundliche, liebe Herren, vor meinem Ende zu mir berufen, um mit euch einen Abschiedstrunk zu trinken."

«Was aber die Abenteuer anbelangt, die ich in den 24 Jahren getrieben habe, die werdet ihr alle nach meinem Tode aufgeschrieben finden. Laßt euch mein schreckliches Ende euer ganzes Leben lang ein Vorbild und eine Erinnerung sein, daß ihr Gott vor Augen haben und ihn bitten sollt, daß er euch vor dem Trug und List des Teufels behüten und nicht in Versuchung führen wolle."

«Endlich ist es meine freundliche Bitte, ihr sollt zu Bett gehen und ruhig schlafen. Wenn ihr ein Gepolter im Hause hört, erschreckt nicht, und steht nicht vom Bett auf, denn euch soll kein Leid widerfahren. Wenn ihr aber meinen toten Leib findet, laßt ihn in der Erde begraben. Denn ich sterbe als ein böser und guter Christ; ein guter Christ, weil ich eine herzliche Reue habe, und in meinem Herzen immer um Gnade bitte, damit meine Seele errettet werden möchte; ein böser Christ, weil ich weiß, daß der Teufel meinen Leib

verschrieben *made over*

was die Abenteuer anbelangt *as far as the adventures are concerned*

Vorbild *example*

Gepolter *uproar*

67

haben will. Ich will ihm den Leib gerne lassen, wenn er mir nur die Seele in Frieden läßt."

Die Studenten weinten und umarmten einander, als sie Faustus hörten. Doktor Faustus blieb in der Stube, während die anderen sich zu Bett 5 begaben, konnten aber nicht recht schlafen, denn sie wollten den Ausgang hören. Es geschah zwischen zwölf und ein Uhr in der Nacht, daß ein großer ungestümer Wind° gegen das Haus blies und es an allen Seiten umgab, als ob er das Haus zu Boden 10 reißen wollte. Die Studenten sprangen aus dem Bette und begannen einander zu trösten, wollten aber aus ihrer Kammer nicht. Sie lagen nahe bei der Stube, worin Doktor Faust war, und hörten ein schreckliches Pfeifen und Zischen, als ob das Haus 15 voller Schlangen und anderer schädlicher Würmer wäre. Gleichzeitig begann Doktor Faustus um Hilfe und Mordio zu schreien, aber kaum mit halber Stimme. Bald danach hörte man ihn nicht mehr. Als es nun Tag wurde, sind die Studenten, die die 20 ganze Nacht nicht geschlafen hatten, in die Stube gegangen, worin Doktor Faustus gewesen war. Sie sahen aber keinen Faustus mehr, und nichts als eine Stube voll Blut. Das Gehirn klebte an der Wand, weil es der Teufel von einer Wand zur 25 anderen geschlagen hatte. Es lagen auch seine Augen und einige Zähne da, ein fürchterlicher und schrecklicher Anblick. Da fingen die Studenten alle an, ihn zu beweinen, und suchten ihn an allen Enden. Endlich aber fanden sie seinen Leib neben 30 einem Haufen Mist liegen, schrecklich anzusehen, weil ihm der Kopf und alle Glieder zitterten.

ungestümer *furious, violent*

zischen (inf.) *to hiss*

Mordio *murder*

an allen Enden *everywhere*

Mist *manure*

Aufklärung

Toleranz

Lithographien von
Chodowiecki, 1791

VII
DIE AUFKLÄRUNG

Aufklärung is the German term for the current of thought which dominated much of Europe about the middle of the eighteenth century —the "Age of Reason" in France, the "Enlightenment" in England. Essentially, *Aufklärung* meant the application of human reason in every sphere, and it tended therefore to be hostile and critical toward tradition, emotion, prejudice, anything "unreasonable", just as it tended toward an optimistic view of man's capacity to improve himself. Enlightened writers like Wieland and Gellert satirized the follies of their unenlightened fellow men. Enlightened rulers like Friedrich der Große, who called himself "the first servant of the state," regarded it as their duty to govern efficiently and tolerantly, in the interests of their people (though the typical enlightened despot, of course, judged these interests by his own standards). Enlightened philosophers like Immanuel Kant analyzed methods of thinking and knowing, and sought to apply to the conduct of human affairs the general rules they deduced. Enlightened thinkers like Lessing not only preached tolerance, as in his drama *Nathan der Weise* (see next chapter), but interpreted religion in terms of the education of mankind toward an ever higher destiny.

69

Christoph Martin Wieland

1

Wieland

Christoph Martin Wieland was one of the most gifted German authors of the time; schooling himself, like many rationalists, through French taste and style, he wrote light and graceful German, and combined gentle or sharp mockery of human frailty with a philosophy of moderation. In his Geschichte der Abderiten°, *a long novel about the people of Abdera in ancient Greece, he described the absurdities of small-town life and government, such as characterized many of the tiny German states of his time. The following episode concerns a dentist, Struthion; the owner of a donkey he rented; the donkey's shadow; and the way in which a trivial quarrel nearly brought the city-state of Abdera to grief.*

Der Weg ging über eine große Heide. Es war mitten im Sommer° und die Hitze des Tages sehr groß. Der Zahnarzt, dem sie unerträglich zu

70

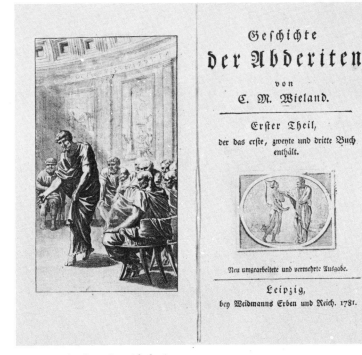

Titelseite der *Geschichte der Abderiten*

werden anfing, sah sich lechzend nach einem   lechzend *panting*
schattigen Platz um, wo er einen Augenblick
absteigen und etwas frische° Luft schöpfen könnte.
Aber da war weit und breit weder Baum noch
5 Staude, noch irgend ein anderer schattengebender   Staude *shrub*
Gegenstand zu sehen. Endlich machte er Halt,
stieg ab, und setzte sich in den Schatten des Esels.

   «Nu, Herr, was macht ihr da", sagte der
Eseltreiber, «was soll das?"

10   «Ich setze mich ein wenig in den Schatten",
versetzte Struthion°, «denn die Sonne prallt mir   prallt *beats*
ganz unleidlich auf den Schädel."   Schädel *pate, skull*

   «Na, mein guter Herr", erwiderte der andere,
«so haben wir nicht gehandelt! Ich vermietete euch
15 den Esel, aber des Schattens wurde mit keinem
Worte dabei gedacht."

   «Ihr spaßt, guter Freund", sagte der Zahnarzt
lachend; «der Schatten geht mit dem Esel, das
versteht sich."

71

Lithographie von
Chodowiecki

beim Jason! *By Jason! (an oath)*

ein anderes . . . ein anderes *one thing . . . another*

abgemietet *rented from*

stehenden Fußes *without delay*

Obrigkeit *authorities*

zur Gebühr zu weisen *to call to order*

gelinderen *gentler*

anhängig zu machen *to bring the case (before)*

«Ei, beim Jason! das versteht sich nicht", rief der Eselmann ganz trotzig; «ein anderes ist der Esel, ein anderes ist des Esels Schatten. Ihr habt mir den Esel um so und so viel abgemietet. Hättet ihr den Schatten auch dazu mieten wollen, so 5 hättet ihr's sagen müssen. Mit einem Wort, Herr, steht auf und setzt eure Reise fort, oder bezahlt mir für des Esels Schatten, was billig ist."

«Was?" schrie der Zahnarzt, «ich habe für den Esel bezahlt, und soll jetzt auch noch für seinen 10 Schatten bezahlen? Nennt mich selbst einen dreifachen Esel, wenn ich das tue! Der Esel ist einmal für diesen ganzen Tag mein, und ich will mich in seinen Schatten setzen, so oft mir's beliebe, und darin sitzen bleiben, so lange mir's beliebe, darauf 15 könnt ihr euch verlassen!"

«So komme der Herr nur gleich stehenden Fußes wieder zurück nach Abdera vor die Obrigkeit", sagte jener, «da wollen wir sehen, wer von uns beiden Recht behalten wird." 20

Der Zahnarzt hatte große Lust, den Eseltreiber durch die Stärke seines Arms zur Gebühr zu weisen. Schon ballte er seine Faust zusammen, schon hob sich sein kurzer Arm; aber als er seinen Mann genauer ins Auge faßte, fand er für besser, den 25 erhobenen Arm allmählich wieder sinken° zu lassen und es noch einmal mit gelinderen Vorstellungen zu versuchen. Aber er verlor seinen Atem dabei. Der Mensch bestand darauf, daß er für den Schatten seines Esels bezahlt sein wollte; und da 30 Struthion eben so hartnäckig dabei blieb, nicht bezahlen zu wollen, so war kein anderer Weg übrig, als nach Abdera zurückzukehren, und die Sache bei dem Stadtrichter anhängig zu machen.

As the news of the conflict spread, every one took sides, until the little city-state was divided between the two parties of the "Esel" and the "Schatten," and on the verge of civil war; the magistrates hearing the trial sat trembling at the thought that, whatever their decision, they ran the risk of producing a catastrophe. Suddenly the mob outside caught sight of the donkey.

72

Der Lärm, den die Gassenjungen um den Esel
her machten, drehte jedermanns Augen nach der
Seite, woher er kam. Man stutzte und drängte   stutzte *stopped (short)*
sich hinzu.

5   «Ha!" rief endlich einer aus dem Volke, «da
kommt der Esel selbst!"—«Er wird den Richtern
wohl zu einem Ausspruch helfen° wollen", sagte   Ausspruch *decision*
ein anderer.—«Der verdammte Esel", rief ein
dritter, «er hat uns alle zugrunde gerichtet! Ich
10 wollte, daß ihn die Wölfe° gefressen hätten, ehe er   Wölfe
uns diesen gottlosen Handel auf den Hals zog!"—
«Heida!" schrie ein Kesselflicker, der immer einer   heida *look here*
der eifrigsten Schatten gewesen war; «was ein   Kesselflicker *tinker*
                                                      was *whoever*
braver Abderit° ist, über den Esel her! Er soll uns
15 die Zeche bezahlen! Laßt nicht ein Haar aus   die Zeche bezahlen *to pay,*
seinem schäbichten Schwanz von ihm übrig   *suffer the consequences*
bleiben!"   schäbichten *mangy*
In einem Augenblick stürzte sich die ganze
Menge auf das arme Tier, und in wenigen Augen-
20 blicken war es in tausend Stücke zerrissen. Jedermann wollte auch einen Bissen davon haben. Man
riß, schlug und raufte sich darum mit einer Hitze,   raufte sich *scuffled*
die gar nicht ihresgleichen hatte. Bei einigen ging
die Wut so weit, daß sie ihren Anteil auf der Stelle   Anteil *share*
25 roh und blutig auffraßen; die meisten aber liefen
mit dem, was sie davongebracht, nach Haus; und
da ein jeder eine Menge hinter sich hatte, die ihm
seinen Raub mit großem Geschrei abzujagen   abzujagen *to snatch away from*
suchte, so wurde der ganze Markt° in wenigen
30 Minuten° so leer als um Mitternacht.
«Dank sei dem Himmel!" rief endlich, nachdem die sehr ehrwürdigen Herren wieder zu sich
selbst gekommen waren, der Nomophylax lachend   Nomophylax *(a high official)*
aus; «mit aller unserer Weisheit hätten wir der
35 Sache keinen schicklicheren Ausgang geben können. Wozu wollten wir uns noch länger die Köpfe
zerbrechen? Der Esel, der unschuldige Anlaß   Anlaß *occasion*
dieses leidigen Handels, ist (wie es zu gehen pflegt)   leidigen *wretched*
das Opfer davon geworden. Ich trage also darauf   trage . . . an *move*
40 an: daß diese ganze Eselssache hiermit öffentlich
für geendigt und abgetan genommen, beiden

73

auferlegt *imposed* Teilen ein ewiges Stillschweigen auferlegt, dem armen Esel aber auf gemeiner Stadt Kosten ein Denkmal aufgerichtet werde, das zugleich uns und unsern Nachkommen zur ewigen Erinnerung diene, wie leicht eine große und blühende Republik° sogar 5 um eines Eselsschattens willen hätte zugrunde gehen können."

2

The enlightened despot

The most notable example of enlightened despotism was Friedrich II, der Große, King of Prussia. While this cynical, brilliant warrior, statesman, and philosopher represents in many ways the negative side of the Aufklärung, *with his scorn for human weaknesses, and his ruthlessness in internal and external affairs, it is significant that a thinker like Kant, living in the Prussia of Friedrich der Große, esteemed him. By his lights, Friedrich governed for the good of the people, and, himself an unbeliever, he made Prussia noteworthy for one freedom at least, that of religion. Two of his comments on this subject follow.*

so = die

pöplieren *to populate, settle in*
sie = ihnen (*a frequent usage in parts of North Germany*)

Fasson *fashion, way*

Alle Religionen° sind gleich und gut, wenn nur die Leute, so sie professieren°, ehrliche Leute sind, und wenn Türken° und Heiden kämen und wollten 10 das Land pöplieren, so wollen wir sie Mosqueen° und Kirchen bauen. Die Religionen müssen alle toleriert° werden, denn hier muß ein jeder nach seiner Fasson selig werden.

74

From a letter to the Empress Maria Theresia:

Nun zweifle Ich keinesweges, Eure Majestät°
werden von Mir glauben, daß die Rücksicht auf
Religionsvorteile bei Mir weder in Administration°
der Justiz° noch in Distribution° der Gnaden den
5 allergeringsten Eindruck mache. Von Meinen
Untertanen fordere Ich weiter nichts als bürger-
lichen Gehorsam und Treue. So lange sie hierunter
ihre Pflicht beobachten, erachte Ich Mich verbunden, ihnen gleiche Gunst, Schutz und Ge-
10 rechtigkeit angedeihen zu lassen, von was für
Meinungen in Religions-Sachen sie auch eingenommen sein möchten.

Untertanen *subjects*

erachte *deem*

angedeihen zu lassen *to bestow on*

*Like many adherents of the Enlightenment, Friedrich looked on France as
his ideal. In his long correspondence with Voltaire (the originals, of course, in
French), he wrote about the defects he saw in German culture and his hopes
for its future.*

75

schönen Wissenschaften *liberal arts, studies*

Wie nützlich sind doch die schönen Wissenschaften für die Menschheit! Meine Landsleute haben den Ehrgeiz, daß sie nun auch ihrerseits den Vorteil, den die schönen Künste gewähren, ge- 5 nießen wollen, und geben sich Mühe, Athen°, Rom°, Florenz° und Paris° zu erreichen. So sehr ich auch mein Vaterland liebe, so kann ich doch bis jetzt nicht sagen, daß es ihnen damit gelingt. Es fehlt ihnen an zwei Dingen, an einer guten 10 Sprache und an Geschmack.

schönen Künste *fine arts*

weitschweifig *diffuse*

Das Deutsche ist zu weitschweifig, und in der guten Gesellschaft spricht man Französisch. Ein paar Schulmeister und Professoren° sind nicht imstande, der Sprache die Feinheit und die leichten 15 Wendungen zu geben, die sie nur in dem Umgange der großen Welt erhalten kann. Dazu kommt noch die Verschiedenheit der Dialekte°. Jede Provinz° hat ihren eignen, und es ist noch nicht ausgemacht, welcher den Vorzug verdient. 20

Augustus *(the first Roman Emperor)*

römischem *Roman*

Nationalgeschmack *national taste*

Gewirr *confusion*

hochtrabenden *grandiloquent*

Besonders fehlt es aber den Deutschen an Geschmack. Sie können bis jetzt die Schriftsteller aus dem Jahrhundert des Augustus noch nicht nachahmen und haben eine fehlerhafte Mischung von römischem, englischem°, französischem und 25 ihrem eignen Nationalgeschmack. Wenn sie nur viele R in ihrer Sprache haben, so halten sie ihre Verse° schon für melodisch°; gewöhnlich sind diese nichts als ein Gewirr von hochtrabenden Wörtern.

Franz des Ersten *of Francis I (King of France in the early sixteenth century)*

Genies *geniuses*

Sie glauben in der dramatischen° Kunst Glück 30 zu machen; aber bis jetzt ist noch kein Meisterstück erschienen. Deutschland ist gegenwärtig darin gerade so weit wie Frankreich unter der Regierung Franz des Ersten. Der Geschmack an den Wissenschaften fängt an sich zu verbreiten, und man muß 35 erwarten, daß die Natur° wahre Genies hervorbringen werde.

Ich werde die schönen Tage meines Vaterlandes nicht erleben; dennoch sehe ich voraus, daß sie möglich sind. 40

3

Kant

Immanuel Kant, author of Die Kritik (critique) der reinen Vernunft, *the supreme philosopher of the* Aufklärung—*and also the man who, by defining the limits of what reason can attain, went beyond it—wrote a short essay called* Beantwortung der Frage: Was ist Aufklärung? *He defines the term, he considers how, and how far, mankind can become enlightened; he discusses his own age in reference to it, and regards* Friedrich der Große, *because of his attitude toward religious freedom, as the ruler who is opening the way for the use of reason, so that man, having become more than a mere machine, will eventually be governed in accordance with human dignity.*

"Aufklärung," Kant writes, *"is the emergence of man from his self-imposed immaturity"*—"Unmündigkeit"—*the incapacity to use one's intelligence without guidance by others.*

Faulheit und Feigheit sind die Ursachen, warum ein so großer Teil der Menschen, nachdem sie die Natur° längst von fremder Leitung frei° gesprochen, dennoch gerne zeitlebens unmündig
5 bleiben. Es ist so bequem, unmündig zu sein. Habe ich ein Buch, das für mich Verstand hat, einen Seelsorger, der für mich Gewissen hat, einen Arzt, der für mich die Diät° beurteilt usw., so brauche ich mich ja nicht selbst zu bemühen. Ich habe nicht
10 nötig zu denken, wenn ich nur bezahlen kann.

Es ist also für jeden einzelnen Menschen schwer, sich aus der ihm beinahe zur Natur° gewordenen Unmündigkeit herauszuarbeiten.

Daß aber ein Publikum° sich selbst aufkläre,
15 ist eher möglich; ja es ist, wenn man ihm nur Freiheit läßt, beinahe unausbleiblich. Denn da werden sich immer einige Selbstdenkende finden, welche, nachdem sie das Joch der Unmündigkeit selbst abgeworfen haben, den Geist einer ver-
20 nünftigen Schätzung des eigenen Werts um sich verbreiten werden.

Zu dieser Aufklärung aber wird nichts erfordert als die Freiheit, von seiner Vernunft in

unmündig *immature, not of age*

Seelsorger *pastor*

unausbleiblich *inevitable*

Schätzung *estimation*

77

Immanuel Kant

Landesbildstelle Württemberg

Critik
der
reinen Vernunft

von

Immanuel Kant,
Professor in Königsberg,
der Königl. Academie der Wissenschaften in Berlin
Mitglied.

Dritte verbesserte Auflage.

Riga,
bey Johann Friedrich Hartknoch.
1790.

Landesbildstelle Württemberg

räsoniert *argue*

Finanzrat *financial official*

Einschränkung *limitation*

beförderlich *helpful*

allen Stücken öffentlichen Gebrauch zu machen.
Nun höre ich aber von allen Seiten rufen: räsoniert
nicht! Der Offizier° sagt: räsoniert nicht, sondern
exerziert°! Der Finanzrat: räsoniert nicht, sondern
bezahlt! Der Geistliche: räsoniert nicht, sondern 5
glaubt! (Nur ein einziger Herr in der Welt sagt:
räsoniert, so viel ihr wollt, und worüber ihr wollt;
aber gehorcht!) Welche Einschränkung aber ist der
Aufklärung hinderlich? welche nicht, sondern ihr
wohl gar beförderlich?—Ich antworte: der öffent- 10
liche Gebrauch seiner Vernunft muß jederzeit frei°

78

sein, und der allein kann Aufklärung unter den Menschen zustande bringen; der Privatgebrauch derselben aber darf öfters sehr eng eingeschränkt sein, ohne doch darum den Fortschritt der Auf-
5 klärung sonderlich zu hindern°.

Nun ist zu manchen Geschäften ein gewisser Mechanismus° notwendig. Hier ist es nun freilich nicht erlaubt, zu räsonieren; sondern man muß gehorchen. So würde es sehr verderblich sein, wenn
10 ein Offizier° im Dienste über die Zweckmäßigkeit oder Nützlichkeit eines Befehls laut vernünfteln wollte; er muß gehorchen. Es kann ihm aber billigermaßen nicht verwehrt werden, als Gelehrter über die Fehler im Kriegsdienste Anmerkungen zu
15 machen, und diese seinem Publikum° zur Beurteilung vorzulegen.

Wenn denn nun gefragt wird: leben wir jetzt in einem a u f g e k l ä r t e n Zeitalter? so ist die Antwort: nein, aber wohl in einem Zeitalter der
20 A u f k l ä r u n g. Daß die Hindernisse der allgemeinen Aufklärung allmählich weniger werden, davon haben wir doch deutliche Anzeigen. In diesem Betracht ist dieses Zeitalter das Zeitalter der Aufklärung, oder das Jahrhundert Friedrichs.
25 Ein Fürst, der es seiner nicht unwürdig findet, zu sagen, daß er es für Pflicht halte, in Religionsdingen den Menschen nichts vorzuschreiben, sondern ihnen darin volle Freiheit zu lassen, ist selbst aufgeklärt und verdient von der dankbaren Welt
30 und Nachwelt als derjenige gepriesen zu werden, der zuerst jedem frei ließ, sich in allem, was Gewissensangelegenheit ist, seiner eigenen Vernunft zu bedienen.

Wenn denn die Natur° den Keim, für den sie
35 am zärtlichsten sorgt, nämlich den Beruf zum freien Denken, ausgewickelt hat; so wirkt dieser allmählich zurück auf die Sinnesart des Volkes und endlich auch sogar auf die Grundsätze der Regierung, die es ihr selbst zuträglich findet, den Menschen, der
40 nun mehr als Maschine° ist, seiner Würde gemäß zu behandeln.

vernünfteln *to reason (subtly)*

verwehrt *forbidden*

Anzeigen *indications*
Betracht *regard*

Gewissensangelegenheit
  matter of conscience

Keim *bud*

ausgewickelt *unfolded*
Sinnesart *mentality*

zuträglich *beneficial*

4

Lessing

Gotthold Ephraim Lessing, known best as dramatist and critic, was a thinker in whom one can follow clearly the various tendencies of the Aufklärung. *Late in his life he composed a summary of his views of the meaning of religion, in the hundred short paragraphs of* Die Erziehung des Menschengeschlechts (human race). *Here one finds not skepticism but the fundamentally optimistic concept that man is perfectible, and that, as he develops, God reveals to him as much truth as man can absorb at each stage of his development. Thus the Old and the New Testament were, in Lessing's view, adapted to mankind as it was at the time each was revealed; truth came gradually into the souls of men, and Lessing thought that there might be a further stage of revelation for a more mature human race, and even that the individual soul, returning again and again in different bodies, could ultimately reach perfect understanding.*

Gotthold Ephraim Lessing

Bettmann Archive

Was die Erziehung bei dem einzelnen Menschen ist, ist die Offenbarung bei dem ganzen Menschengeschlechte.

Erziehung ist Offenbarung, die dem einzelnen Menschen geschieht: und Offenbarung ist Erziehung, die dem Menschengeschlechte geschehen ist und noch geschieht. 5

Erziehung gibt dem Menschen nichts, was er nicht auch aus sich selbst haben könnte: sie gibt ihm das, was er aus sich selber haben könnte, nur geschwinder und leichter. Also gibt auch die 10 Offenbarung dem Menschengeschlechte nichts, worauf die menschliche Vernunft, sich selbst überlassen, nicht auch kommen würde, sondern sie gab und gibt ihm die wichtigsten dieser Dinge nur 15 früher.

Die Erziehung hat ihr Ziel: bei dem Geschlechte nicht weniger als bei dem Einzelnen. Was erzogen wird, wird zu etwas erzogen.

Sie wird kommen, sie wird gewiß kommen, die 20 Zeit der Vollendung, da der Mensch, je überzeugter sein Verstand einer immer besseren Zukunft sich

gleichwohl *nevertheless* fühlt, von dieser Zukunft gleichwohl Bewegungs-

80

gründe zu seinen Handlungen zu erborgen, nicht nötig haben wird; da er das Gute tun wird, weil es das Gute ist.

Eben die Bahn, auf welcher das Geschlecht zu
5 seiner Vollkommenheit gelangt, muß jeder einzelne Mensch erst durchlaufen haben.

Aber warum könnte jeder einzelne Mensch auch nicht mehr als einmal auf dieser Welt vorhanden gewesen sein?
10 Warum sollte ich nicht so oft wiederkommen, als ich neue Kenntnisse, neue Fertigkeiten zu erlangen geschickt bin? Bringe ich auf einmal so viel weg, daß es der Mühe wiederzukommen etwa nicht lohnte?
15 Oder, weil ich es vergesse, daß ich schon dagewesen? Wohl mir, daß ich das vergesse. Die Erinnerung meiner vorigen Zustände würde mir nur einen schlechten Gebrauch des gegenwärtigen zu machen erlauben. Und was ich auf jetzt ver-
20 gessen m u ß, habe ich denn das auf ewig vergessen?

Oder, weil zuviel Zeit für mich verloren gehen würde?—Verloren?—Und was habe ich denn zu versäumen? Ist nicht die ganze Ewigkeit mein?

Bewegungsgründe *bases*
erborgen *to borrow*

5

Gellert

After the ~~rigorous~~ definition by Kant, and the high seriousness of Lessing, we turn back to the lighter side of the Aufklärung. *Christian Fürchtegott Gellert was one of the most popular writers of his time—facile, moralistic, simple to understand—and the popularized version of* Aufklärung *thought appears in his* Fabeln (*fables*) und Erzählungen *in verse, each poem complete with its carefully drawn point and its moral conclusion.*

Der Schatz

Ein kranker Vater rief den Sohn.
25 Sohn! sprach er, um dich zu versorgen,
Hab ich vor langer Zeit einst einen Schatz verborgen;

81

		Er liegt——Hier starb der Vater schon.
bestürzter	*more dismayed*	Wer war bestürzter als der Sohn?
		Ein Schatz! (so waren seine Worte,)
		Ein Schatz! Allein an welchem Orte?
		Wo find ich ihn? Er schickt nach Leuten aus, 5
		Die Schätze sollen graben können,
Scheuern	*barns*	Durchbricht der Scheuern harte Tennen,
Tennen	*threshing-floors*	Durchgräbt den Garten° und das Haus°
		Und gräbt doch keinen Schatz heraus.

Nach viel vergeblichem Bemühen 10
Hieß er die Fremden wieder ziehen,
Sucht selber in dem Hause nach,
Durchsucht des Vaters Schlafgemach
Und find't mit leichter Müh (wie groß war sein
 Vergnügen!) 15

Diele *board* Ihn unter einer Diele liegen.

---

eh *sooner* Vielleicht, daß mancher eh die Wahrheit
 finden sollte,
Wenn er mit mindrer Müh die Wahrheit suchen
 wollte; 20
Und mancher hätte sie wohl zeitiger entdeckt,
wofern *if* Wofern er nicht geglaubt, sie wäre tief versteckt.
Verborgen ist sie wohl; allein nicht so verborgen,
Wust *confusion* Daß du der finstern Schriften Wust,
Um sie zu sehn, mit tausend Sorgen 25
durchwühlen *to dig through* Bis auf den Grund durchwühlen mußt.
Verlaß dich nicht auf fremde Müh,
Such selbst, such aufmerksam, such oft; du findest
 sie.
Die Wahrheit, lieber Freund, die alle nötig haben, 30
Die uns als Menschen glücklich macht,
zugedacht *intended* Ward von der weisen Hand, die sie uns zugedacht,
Nur leicht verdeckt, nicht tief vergraben.

Christian Fürchtegott Gellert

VIII

Lessing:

NATHAN der WEISE

Gotthold Ephraim Lessing, eldest of the three chief figures of the golden age of German literature, represents in it the high point of the *Aufklärung* of the eighteenth century. He was the defender and propagator of religious tolerance; the critic of traditional standards in life, art, and literature; the pioneer in developing a national theater and drama in Germany. But he was not merely a representative of the *Aufklärung*, with its all-too-optimistic faith in human intelligence and progress; and his drama *Nathan der Weise* is a noble statement of his religious faith as well as his rationalism.

This drama was Lessing's last major work, the fourth of the series of plays with which he gave a new direction to the German stage. Its hero is Nathan, a Jewish merchant, living in Jerusalem at the time of the Crusades. Its other chief characters include Saladin, the Mohammedan ruler who had conquered Jerusalem and who appears in the play almost like an ideal king of the eighteenth century, noble and wise; and a young Knight Templar, who comes, in the course of the play, to understand, if not to exemplify, enlightened Christianity. Thus three great religions are represented; but the pervasive influence throughout is Nathan's.

In the following scene, the central one of the drama, Nathan has been summoned to the Sultan. He expects that the ruler wants to borrow money, as in fact he does. But first Saladin, seeking to find out how wise Nathan really is, asks him which of the three religions is the true one.

The answer, Nathan's tale of the three rings, is a parable whose theme has appeared in many forms and places, most notably in Boccaccio's *Decamerone* where it is the third story of the first day. Lessing, in accordance with the philosophy of the Enlightenment, made of it, as Saladin sees, a convincing plea for tolerance in religion.

Saladin

Du nennst dich Nathan?

Nathan

Ja.

Saladin

Den weisen Nathan?

Nathan

Nein.

Saladin

Wohl! Nennst du dich nicht, nennt dich das Volk. 5

Nathan der Weise.

Ein

Dramatisches Gedicht,

in fünf Aufzügen.

Introite, nam et heic Dii sunt!

APVD GELLIVM.

Von

Gotthold Ephraim Lessing.

1 7 7 9.

Titelseite der ersten Ausgabe

Nathan

Kann sein, das Volk!

Saladin

Du glaubst doch nicht, daß ich
Verächtlich von des Volkes Stimme denke?—
Ich habe längst gewünscht, den Mann zu kennen,
5 Den es den Weisen nennt.

Nathan

Und wenn es ihn
Zum Spott so nennte? Wenn dem Volke weise
Nichts weiter wär' als klug? und klug nur der,
Der sich auf seinen Vorteil gut versteht?

85

Saladin

Auf seinen wahren Vorteil, meinst du doch?

Nathan

eigennützig (adj.) *selfish*   Dann freilich wär' der Eigennützigste
Der Klügste. Dann wär' freilich klug und weise
Nur eins.

Saladin

Ich höre dich erweisen, was   5
Du widersprechen willst.—Des Menschen wahre
Vorteile, die das Volk nicht kennt, kennst du.
Hast du zu kennen wenigstens gesucht;
Hast drüber nachgedacht; das auch allein
Macht schon den Weisen.   10

Nathan

dünkt   *deems, imagines*   Der sich jeder dünkt
Zu sein . . . Sultan°, ich
Will sicherlich dich so bedienen, daß
Kundschaft   *patronage*   Ich deiner fernern Kundschaft würdig bleibe.

Saladin

Bedienen? wie?   15

Nathan

Du sollst das Beste haben
Von allem; sollst es um den billigsten
Preis haben.

Saladin

Wovon sprichst du? doch wohl nicht
Von deinen Waren°?—   20
Ich habe mit dem Kaufmann nichts zu tun.

Nathan

So wirst du ohne Zweifel wissen wollen,
Was ich auf meinem Wege von dem Feinde,
Der allerdings sich wieder reget, etwa
Bemerkt, getroffen?—Wenn ich unverhohlen. . . . 25

86

Ernst Deutsch als Nathan. Ruhrfestspiele 1956

Liselotte Strelow

Saladin

Auch darauf bin ich eben nicht mit dir

gesteuert *aimed* Gesteuert. Davon weiß ich schon, soviel
Ich nötig habe.—Kurz;—

Nathan

Gebiete, Sultan.

Saladin

Da du nun 5
So weise bist, so sage mir doch einmal—
Was für ein Glaube, was für ein Gesetz
eingeleuchtet *appeared true* Hat dir am meisten eingeleuchtet?

Nathan

Sultan,
Ich bin ein Jud'. 10

Saladin

Muselmann *Moslem* Und ich ein Muselmann.
Der Christ ist zwischen uns.—Von diesen drei
Religionen° kann doch eine nur
Die wahre sein.—Ein Mann wie du bleibt da
Nicht stehen, wo der Zufall der Geburt 15
Ihn hingeworfen; oder wenn er bleibt,
Bleibt er aus Einsicht, Gründen, Wahl des Bessern.
wohlan! *well then!* Wohlan! so teile deine Einsicht mir
Dann mit. Laß mich die Gründe hören.—Wie?
stutzest *hesitate* Du stutzest? wägst mich mit dem Auge?—Kann 20
Wohl sein, daß ich der erste Sultan bin,
Grille *whim* Der eine solche Grille hat, die mich
Doch eines Sultans eben nicht so ganz
Unwürdig dünkt.—Nicht wahr?—So rede doch!
Sprich! Oder willst du einen Augenblick, 25
Dich zu bedenken? Gut, ich geb' ihn dir.
Geschwind denk' nach! Ich säume nicht, zurück
Zu kommen.
(Er geht in das Nebenzimmer.)

Nathan

(allein)

Hm! hm!—wunderlich!—Wie ist
Mir denn?—Was will der Sultan? was?—Ich bin
Auf Geld gefaßt, und er will—Wahrheit. Wahr-
heit!—
5 Zwar der Verdacht, daß er die Wahrheit nur
Als Falle brauche, wär' auch gar zu klein!—
Zu klein?—Was ist für einen Großen denn
Zu klein?—Gewiß, gewiß, er stürzte mit
Der Türe so ins Haus! Man pocht doch, hört
10 Doch erst, wenn man als Freund sich naht.—Ich
muß
Behutsam gehn! Und wie? wie das?—So ganz
Stockjude sein zu wollen, geht schon nicht.—
Und ganz und gar nicht Jude, geht noch minder.
15 Denn, wenn kein Jude, dürft' er mich nur fragen,
Warum kein Muselmann?—Das war's! Das kann
Mich retten!—Nicht die Kinder bloß speist man
Mit Märchen ab.—Er kommt. Er komme nur!

Saladin

Ich komm' dir doch
20 Nicht zu geschwind zurück? Nun so rede!
Es hört uns keine Seele.

Nathan

Möcht' auch doch
Die ganze Welt uns hören.

Saladin

So gewiß
25 Ist Nathan seiner Sache? Ha! das nenn'
Ich einen Weisen! Nie die Wahrheit zu
Verhehlen! für sie alles auf das Spiel
Zu setzen! Leib und Leben! Gut und Blut!

Nathan

Ja! ja! wenn's nötig ist und nützt.

Marginal glosses:

wie ist mir denn? *how is this?*

Falle *trap*

stürzte mit der Türe so ins Haus *rushed right ahead*
pocht *knocks*

Stockjude *fanatic Jew*

abspeisen (inf.) *to satisfy (by feeding)*

89

Erich Ponto als Nathan. Stuttgart, 1955

Madeline Winkler-Betzendahl

Saladin

Von nun
An darf ich hoffen, einen meiner Titel°,
Verbesserer der Welt und des Gesetzes,
Mit Recht zu führen.

Nathan

5   Traun, ein schöner Titel!   Traun! *Faith!*
Doch, Sultan, eh' ich mich dir ganz vertraue,
Erlaubst du wohl, dir ein Geschichtchen zu
Erzählen?

Saladin

Warum das nicht? Ich bin stets
10 Ein Freund gewesen von Geschichtchen, gut
Erzählt.

Nathan

Ja, g u t erzählen, das ist nun
Wohl eben meine Sache nicht.

Saladin

Schon wieder
15 So stolz bescheiden? — Mach! erzähl', erzähle!   mach! *come on!*

Nathan

Vor grauen Jahren lebt' ein Mann in Osten,
Der einen Ring° von unschätzbarem Wert
Aus lieber Hand besaß. Der Stein war ein
Opal°, der hundert schöne Farben spielte,
20 Und hatte die geheime Kraft, vor Gott
Und Menschen angenehm zu machen, wer
In dieser Zuversicht ihn trug. Was Wunder,   was Wunder *is it any wonder*
Daß ihn der Mann in Osten darum nie
Vom Finger ließ und die Verfügung traf,   die Verfügung traf *gave the order*
25 Auf ewig ihn bei seinem Hause zu
Erhalten? Nämlich so. Er ließ den Ring
Von seinen Söhnen dem geliebtesten
Und setzte fest, daß dieser wiederum
Den Ring von seinen Söhnen dem vermache,   vermachen (inf.) *to bequeath*

91

Der ihm der liebste sei, und stets der liebste,
Ohn' Ansehn der Geburt, in Kraft allein
Des Rings, das Haupt, der Fürst des Hauses werde.—
Versteh mich, Sultan.

Saladin

Ich versteh' dich. Weiter!   5

Nathan

So kam nun dieser Ring, von Sohn zu Sohn,
Auf einen Vater endlich von drei Söhnen,
Die alle drei ihm gleich gehorsam waren,
Die alle drei er folglich gleich zu lieben
Sich nicht entbrechen konnte. Nur von Zeit   10
Zu Zeit schien ihm bald der, bald dieser, bald
Der dritte, — so wie jeder sich mit ihm
Allein befand, und sein ergießend Herz
Die andern zwei nicht teilten, — würdiger
Des Ringes, den er denn auch einem jeden   15
Die fromme Schwachheit hatte zu versprechen.
Das ging nun so, solang es ging. — Allein
Es kam zum Sterben, und der gute Vater
Kommt in Verlegenheit. Es schmerzt ihn, zwei
Von seinen Söhnen, die sich auf sein Wort   20
Verlassen, so zu kränken. — Was zu tun? —
Er sendet in geheim zu einem Künstler,
Bei dem er, nach dem Muster seines Ringes,
Zwei andere bestellt und weder Kosten
Noch Mühe sparen heißt, sie jenem gleich,   25
Vollkommen gleich zu machen. Das gelingt
Dem Künstler. Da er ihm die Ringe bringt,
Kann selbst der Vater seinen Musterring
Nicht unterscheiden. Froh und freudig ruft
Er seine Söhne, jeden insbesondre,   30
Gibt jedem insbesondre seinen Segen—
Und seinen Ring—und stirbt.—Du hörst doch,
Sultan?

Saladin

(*der sich betroffen von ihm gewandt*)

Ich hör', ich höre! — Komm mit deinem Märchen
Nur bald zu Ende. — Wird's?   35

Nathan

Ich bin zu Ende.
Denn was noch folgt, versteht sich ja von selbst. —
Kaum war der Vater tot, so kommt ein jeder
Mit seinem Ring, und jeder will der Fürst
5 Des Hauses sein. Man untersucht, man zankt,   zankt *quarrel*
Man klagt. Umsonst; der rechte Ring war nicht
Erweislich; —

(*Nach einer Pause°, in welcher er des Sultans Antwort
erwartet.*)

         Fast so unerweislich als
Uns jetzt — der rechte Glaube.

Saladin

10   Wie? das soll
Die Antwort sein auf meine Frage? . . .

Nathan

      Soll
Mich bloß entschuldigen, wenn ich die Ringe
Mir nicht getrau' zu unterscheiden, die
15 Der Vater in der Absicht machen ließ,
Damit sie nicht zu unterscheiden wären.

Saladin

Die Ringe! — Spiele nicht mit mir! — Ich dächte,
Daß die Religionen°, die ich dir
Genannt, doch wohl zu unterscheiden wären.
20 Bis auf die Kleidung, bis auf Speis' und Trank!

Nathan

Und nur von seiten ihrer Gründe nicht. —
Denn gründen alle sich nicht auf Geschichte?
Geschrieben oder überliefert! — Und
Geschichte muß doch wohl allein auf Treu'
25 Und Glauben angenommen werden? — Nicht? —
Nun, wessen Treu' und Glauben zieht man denn
Am wenigsten in Zweifel? Doch der Seinen?
Doch deren Blut wir sind? doch deren, die

93

Von Kindheit an uns Proben ihrer Liebe
Gegeben? die uns nie getäuscht, als wo
Getäuscht zu werden uns heilsamer war? —
Wie kann ich meinen Vätern weniger
Als du den deinen glauben? Oder umgekehrt.   5
Kann ich von dir verlangen, daß du deine
Vorfahren Lügen strafst, um meinen nicht
Zu widersprechen? Oder umgekehrt.
Das nämliche gilt von den Christen. Nicht? —

Saladin

(Bei dem Lebendigen! Der Mann hat recht.   10
Ich muß verstummen.)

Nathan

      Laß auf unsre Ring'
Uns wieder kommen. Wie gesagt: die Söhne
Verklagten sich, und jeder schwur dem Richter,
Unmittelbar aus seines Vaters Hand   15
Den Ring zu haben. — Wie auch wahr! — Nachdem
Er von ihm lange das Versprechen schon
Gehabt, des Ringes Vorrecht einmal zu
Genießen. — Wie nicht minder wahr! — Der Vater,
Beteu'rte jeder, könne gegen ihn   20
Nicht falsch gewesen sein! und eh' er dieses
Von ihm, von einem solchen lieben Vater,
Argwohnen laß': eh' müß' er seine Brüder,
So gern er sonst von ihnen nur das Beste
Bereit zu glauben sei, des falschen Spiels   25
Bezeihen, und er wolle die Verräter
Schon auszufinden wissen, sich schon rächen.

Saladin

Und nun, der Richter? — Mich verlangt zu hören,
Was du den Richter sagen lässest. Sprich!

Nathan

Der Richter sprach: Wenn ihr mir nun den Vater 30
Nicht bald zur Stelle schafft, so weis' ich euch
Von meinem Stuhle. Denkt ihr, daß ich Rätsel
Zu lösen da bin? Oder harret ihr,

beteu'rte   asserted

argwohnen   be suspected

bezeihen   accuse

Bis daß der rechte Ring den Mund eröffne? —
Doch halt! Ich höre ja, der rechte Ring
Besitzt die Wunderkraft, beliebt zu machen,
Vor Gott und Menschen angenehm. Das muß
5 Entscheiden! Denn die falschen Ringe werden
Doch das nicht können! — Nun, wen lieben zwei
Von euch am meisten? — Macht, sagt an! Ihr
    schweigt?
Die Ringe wirken nur zurück? und nicht
10 Nach außen? Jeder liebt sich selber nur
Am meisten? — O, so seid ihr alle drei
Betrogene Betrüger! Eure Ringe
Sind alle drei nicht echt. Der echte Ring
Vermutlich ging verloren. Den Verlust
15 Zu bergen, zu ersetzen, ließ der Vater
Die drei für einen machen.

Saladin

Herrlich! herrlich!

Nathan

Und also, fuhr der Richter fort, wenn ihr
Nicht meinen Rat statt meines Spruches wollt:
20 Geht nur! — mein Rat ist aber der: ihr nehmt
Die Sache völlig wie sie liegt. Hat von
Euch jeder seinen Ring von seinem Vater,
So glaube jeder sicher seinen Ring

Den echten. — Möglich, daß der Vater nun
Die Tyrannei° des einen Rings nicht länger
In seinem Hause dulden wollen! — Und gewiß,
Daß er euch alle drei geliebt und gleich
Geliebt, indem er zwei nicht drücken mögen,   5
Um einen zu begünstigen. — Wohlan!
Es strebe von euch jeder um die Wette,
Die Kraft des Steins in seinem Ring an Tag
Zu legen! Komme dieser Kraft mit Sanftmut,
Mit herzlicher Verträglichkeit, mit Wohltun,   10
Mit innigster Ergebenheit in Gott
Zu Hilf'! Und wenn sich dann der Steine Kräfte
Bei euern Kindes-Kindeskindern äußern,
So lad' ich über tausend tausend Jahre
Sie wiederum vor diesen Stuhl. Da wird   15
Ein weis'rer Mann auf diesem Stuhle sitzen
Als ich, und sprechen. Geht! —

Saladin

Gott! Gott!

Nathan

Saladin,
Wenn du dich fühlest, dieser weisere   20
Versprochne Mann zu sein . . .

Saladin

(*der auf ihn zustürzt und seine Hand ergreift, die er
bis zu Ende nicht wieder fahren läßt*)

Ich Staub? Ich Nichts?
O Gott!

Nathan

Was ist dir, Sultan?

Saladin

Nathan, lieber Nathan! —   25
Die tausend tausend Jahre deines Richters
Sind noch nicht um. — Sein Richterstuhl ist nicht
Der meine. — Geh! — Geh! — Aber sei mein Freund.

96

um die Wette streben (inf.)
to vie (with)

Verträglichkeit *conciliatory
disposition*

Was ist dir? *What is the
matter with you?*

IX

Goethe:

FAUST

Erscheinung des Erdgeists. Zeichnung von Goethe   Landesbildstelle Württemberg

97

Presse- und Informationsar
der Bundesregierung, Bonn

Goethe's *Faust, eine Tragödie°*, is the supreme achievement of German literature. How Goethe has transformed the popular folk tale into a timeless classic will become clear to you by a comparison of the excerpts from the *Faustbuch* which you have read with those of Goethe which follow. His unique achievement has been in elevating the legend, a story of magic and high adventure which is full of excitement, suspense, color, and pageantry, into an exalted document of human aspiration and a revealing portrait of our modern civilization.

The work is a drama in two parts written in verse of extraordinary beauty, variety, and clarity. The characters of the legend have been

Faust in seinem Studierzimmer. Radierung nach Rembrandt.
Aus dem 7. Band von Goethes Schriften, in dem der unvollendete *Faust* zum ersten Mal erschien. 1790

deepened and converted into powerful symbols of our modern civilization. Above all, Faust himself has been ennobled. In Goethe's dramatic poem, he is an earnest scholar whose compulsion to seek ultimate solutions has made him impatient with the limitations of traditional knowledge and prompted him to experiment within the wider range of magic and the occult in his burning desire to pierce the secrets of the universe and discover *"was die Welt im Innersten zusammenhält"* (see page 101, lines 4–5). This undertaking, although it leads into iniquitous paths, especially after his desperate pact with the devil, is essentially good, and makes possible his salvation in the end.

1

PART ONE

In the first excerpt, containing the opening lines of the play, Faust reveals his discontent with human knowledge and his resolve to seek through magic the attainment of transcendent perception. Note especially ll. 3 and 4 of the following page.

Nacht

In einem hochgewölbten engen gotischen Zimmer
Faust, unruhig auf seinem Sessel am Pulte.

gotischen *Gothic*

Faust

Habe nun, ach, Philosophie°,
Juristerei und Medizin°,
Und leider auch Theologie°
Durchaus studiert, mit heißem Bemühn.
Da steh' ich nun, ich armer Tor,   5
Und bin so klug als wie zuvor!
Heiße Magister, heiße Doktor° gar,
Und ziehe schon an die zehen Jahr'
Herauf, herab und quer und krumm
Meine Schüler an der Nase herum—   10
Und sehe, daß wir nichts wissen können!
Das will mir schier das Herz verbrennen.
Zwar bin ich gescheiter als alle die Laffen,
Doktoren, Magister, Schreiber und Pfaffen;
Mich plagen keine Skrupel° noch Zweifel,   15
Fürchte mich weder vor Hölle noch Teufel—
Dafür ist mir auch alle Freud' entrissen,
Bilde mir nicht ein, was Recht's zu wissen,
Bilde mir nicht ein, ich könnte was lehren,
Die Menschen zu bessern und zu bekehren.   20
Auch hab' ich weder Gut noch Geld,
Noch Ehr' und Herrlichkeit der Welt;
Es möchte kein Hund so länger leben!
Drum hab' ich mich der Magie ergeben,
Ob mir durch Geistes Kraft und Mund   25
Nicht manch Geheimnis würde kund;

Juristerei *iurisprudence*

Magister *Master of Arts*

schier *almost entirely, just about*
gescheiter *more clever*
Laffen *ninnies, fools*
Pfaffen *priests*

bekehren *convert*

Magie *magic*

100

Faust im Studierzimmer. Lithographie von Delacroix

Daß ich nicht mehr mit saurem Schweiß
Zu sagen brauche, was ich nicht weiß;
Daß ich erkenne, was die Welt
Im Innersten zusammenhält,
5 Schau' alle Wirkenskraft und Samen,
Und tu' nicht mehr in Worten kramen.

tu' . . . kramen (*dialect*) *rummage, deal*

101

**Will Quadflieg als Faust. Schauspielhaus
Hamburg, 1957**

2

Mephistopheles gains entrance into Faust's study in the shape of a dog. In the following scene, Faust, suspecting that a demon lurks in the animal, attempts to gain control of it. His first attempt fails, but when he confronts the demonic creature with the crucifix, (p. 103, ll. 21–23), he succeeds.

Faust

Soll ich mit dir das Zimmer teilen,
Pudel°, so laß das Heulen,
So laß das Bellen!
Solch einen störenden Gesellen
Mag ich nicht in der Nähe leiden.　　　　　　　5
Einer von uns beiden
Zelle　*cell, room*　Muß die Zelle meiden.

102

Ungern heb' ich das Gastrecht auf,
Die Tür ist offen, hast freien Lauf.
Aber was muß ich sehen!
Kann das natürlich geschehen?
5 Ist es Schatten? ist's Wirklichkeit?
Wie wird mein Pudel lang und breit!
Er hebt sich mit Gewalt, —
Das ist nicht eines Hundes Gestalt!
Welch ein Gespenst bracht' ich ins Haus!
10 Schon sieht er wie ein Nilpferd aus,
Mit feurigen Augen, schrecklichem Gebiß.
O! du bist mir gewiß!
Für solche halbe Höllenbrut
Ist Salomonis Schlüssel gut.

   . . .

15 Es liegt ganz ruhig und grinst mich an;
Ich hab' ihm noch nicht weh getan.
Du sollst mich hören
Stärker beschwören.
Bist du, Geselle,
20 Ein Flüchtling der Hölle?
So sieh dies Zeichen,
Dem sie sich beugen,
Die schwarzen Scharen!

Hinter den Ofen gebannt,
25 Schwillt es wie ein Elefant°.
Den ganzen Raum füllt es an,
Es will zum Nebel zerfließen. —
Steige nicht zur Decke hinan!
Lege dich zu des Meisters Füßen!
30 Erwarte nicht
Die stärkste von meinen Künsten!

Gastrecht *hospitality*

Nilpferd *hippopotamus*
Gebiß *teeth*

Höllenbrut *offspring of hell*
Salomonis Schlüssel *Key of Solomon (a conjurer's book)*

grinst . . . an *grins at*

beschwören *exorcise*

gebannt *confined by magic*

From Franz Neubert, **Vom Doktor Faustus zu Goethes Faust**, J. J. Weber, Leipzig, 1932

Mephistopheles

(*tritt, indem der Nebel fällt, gekleidet wie ein fahrender Scholastikus, hinter dem Ofen hervor*)

Wozu der Lärm? Was steht dem Herrn zu Diensten?

fahrender Scholastikus *traveling scholar*
Was steht dem Herrn zu Diensten? *What does the gentleman want?*

103

Faust

Das also war des Pudels Kern!

Casus case, occurrence Ein fahrender Scolast? Der Casus macht mich
lachen.

Mephistopheles

salutiere greet, salute Ich salutiere den gelehrten Herrn!
weidlich vigorously Ihr habt mich weidlich schwitzen machen. 5

Faust

Nun gut, wer bist du denn?

Mephistopheles

Ein Teil von jener Kraft,
Die stets das Böse will und stets das Gute schafft.

Faust

Was ist mit diesem Rätselwort gemeint?

Mephistopheles

Ich bin der Geist, der stets verneint! 10

**Faust und Mephistopheles.
Lithographie von Delacroix**

104

3

Some days later, when Faust is in one of his most despairing moods, Mephisto proposes the agreement. Note the terms, especially those suggested by Faust himself. Compare with the agreement of the chapbook (p. 63). What are the possible implications of the changes made by Goethe?

Faust

In jedem Kleide werd' ich wohl die Pein
Des engen Erdenlebens fühlen.
Ich bin zu alt, um nur zu spielen,
Zu jung, um ohne Wunsch zu sein.
5 Was kann die Welt mir wohl gewähren?
«Entbehren sollst du! sollst entbehren!"
Das ist der ewige Gesang,
Der jedem an die Ohren klingt,

Gustaf Gründgens als
Mephistopheles, Will
Quadflieg als Faust.
Schauspielhaus Hamburg,
1957

Rosemarie Clausen

105

Aus der Hamburger Aufführung

Den, unser ganzes Leben lang,
heiser *hoarsely* Uns heiser jede Stunde singt.
Nur mit Entsetzen wach' ich morgens auf;
Ich möchte bittre Tränen weinen,
Den Tag zu sehn, der mir in seinem Lauf   5
Nicht einen Wunsch erfüllen wird, nicht einen,
Und so ist mir das Dasein eine Last,
Der Tod erwünscht, das Leben mir verhaßt.

Mephistopheles

Hör' auf, mit deinem Gram zu spielen,
Der wie ein Geier dir am Leben frißt!
Ich bin keiner von den Großen;
Doch willst du, mit mir vereint,
5 Deine Schritte durch's Leben nehmen,
So will ich mich gern bequemen
Dein zu sein, auf der Stelle.
Ich bin dein Geselle
Und mach' ich dir's recht,
10 Bin ich dein Diener, bin dein Knecht!

Faust

Und was soll ich dagegen dir erfüllen?

Mephistopheles

Ich will mich h i e r zu deinem Dienst verbinden,
Auf deinen Wink nicht rasten und nicht ruhn;
Wenn wir uns d r ü b e n wieder finden,
15 So sollst du mir das Gleiche tun.

Faust

Werd' ich beruhigt je mich auf ein Faulbett legen,
So sei es gleich um mich getan!
Kannst du mich schmeichelnd je belügen,
Daß ich mir selbst gefallen mag,
20 Kannst du mich mit Genuß betrügen—
Das sei für mich der letzte Tag!
Werd' ich zum Augenblicke sagen:
«Verweile doch! du bist so schön!"
Dann magst du mich in Fesseln schlagen,
25 Dann will ich gern zugrunde gehn!
Dann mag die Totenglocke schallen,
Dann bist du deines Dienstes frei,
Die Uhr mag stehn, der Zeiger fallen,
Es sei die Zeit für mich vorbei!

Mephistopheles

30 Bedenk' es wohl! Wir werden's nicht vergessen.

Faust

Dazu hast du ein volles Recht!

Geier *vulture*

mich . . . bequemen *agree*

Faulbett *bed of ease*
um mich getan *the end of me*

in Fesseln schlagen *put in chains*

107

Mephistopheles

Nur eins! — Um Lebens oder Sterbens willen

bitt' ich mir . . . aus *I ask for* Bitt' ich mir ein paar Zeilen aus.

Ist doch ein jedes Blättchen gut.

Du unterzeichnest dich mit einem Tröpfchen Blut.

. . .

Faust

Wohin soll es nun gehn? 5

Mephistopheles

Wohin es dir gefällt.

Wir sehn die kleine, dann die große Welt.

Faust

Allein bei meinem langen Bart

Fehlt mir die leichte Lebensart.

glücken *succeed* Es wird mir der Versuch nicht glücken; 10

Ich wußte nie mich in die Welt zu schicken.

Vor andern fühl' ich mich so klein;

Ich werde stets verlegen sein.

Mephistopheles

Mein guter Freund, das wird sich alles geben;

Sobald du dir vertraust, sobald weißt du zu leben. 15

Faust

Wie kommen wir denn aus dem Haus?

Wo hast du Pferde, Knecht und Wagen?

Mephistopheles

Wir breiten nur den Mantel aus,

Der soll uns durch die Lüfte tragen.

Du nimmst bei diesem kühnen Schritt 20

Nur keinen großen Bündel mit.

Feuerluft *hydrogen* Ein bißchen Feuerluft, die ich bereiten werde,

behend *swiftly* Hebt uns behend von dieser Erde,

Und sind wir leicht, so geht es schnell hinauf. —

gratuliere *congratulate* Ich gratuliere dir zum neuen Lebenslauf. 25

108

4

Faust has been transformed by a magic potion into a young man. As part of an elaborate plan to aid Faust in the seduction of Margarete (Gretchen), a beautiful, devout maiden, Mephisto has placed a casket full of jewels in her room. She discovers it in the scene which follows.

Abend

Ein kleines reinliches Zimmer

Margarete

(*mit einer Lampe*)

Es ist so schwül, so dumpfig hie   schwül *sultry*
                                          dumpfig *musty*

     (*sie macht das Fenster auf*)

Und ist doch eben so warm nicht drauß'.
Es wird mir so, ich weiß nicht wie —
Ich wollt', die Mutter käm' nach Haus!
5 Mir läuft ein Schauer über'n ganzen Leib —   Schauer *shudder*
Bin doch ein töricht furchtsam Weib!

(*Sie fängt an zu singen, indem sie sich auszieht.*)

Es war ein König in Thule   Thule (*proper name, far off*
Gar treu bis an das Grab,   *legendary land*)
Dem sterbend seine Buhle
10 Einen goldnen Becher gab.   Buhle *sweetheart*

Es ging ihm nichts darüber,
Er leert' ihn jeden Schmaus;   Schmaus *feast*
Die Augen gingen ihm über,
Sooft er trank daraus.

15 Und als er kam zu sterben,
Zählt' er seine Städt' im Reich,
Gönnt' alles seinem Erben,
Den Becher nicht zugleich.

Er saß beim Königsmahle,
20 Die Ritter um ihn her,
Auf hohem Vätersaale,
Dort auf dem Schloß am Meer.

Zecher *hard drinker, carouser*

Dort stand der alte Zecher,
Trank letzte Lebensglut,
Und warf den heiligen Becher
Hinunter in die Flut.

Er sah ihn stürzen, trinken   5
Und sinken tief ins Meer,

täten . . . sinken *closed*

Die Augen täten ihm sinken,
Trank nie einen Tropfen mehr.

Schrein *chest*
einzuräumen *to put in order,*
arrange

*(Sie eröffnet den Schrein, ihre Kleider einzuräumen,
und erblickt das Schmuckkästchen.)*

Wie kommt das schöne Kästchen hier herein?
Ich schloß doch ganz gewiß den Schrein.   10
Es ist doch wunderbar! Was mag wohl drinne sein?
Da hängt ein Schlüsselchen am Band,
Ich denke wohl, ich mach' es auf! —
Was ist das? Gott im Himmel! Schau'!
So was hab' ich mein' Tage nicht gesehn!   15
Ein Schmuck! mit dem könnt' eine Edelfrau
Am höchsten Feiertage gehn.
Wie sollte mir die Kette stehn?
Wem mag die Herrlichkeit gehören?

(Sie putzt sich damit auf und tritt vor den Spiegel.)

Wenn nur die Ohrring' meine wären!   20
Man sieht doch gleich ganz anders drein.
Was hilft euch Schönheit, junges Blut?
Das ist wohl alles schön und gut,
Allein man läßt's auch alles sein;

Erbarmen *pity*

Man lobt euch halb mit Erbarmen.   25
Nach Golde drängt,
Am Golde hängt
Doch alles. Ach, wir Armen!

110

**Antje Weisgerber als Gretchen, Elisabeth Flickenschildt als Frau Marthe
Schwerdtlein. Schauspielhaus Hamburg, 1957**

Rosemarie Clausen

Gretchen am Spinnrad. Lithographie von Delacroix

5

Faust soon falls deeply in love with Gretchen and flees from her presence to keep from harming her. But love for him has stirred depths of emotion in her which she is unable to control. The intensely erotic poem which follows, spoken by Gretchen at her spinning wheel, is one of the most affecting dramatic moments of the entire tragedy.

Gretchens Stube
Gretchen

(*am Spinnrade allein*)

Meine Ruh' ist hin,
Mein Herz ist schwer;
Ich finde sie nimmer
Und nimmermehr.

Wo ich ihn nicht hab'
Ist mir das Grab;
Die ganze Welt
Ist mir vergällt.   vergällt   *made bitter*

5   Mein armer Kopf
Ist mir verrückt,   verrückt   *utterly distracted,*
Mein armer Sinn   *crazed*
Ist mir zerstückt.   zerstückt *torn apart*

Meine Ruh' ist hin,
10 Mein Herz ist schwer;
Ich finde sie nimmer,
Und nimmermehr.

Nach ihm nur schau' ich
Zum Fenster hinaus,
15 Nach ihm nur geh' ich
Aus dem Haus.

Sein hoher Gang,
Sein' edle Gestalt,
Seines Mundes Lächeln,
20 Seiner Augen Gewalt,

Und seiner Rede
Zauberfluß,
Sein Händedruck,
Und ach, sein Kuß!

25 Meine Ruh' ist hin,
Mein Herz ist schwer;
Ich finde sie nimmer
Und nimmermehr.

Mein Busen drängt
30 Sich nach ihm hin.
Ach dürft' ich fassen
Und halten ihn,

Und küssen ihn
So wie ich wollt',
35 An seinen Küssen
Vergehen sollt'!

113

6

The catastrophe has occurred. Faust, goaded by Mephistopheles, has been unable to resist temptation, and Gretchen has yielded to him. Condemned to death for having drowned her baby in a moment of insanity brought on by her sense of guilt, she awaits her doom in prison, where Faust appears in a vain attempt to liberate her. The final scene of Faust, Part One, *here printed, ends with a voice from heaven proclaiming Gretchen's salvation after death, while Mephisto drags Faust on to other, more grandiose adventures.*

Kerker   *dungeon*

Kerker

Faust tritt ein, mit einem Bund Schlüssel und einer Lampe.

Margarete

(*sich auf ihrem Lager verbergend*)

Weh! Weh! Sie kommen. Bittrer Tod!

Faust

(*leise*)

Still! Still! Ich komme, dich zu befreien.

Margarete

sich . . . hinwälzend *writhing*

(*sich vor ihn hinwälzend*)

Bist du ein Mensch, so fühle meine Not!

Faust

Du wirst die Wächter aus dem Schlafe schreien!

aufzuschließen *to unfasten, unlock*

(*Er faßt die Ketten, sie aufzuschließen.*)

Margarete

(*auf den Knien*)

Wer hat dir, Henker, diese Macht   5
Über mich gegeben?
Du holst mich schon um Mitternacht!

erbarme dich *have pity*

Erbarme dich und laß mich leben!

genung = genug

Ist's morgen früh nicht zeitig genung?

114

Kerkerszene aus der Hamburger Aufführung

Rosemarie Clausen

(Sie steht auf.)

Bin ich doch noch so jung, so jung!
Und soll schon sterben!
Schön war ich auch, und das war mein Verderben.
Nah war der Freund, nun ist er weit;
Zerrissen liegt der Kranz, die Blumen zerstreut.   5
Fasse mich nicht so gewaltsam an!
Schone mich! Was hab' ich dir getan?
Laß mich nicht vergebens flehen,
Hab' ich dich doch mein' Tage nicht gesehen!

Faust

Werd' ich den Jammer überstehen?   10
(wirft sich nieder)

Margarete

(wirft sich zu ihm)

O laß uns knien, die Heil'gen anzurufen!
Sieh! unter diesen Stufen,
Unter der Schwelle
Siedet die Hölle!
Der Böse,   15
Mit furchtbarem Grimme,
Macht ein Getöse!

Faust

(laut)

Gretchen! Gretchen!

Margarete

(aufmerksam)

Das war des Freundes Stimme!

(Sie springt auf. Die Ketten fallen ab.)

Wo ist er? Ich hab' ihn rufen hören!   20
Ich bin frei! Mir soll niemand wehren!
An seinen Hals will ich fliegen,
An seinem Busen liegen!
Er rief «Gretchen»! Er stand auf der Schwelle.

siedet *seethes* — (line 14)

Getöse *din, uproar* — (line 17)

Mitten durchs Heulen und Klappen der Hölle,   klappen (inf.)   *to clatter*
Durch den grimmigen, teuflischen Hohn,
Erkannt' ich den süßen, den liebenden Ton.

Faust

Ich bin's!

Margarete

5 Du bist's! O sag' es noch einmal!

(ihn fassend)

Er ist's! Er ist's! Wohin ist alle Qual?
Wohin die Angst des Kerkers? der Ketten?
Du bist's! Kommst mich zu retten!
Ich bin gerettet! —
10 Schon ist die Straße wieder da,
Auf der ich dich zum ersten Male sah.

Faust

(fortstrebend)

Komm mit! Komm mit!

Margarete

O weile!   weile   *stay*
Weil' ich doch so gern, wo du weilest!

(liebkosend)   liebkosend   *caressing*

Faust

15 Eile!
Wenn du nicht eilest,
Werden wir's teuer büßen müssen.

Margarete

Wie? Du kannst nicht mehr küssen?
Mein Freund, so kurz von mir entfernt,
20 Und hast's Küssen verlernt?
Warum wird mir an deinem Halse so bang,
Wenn sonst von deinen Worten, deinen Blicken   überdringen (inf.) *to sweep*
Ein ganzer Himmel mich überdrang,   *over*

Rosemarie Clausen

118

Und du mich küßtest, als wolltest du mich ersticken?
Küsse mich!
Sonst küss' ich dich!

(Sie umfaßt ihn.)

O weh! deine Lippen sind kalt,
5 Sind stumm.
Wo ist dein Lieben
Geblieben?
Wer brachte mich drum?

(Sie wendet sich von ihm.)

Faust

Komm! Folge mir! Liebchen, fasse Mut!
10 Ich herze dich mit tausendfacher Glut;
Nur folge mir! Ich bitte dich nur dies!

Margarete

(zu ihm gewendet)

Und bist du's denn? Und bist du's auch gewiß?

Faust

Ich bin's! Komm mit!

Margarete

Du machst die Fesseln los,
15 Nimmst mich wieder in deinen Schoß.
Mich an deine Seite zu schmiegen,
Das war ein süßes, ein holdes Glück!
Aber es will mir nicht mehr gelingen;
Mir ist's, als müßt' ich mich zu dir zwingen,
20 Als stießest du mich von dir zurück;
Und doch bist du's und blickst so gut, so fromm.

Faust

Fühlst du, daß ich es bin, so komm!

Margarete

Dahinaus?

Wer brachte mich drum?
Who has deprived me of it?

herze   *will embrace*

Fesseln *fetters*

mich . . . zu schmiegen *to nestle, cuddle up*

Faust

Ins Freie!

Margarete

Du gehst nun fort? O Heinrich, könnt' ich mit!

Faust

Du kannst! So wolle nur! Die Tür steht offen.

Margarete

Ich darf nicht fort; für mich ist nichts zu hoffen.
Was hilft es, fliehn? Sie lauern doch mir auf.   5
Es ist so elend, betteln zu müssen,
Und noch dazu mit bösem Gewissen!
Es ist so elend, in der Fremde schweifen,
Und sie werden mich doch ergreifen!

Faust

Hilft hier kein Flehen, hilft kein Sagen,   10
So wag ich's, dich hinwegzutragen.

Margarete

Laß mich! Nein, ich leide keine Gewalt!
Fasse mich nicht so mörderisch an!
Sonst hab' ich dir ja alles zulieb getan.

dir . . . alles zulieb getan
done everything to please you

Faust

Der Tag graut! Liebchen! Liebchen!   15

Margarete

Tag! Ja, es wird Tag! Der letzte Tag dringt herein;
Mein Hochzeittag sollt' es sein!
Sag niemand, daß du schon bei Gretchen warst.

Faust

O wär' ich nie geboren!

Mephistopheles

(*erscheint draußen*)

Auf! Oder ihr seid verloren!   20

Margarete

Was steigt aus dem Boden herauf?
Der! Der! Schick' ihn fort!
Was will der an dem heiligen Ort?
Er will mich!

Faust

5 Du sollst leben!

Margarete

Gericht Gottes! Dir hab' ich mich übergeben!

Mephistopheles

(*zu Faust*)

Komm! Komm! Ich lasse dich mit ihr im Stich!

Margarete

Dein bin ich, Vater! Rette mich! —
Heinrich! Mir graut's vor dir!

Mephistopheles

10 Sie ist gerichtet!

Stimme

(*von oben*)

Ist gerettet!

Mephistopheles

(*zu Faust*)

Her zu mir!

(*verschwindet mit Faust*)

Stimme

(*von innen, verhallend*)   verhallend   *dying away*

Heinrich! Heinrich!

121

7

PART TWO

Because of a certain diffuseness and an overabundance of classical and mythological allusion of every sort, Part Two is considered very difficult and is not as widely read. It is, however, indispensable to a true picture of Goethe's Faust, *since Part One ends with the dénouement of the Gretchen tragedy, leaving Faust himself in a more hopeless position than ever.*

«Wir sehn die kleine, dann die große Welt", *Mephisto had said when the pact was completed, (see p. 108, l. 7).* Faust, *Part Two shows Faust and us this great world. The first two scenes here included (to be compared with the corresponding part from the* Faustbuch, *p. 64) are at an emperor's court. The emperor has asked Faust to entertain him and his courtiers by conjuring up Helen of Troy and Paris, her Trojan lover. Faust draws Mephisto aside to demand that he perform the feat. But Mephisto demurs; classical antiquity is beyond his sphere of influence. He can do no more than to advise Faust himself to descend to the realm of "Mothers", and return with a magic tripod by means of which the spirits of Paris and Helen can be summoned. What Goethe had in mind when he created this realm of "Mothers" is a subject of widely varying interpretations, which cannot be entered into here. The point is relatively minor, since the "Mothers" play no further role in the drama.*

Finstere Galerie°
Mephistopheles

Was ziehst du mich in diese düstern Gänge?
Ist nicht da drinnen Lust genug,
Hofgedränge *court throngs*   Im dichten, bunten Hofgedränge
Gelegenheit zu Spaß und Trug?

Faust

Der Kaiser will, — es muß sogleich geschehn, —   5
Will Helena und Paris vor sich sehn;
so = wie   Das Musterbild der Männer so der Frauen
In deutlichen Gestalten will er schauen.
Geschwind ans Werk! Ich darf mein Wort nicht
brechen.   10

Mephistopheles

Unsinnig war's, leichtsinnig zu versprechen.

122

Ernst Barlach: Faust und Mephisto. Holzschnitt, 1923
Deutsche Holzschnitte des XX. Jahrhunderts, Inselbücherei Nr. 606, Courtesy Insel-Verlag

Faust

Mit wenig Murmeln, weiß ich, ist's getan;
Wie man sich umschaut, bringst du sie zur Stelle.

Mephistopheles

Das Heidenvolk geht mich nichts an,
Es haust in seiner eignen Hölle.
Doch gibt's ein Mittel. . .   5

Faust

Sprich, und ohne Säumnis!

Mephistopheles

Die Mütter sind es!

Faust

(aufgeschreckt)

Mütter!

Mephistopheles

Schaudert's dich?

Faust

Die Mütter! Mütter! — 's klingt so wunderlich!   10

Mephistopheles

Hier diesen Schlüssel nimm!

Faust

Das kleine Ding!

Mephistopheles

schätz' . . . gering *disdain* Erst faß' ihn an und schätz' ihn nicht gering.

Faust

Er wächst in meiner Hand! er leuchtet, blitzt!

Mephistopheles

Merkst du nun bald, was man an ihm besitzt?   15
Der Schlüssel wird die rechte Stelle wittern;

124

Folg' ihm hinab! Er führt dich zu den Müttern.
Versinke denn! Ich könnt' auch sagen: steige!
Den Schlüssel schwinge°, halte sie vom Leibe!

Faust

(*begeistert*)

Wohl! Fest ihn fassend fühl' ich neue Stärke!
5 Die Brust erweitert, hin zum großen Werke!

Mephistopheles

Ein glühnder Dreifuß tut dir endlich kund,   Dreifuß *tripod*
Du seist im tiefsten, allertiefsten Grund.
Bei seinem Schein wirst du die Mütter sehn,
Die einen sitzen, andre stehn und gehn,
10 Sie sehn dich nicht, denn Schemen sehn sie nur.   Schemen *phantoms*
Da faß' ein Herz, denn die Gefahr ist groß,
Und gehe grad' auf jenen Dreifuß los,
Berühr' ihn mit dem Schlüssel!

Faust

(*macht eine entschieden gebietende Attitüde° mit dem Schlüssel*)

Mephistopheles

(*ihn betrachtend*)

So ist's recht!
15 Und eh' sie's merken, bist mit ihm zurück.
Und hast du ihn einmal hierher gebracht,
So rufst du Held und Heldin aus der Nacht.

Faust

Und nun, was jetzt?

Mephistopheles

Dein Wesen strebe nieder;
20 Versinke stampfend, stampfend steigst du wieder.   stampfend *stamping*

Faust

(*stampft und versinkt*)

Mephistopheles

zum Besten frommen (inf.)
*to do some good, to be of
advantage*

Wenn ihm der Schlüssel nur zum Besten frommt!
Neugierig bin ich, ob er wiederkommt.

8

*Faust, having returned with the tripod, succeeds in evoking the spirits of
Paris and Helen, to the amazement of the court astrologer and the evident delight
of the spectators. But he becomes so enamored of Helen's beauty that he resents
Paris' advances to her and violently interrupts the phantom pantomime, with
disastrous results.*

Rittersaal
Kaiser und Hof sind eingezogen.

Herold °

Hier sitzt nun alles, Herr und Hof im Runde,
Die Bänke drängen sich im Hintergrunde;

Geisterstunden *witching hours*

Auch Liebchen hat, in düstern Geisterstunden,   5
Zur Seite Liebchens lieblich Raum gefunden.
Und so, da alle schicklich Platz genommen,
Sind wir bereit; die Geister mögen kommen!

Posaunen *trumpets*

(*Posaunen. Faust steigt herauf.*)

Astrolog °

Im Priesterkleid, bekränzt, ein Wundermann,

getrost *with confidence*

Der nun vollbringt, was er getrost begann.   10

Takt *beat, rhythm*

Ein schöner Jüngling tritt im Takt hervor.
Hier schweigt mein Amt, ich brauch' ihn nicht zu
nennen:
Wer sollte nicht den holden Paris kennen!

(*Paris hervortretend*)

Dame

O! welch ein Glanz aufblühnder Jugendkraft!   15

Zweite

Pfirsche *peach*

Wie eine Pfirsche frisch und voller Saft!

126

From Franz Neubert, **Vom Doktor Faustus zu Goethes Faust**, J. J. Weber, Leipzig, 1932

Dritte

Die fein gezognen, süß geschwollnen Lippen!

Vierte

Du möchtest wohl an solchem Becher nippen? nippen *to sip*

Dame

Er setzt sich nieder, weichlich, angenehm.

Ritter

Auf seinem Schoße wär' Euch wohl bequem?

Dame

5 Sanft hat der Schlaf den Holden übernommen.

Ritter

Er schnarcht nun gleich; natürlich ist's,
  vollkommen! schnarchen (inf.) *to snore*

127

(Helena hervortretend)

Mephistopheles

Das wär' sie denn! Vor dieser hätt' ich Ruh';
Hübsch ist sie wohl, doch sagt sie mir nicht zu.

Faust

Mein Schreckensgang bringt seligsten Gewinn.
Verschwinde mir des Lebens Atemkraft,
Wenn ich mich je von dir zurückgewöhne! —   5
Du bist's, der ich die Regung aller Kraft,
Den Inbegriff der Leidenschaft,
Dir Neigung, Lieb', Anbetung, Wahnsinn zolle!

Mephistopheles

So faßt Euch doch und fallt nicht aus der Rolle°!

Ältere Dame

Groß, wohlgestaltet, nur der Kopf zu klein.   10

Jüngere

Seht nur den Fuß! Wie könnt' er plumper sein?

Diplomat °

Fürstinnen hab' ich dieser Art gesehn;
Mich deucht, sie ist vom Kopf zum Fuße schön.

Hofmann

Sie nähert sich dem Schläfer listig mild.

Poet °

Sie neigt sich über, seinen Hauch zu trinken.   15
Beneidenswert! — ein Kuß! — Das Maß ist voll.

Duenna °

Vor allen Leuten! Das ist doch zu toll!

Faust

Furchtbare Gunst dem Knaben! —

128

---

zusagen (inf.)   *to appeal to*

Schreckensgang   *terrifying journey*

mich . . . von dir zurückgewöhne   *give you up*

Inbegriff   *epitome*

Anbetung   *adoration*
zolle   *render, pay as tribute*

plumper   *clumsier*

mich deucht   *methinks*

Hofmann   *courtier*

Mephistopheles

Ruhig! Still!
Laß das Gespenst doch machen, was es will!

Hofmann

Sie schleicht sich weg, leichtfüßig; er erwacht.

Dame

Sie sieht sich um! Das hab' ich wohl gedacht.

Hofmann

5 Mit Anstand kehrt sie sich zu ihm herum.

Dame

Ich merke schon, sie nimmt ihn in die Lehre;
In solchem Fall sind alle Männer dumm.
Er glaubt wohl auch, daß er der erste wäre.

Astrolog°

Nicht Knabe mehr! Ein kühner Heldenmann,
10 Umfaßt er sie, die kaum sich wehren kann.
Gestärkten Arms hebt er sie hoch empor.
Entführt er sie wohl gar?   entführen (inf.) *to abduct*

Faust

            Verwegner Tor!   verwegner *rash*
Du wagst! Du hörst nicht! Halt! das ist zu viel!

Astrolog

15 Nur noch ein Wort! Nach allem, was geschah,
Nenn ich das Stück: den R a u b d e r H e l e n a.

Faust

Was Raub! Bin ich für nichts an dieser Stelle?
Ist dieser Schlüssel nicht in meiner Hand?
Ich rette sie und sie ist doppelt mein.
20 Gewagt! Ihr Mütter! Mütter! Müßt's gewähren!
Wer sie erkannt, der darf sie nicht entbehren.

129

Astrolog

Was tust du, Fauste! Fauste! — Mit Gewalt
Faßt er sie an, schon trübt sich die Gestalt.
Den Schlüssel kehrt er nach dem Jüngling zu,
Berührt ihn! Weh uns, wehe! Nu! im Nu!

Nu! im Nu! *Now then! In a trice!*

(*Explosion°. Faust liegt am Boden. Die Geister gehen in Dunst auf.*)

Dunst *vapor, smoke*

Mephistopheles

(*der Fausten auf die Schulter nimmt*)

Da habt ihr's nun! mit Narren sich beladen,   5
Das kommt zuletzt dem Teufel selbst zu Schaden.

(*Finsternis. Tumult°.*)

9

Fired with longing, Faust descends to Hades and brings the "real" Helen back to earth. They spend a brief but happy life together. In the scene which follows, Helen, sitting as his Queen on her throne in Faust's palace, senses the strangeness of her unaccustomed surroundings and questions Faust particularly about the speech of one of his retainers. He has spoken in rhymed couplets, a verse form with which the classical Helen is of course unfamiliar. In this unusual and tender love scene Faust, at her request, teaches her the art of rhyme.

Helena zu Faust

Ich wünsche dich zu sprechen, doch herauf
An meine Seite komm! Der leere Platz
Beruft den Herrn und sichert mir den meinen.
Vielfache Wunder seh' ich, hör' ich an.   10
Erstaunen trifft mich, fragen möcht' ich viel.
Doch wünscht' ich Unterricht, warum die Rede
Des Manns mir seltsam klang, seltsam und freund-
lich.

bequemen *accommodate*

Ein Ton scheint sich dem andern zu bequemen,   15

sich gesellt *united*

Und hat ein Wort zum Ohre sich gesellt,

liebzukosen *to caress*

Ein andres kommt, dem ersten liebzukosen.

130

Faust

Gefällt dir schon die Sprechart unsrer Völker,
O so gewiß entzückt auch der Gesang,
Befriedigt Ohr und Sinn im tiefsten Grunde.
Doch ist am sichersten, wir üben's gleich;
5 Die Wechselrede lockt es, ruft's hervor.

Sprechart *mode of speaking*

Wechselrede *discourse, dialogue*

Helena

So sage denn, wie sprech' ich auch so schön?

Faust

Das ist gar leicht, es muß von Herzen gehn.
Und wenn die Brust von Sehnsucht überfließt,
Man sieht sich um und fragt . . .

Helena

10   wer mitgenießt.

mitgenießt *shares in the enjoyment*

Faust

Nun schaut der Geist nicht vorwärts, nicht zurück,
Die Gegenwart allein . . .

Helena

                    ist unser Glück.

Faust

Schatz ist sie, Hochgewinn, Besitz und Pfand;
15 Bestätigung, wer gibt sie? . . .

Hochgewinn *great gain*

Helena

                    Meine Hand.

Chor

Nah und näher sitzen sie schon,
Aneinander gelehnet,
Schulter an Schulter, Knie° an Knie,
20 Hand in Hand wiegen sie sich
Über des Throns°
Aufgepolsterter Herrlichkeit.

aufgepolstert *"plush"*, *cushioned*

131

Helena

Ich fühle mich so fern und doch so nah,
Und sage nur zu gern: «Da bin ich! da!"

Faust

Ich atme kaum, mir zittert, stockt das Wort;
Es ist ein Traum, verschwunden Tag und Ort.

10

*By the end of Act IV, Part Two, Faust has had many varieties of experience
and has at last begun to realize that happiness is to be found, not by attempting
to penetrate the mysteries of the supernatural, but by restricting oneself to the
more limited sphere of productive activity for the good of humanity. At 100 years
of age, he foreswears all occult assistance, and energetically supervises the
reclaiming of land from the sea. In the foreknowledge of the joy which is to be
derived from incessant struggle for the benefit of mankind, he speaks the fateful
words, «Verweile doch, du bist so schön", (see p. 107, l. 23) which, in his
former despairing mood, he had thought he would never utter. Mephisto's part
of the bargain is now at an end, and Faust falls lifeless to the ground. But the
exultant Mephisto is deprived of his booty by the intervention of God, whose
angels announce: «Wer immer strebend sich bemüht, den können wir
erlösen", and Faust's soul is carried to heaven by the now immortal Gretchen.
With the song of the Chorus Mysticus the spectacle is terminated.*

Palast

*Weiter Ziergarten, großer, gradgeführter Kanal°.
Faust, im höchsten Alter, wandelnd, nachdenkend.*

Ziergarten *ornamental garden*
gradgeführter *straight-cut*

Faust

	Noch hab' ich mich ins Freie nicht gekämpft. 5
Magie *magic*	Könnt' ich Magie von meinem Pfad entfernen,
	Die Zaubersprüche ganz und gar verlernen;
	Stünd' ich, Natur°, vor dir ein Mann allein,
	Da wär's der Mühe wert, ein Mensch zu sein.
	Das war ich sonst, eh' ich's im Düstern suchte, 10
Frevelwort *blasphemous word*	Mit Frevelwort mich und die Welt verfluchte.
	Ich habe nur begehrt und nur vollbracht

132

Hexen im Zauberkreis. Zeichnung von Goethe

Und abermals gewünscht und so mit Macht
Mein Leben durchgestürmt; erst groß und mächtig,
Nun aber geht es weise, geht bedächtig.
Der Erdenkreis ist mir genug bekannt.
5 Nach drüben ist die Aussicht uns verrannt;
Tor, wer dorthin die Augen blinzelnd richtet,
Sich über Wolken seinesgleichen dichtet!
Er stehe fest und sehe hier sich um;
Dem Tüchtigen ist diese Welt nicht stumm!
10 Was braucht er in die Ewigkeit zu schweifen?
Was er erkennt, läßt sich ergreifen.
Er wandle so den Erdentag entlang;
Wenn Geister spuken, geh' er seinen Gang,
Im Weiterschreiten find' er Qual und Glück,
15 Er, unbefriedigt jeden Augenblick.
Aufseher!

*bedächtig   thoughtfully, delib-
   erately*
Erdenkreis   world, globe
verrannt   blocked, barred
blinzelnd   blinking

spuken   hover around

Mephistopheles

Hier!

Faust

Wie es auch möglich sei,
Arbeiter schaffe Meng' auf Menge.
Mit jedem Tage will ich Nachricht haben,
Wie sich verlängt der unternommene Graben.
Eröffn' ich Räume vielen Millionen°,   5
Nicht sicher zwar, doch tätig-frei zu wohnen.
Ja! diesem Sinne bin ich ganz ergeben,
Das ist der Weisheit letzter Schluß:
Nur der verdient sich Freiheit wie das Leben,
Der täglich sie erobern muß.   10
Und so verbringt, umrungen von Gefahr,
Hier Kindheit, Mann und Greis sein tüchtig Jahr.
Solch ein Gewimmel möcht' ich sehn,
Auf freiem Grund mit freiem Volke stehn.
Zum Augenblicke dürft' ich sagen: 15
«Verweile doch, du bist so schön!"
Im Vorgefühl von solchem hohen Glück
Genieß' ich jetzt den höchsten Augenblick.

(Faust sinkt zurück, die Lemuren fassen ihn auf und legen ihn auf den Boden.)

sich verlängt   *grows longer*
eröffn' ich   *I will open*

umringen (inf.)   *to surround*

Gewimmel   *throng*

Vorgefühl   *anticipation*

Lemuren   *(spirits of the wicked dead, minions of the devil)*

Engel

(schwebend in der höheren Atmosphäre°, Faustens Unsterbliches tragend)

Gerettet ist das edle Glied
Der Geisterwelt vom Bösen;   20
Wer immer strebend sich bemüht,
Den können wir erlösen.

Eine Büßerin

(sonst Gretchen genannt)

Der früh Geliebte,
Nicht mehr Getrübte,
Er kommt zurück!   25
Vom edlen Geisterchor umgeben,
Er ahnet kaum das frische Leben.
Vergönne mir, ihn zu belehren,
Noch blendet ihn der neue Tag.

134

Mater gloriosa

Mater gloriosa   (*Latin*) *Glorious Mother* (*Mary*)

Komm! Hebe dich zu höhern Sphären°!
Wenn er dich ahnet, folgt er nach.

Chorus mysticus

Alles Vergängliche	*All that is transitory*
Ist nur ein Gleichnis;	*Is but a symbol;*
5 Das Unzulängliche,	*The insufficient*
Hier wird's Ereignis;	*Here becomes actuality;*
Das Unbeschreibliche,	*The indescribable*
Hier ist's getan;	*Here is accomplished;*
Das Ewig-Weibliche	*The eternal feminine*
10 Zieht uns hinan.	*Draws us on.*

— Finis —

Schillerdenkmal von Thorwaldsen in Stuttgart   Deutsche Zentrale für Fremdenverkehr

X

Schiller:
WILHELM TELL

Friedrich Schiller, Germany's greatest dramatic poet, was a contemporary of Goethe. For a time, around the turn of the nineteenth century, the two poets were in closest contact with one another, actively exchanging advice and criticism on each other's literary projects. Schiller's drama *Wilhelm Tell* is to some extent a product of their collaboration. Goethe had first conceived the idea of an epic poem based on the legend of Wilhelm Tell and had visited the appropriate regions in Switzerland with that in mind. He discussed the project with Schiller, but soon abandoned it. When Schiller revealed his intention of dramatizing the legend, Goethe was very helpful with advice and suggestions; especially valuable were his visual impressions of the territory, which Schiller had never seen. Thus, without ever having been to Switzerland, he was able to create a dramatic masterpiece that breathes the very air and spirit of Switzerland with such authenticity that the Swiss have accepted it as their national drama.

The first excerpt depicts the legendary feat of marksmanship by which Tell shoots the apple from the head of his son. For an understanding of the colorful scene, which employs a huge company of performers, it is necessary only to know that Gessler, the governor and representative of the emperor of the Holy Roman Empire, has been driving the Swiss folk to the point of insurrection by his repressive measures. His most recent provocative act has been to have his hat placed on a pole in the market place and to demand obeisance to it as a symbol of the subjection of the Swiss to the imperial will. Tell's failure to perform the required act gives rise to the exciting climactic scene of the play. Note the expert handling of the large mass of people on the stage, and the skillful manner in which the difficult climax is accomplished by means of a temporary diversion of attention to the insubordination of the outraged Rudenz, a Swiss knight who had joined the retinue of the imperial governor.

Handschrift Schillers, 3. Akt, 3. Szene

1

Dritter Akt. Dritte Szene

Wiese. Im Vordergrund Bäume, in der Tiefe der Hut auf einer Stange. Tell mit der Armbrust tritt auf, den Knaben an der Hand führend. Sie gehen an dem Hut vorbei.

Stange *pole*
Armbrust *crossbow*

Walter

Ei, Vater, sieh den Hut dort auf der Stange!

Tell

Was kümmert uns der Hut? Komm, laß uns gehen!

(Indem er abgehen will, tritt ihm Frießhard mit vorgehaltener Pike° entgegen.)

Frießhard

In des Kaisers Namen! Haltet an und steht!

138

Tell
(*greift in die Pike°*)

Was wollt Ihr? Warum haltet Ihr mich auf?

Frießhard
Ihr habt's Mandat° verletzt; Ihr müßt uns folgen.

Leuthold
Ihr habt dem Hut nicht Reverenz bewiesen.   Reverenz *homage*

Tell
Freund, laß mich gehen!

Frießhard
5   Fort, fort ins Gefängnis!

Walter
Den Vater ins Gefängnis! Hilfe! Hilfe!
Herbei, ihr Männer! gute Leute, helft!
Gewalt! Gewalt! Sie führen ihn gefangen.

   (*Rösselmann und Petermann kommen herbei mit drei
anderen Männern.*)

Petermann
Was gibt's?

Rösselmann
10   Was legst du Hand an diesen Mann?

Frießhard
Er ist ein Feind des Kaisers, ein Verräter!

Tell
(*faßt ihn heftig*)

Ein Verräter, ich!

Rösselmann
        Du irrst dich, Freund! Das ist
Der Tell, ein Ehrenmann und guter Bürger.

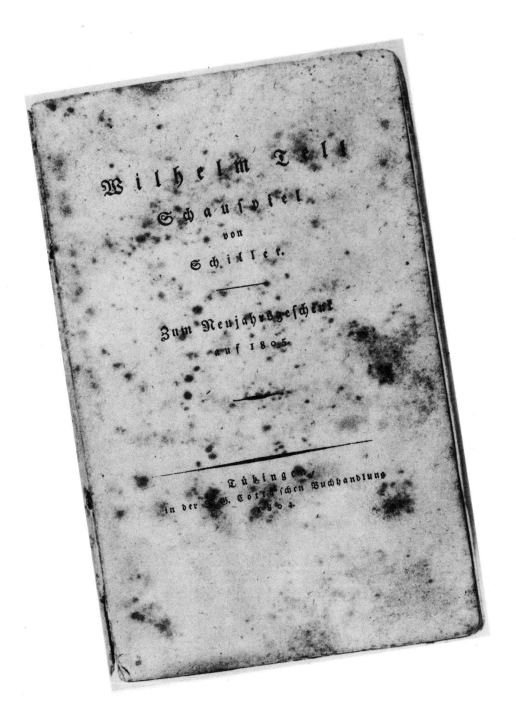

Titelseite der Erstausgabe

Walter

(*erblickt Walter Fürst und eilt ihm entgegen*)

Großvater, hilf! Gewalt geschieht dem Vater.

Frießhard

Ins Gefängnis, fort!

Walter Fürst

(*herbeieilend*)

Um Gottes willen, Tell, was ist geschehen?

(*Melchtal und Stauffacher kommen.*)

Frießhard

Des Landvogts oberherrliche Gewalt

5 Verachtet er und will sie nicht erkennen.

Landvogts *governor's*
oberherrliche *sovereign*

Stauffacher

Das hätt' der Tell getan?

Melchtal

Das lügst du, Bube!

Leuthold

Er hat dem Hut nicht Reverenz bewiesen.

Walter Fürst

Und darum soll er ins Gefängnis?

Frießhard

10 Wir tun, was unsers Amtes — Fort mit ihm!

Melchtal

(*zu den Landleuten*)

Nein, das ist schreiende Gewalt! Ertragen wir's,
Daß man ihn fortführt, frech, vor unsern Augen?

Petermann

Wir sind die Stärkern. Freunde, duldet's nicht!

Geßler

Noch drei Landleute

(*herbeieilend*)

Wir helfen euch. Was gibt's? Schlagt sie zu Boden!

Tell

Ich helfe mir schon selbst. Geht, gute Leute!
Meint ihr, wenn ich die Kraft gebrauchen wollte,
Ich würde mich vor ihren Spießen fürchten?

Melchtal

(*zu Frießhard*)

Wag's, ihn aus unsrer Mitte wegzuführen! 5

Walter Fürst und Stauffacher

gelassen! *keep calm!* Gelassen! Ruhig!

Frießhard

(*schreit*)

Aufruhr und Empörung *riot*
and insurrection

Aufruhr und Empörung!

142

Tell

(*man hört Jagdhörner*)

Weiber

Da kommt der Landvogt!

Frießhard

(*ruft*)

Zu Hilf', zu Hilf', den Dienern des Gesetzes!

Walter Fürst

Da ist der Vogt! Weh uns, was wird das werden!

(*Geßler zu Pferd, den Falken auf der Faust, Rudolf   Falken *falcon*
der Harras, Berta und Rudenz, ein großes Gefolge von   Harras *Master of the Horse*
bewaffneten Knechten, welche einen Kreis von Piken° um
die ganze Szene° schließen*)

Rudolf

Platz, Platz dem Landvogt!

143

Geßler

Treibt sie auseinander!
Was läuft das Volk zusammen? Wer ruft Hilfe?

(*allgemeine Stille*)

Wer war's? Ich will es wissen.

(*zu Frießhard*)

Du tritt vor!
Wer bist du, und was hältst du diesen Mann?   5

(*Er gibt den Falken einem Diener.*)

Frießhard

gestrenger Herr *your Lordship* Gestrenger Herr, ich bin dein Waffenknecht
wohlbestellter *duly appointed* Und wohlbestellter Wächter bei dem Hut.
über frischer Tat *in the very* Diesen Mann ergriff ich über frischer Tat,
act Wie er dem Hut den Ehrengruß versagte.
versagte *denied* Verhaften wollt' ich ihn, wie du befahlst,   10
Und mit Gewalt will ihn das Volk entreißen.

Geßler

(*nach einer Pause*)

Verachtest du so deinen Kaiser, Tell,
Und mich, der hier an seiner Statt gebietet,
Daß du die Ehr' versagst dem Hut, den ich
Zur Prüfung des Gehorsams aufgehangen?   15
Trachten *endeavor, aim* Dein böses Trachten hast du mir verraten.

(*nach einigem Stillschweigen*)

Du bist ein Meister auf der Armbrust, Tell,
Man sagt, du nehmst es auf mit jedem Schützen?

Walter Tell

Und das muß wahr sein, Herr, 'nen Apfel schießt
Der Vater dir vom Baum auf hundert Schritte.   20

Geßler

Ist das dein Knabe, Tell?

144

Aus einer Tellaufführung in Stuttgart, 1950/51. Hans Mahnke als Tell,
H. Caninenberg als Geßler

Madeline Winkler-Betzendahl

145

Tell

Ja, lieber Herr.

Geßler

Hast du der Kinder mehr?

Tell

Zwei Knaben, Herr.

Geßler

Und welcher ist's, den du am meisten liebst?

Tell

Herr, beide sind sie mir gleich liebe Kinder.   5

Geßler

Nun Tell! Weil du den Apfel triffst vom Baume
Auf hundert Schritt', so wirst du deine Kunst
Vor mir bewähren müssen — Nimm die Armbrust —
Du hast sie gleich zur Hand — und mach' dich fertig,
Einen Apfel von des Knaben Kopf zu schießen — 10
Doch will ich raten, ziele gut, daß du
Den Apfel treffest auf den ersten Schuß;
Denn fehlst du ihn, so ist dein Kopf verloren.

(Alle geben Zeichen des Schreckens.)

Tell

ansinnen (inf.) *to demand o* Herr — Welches Ungeheure sinnet Ihr
Mir an? — Ich soll vom Haupte meines Kindes — 15
— Nein, nein doch, lieber Herr, das kommt Euch
     nicht
Zu Sinn — Verhüt's der gnäd'ge Gott! — das könnt
     Ihr
Im Ernst von einem Vater nicht begehren!   20

Geßler

Du wirst den Apfel schießen von dem Kopf
Des Knaben — Ich begehr's und will's.

146

Aus der Stuttgarter Aufführung

Madeline Winkler-Betzendahl

Tell

Ich soll
Mit meiner Armbrust auf das liebe Haupt
Des eignen Kindes zielen? — Eher sterb' ich!

147

Geßler

Du schießest oder stirbst mit deinem Knaben.

Tell

Ich soll der Mörder werden meines Kinds!
Herr, Ihr habt keine Kinder — wisset nicht,
Was sich bewegt in eines Vaters Herzen.

Berta

Scherzt nicht, O Herr, mit diesen armen Leuten! 5

Geßler

Wer sagt Euch, daß ich scherze?
(greift nach einem Baumzweige, der über ihn herhängt)
       Hier ist der Apfel.
Man mache Raum — er nehme seine Weite,
Wie's Brauch ist — achtzig Schritte geb' ich ihm —
Nicht weniger, noch mehr — Er rühmte sich, 10
Auf ihrer hundert seinen Mann zu treffen —
Jetzt, Schütze, triff und fehle nicht das Ziel!
Öffnet die Gasse! — Frisch! Was zauderst du?
Dein Leben ist verwirkt, ich kann dich töten;
Und sieh, ich lege gnädig dein Geschick 15
In deine eigne kunstgeübte Hand.
Der kann nicht klagen über harten Spruch,
Den man zum Meister seines Schicksals macht.

(Walter Fürst wirft sich vor ihm nieder.)

Walter Tell

Großvater, knie nicht vor dem falschen Mann!
Sagt, wo ich hinstehn soll! Ich fürcht' mich nicht, 20
Der Vater trifft den Vogel ja im Flug,
Er wird nicht fehlen auf das Herz des Kindes.

Stauffacher

Herr Landvogt, rührt Euch nicht des Kindes
 Unschuld?

Geßler

(zeigt auf den Knaben)

Man bind' ihn an die Linde dort! 25

(margin note:) was zauderst du? *why do you hesitate?*
verwirkt *forfeited*

148

Walter Tell

Mich binden!
Nein, ich will nicht gebunden sein. Ich will
Still halten wie ein Lamm° und auch nicht atmen.
Wenn ihr mich bindet, nein, so kann ich's nicht,
5 So werd' ich toben gegen meine Bande.

toben *struggle*

Rudolf

Die Augen nur laß dir verbinden, Knabe!

Walter Tell

Warum die Augen? Denket Ihr, ich fürchte
Den Pfeil von Vaters Hand?—Ich will ihn fest
Erwarten und nicht zucken mit den Wimpern.
10 —Frisch, Vater, zeig's, daß du ein Schütze bist!
Er glaubt dir's nicht, er denkt uns zu verderben!

zucken mit den Wimpern *blink*

(*Er geht an die Linde, man legt ihm den Apfel auf.*)

Melchtal

(*zu den Landleuten*)

Was? Soll der Frevel sich vor unsern Augen
Vollenden? Wozu haben wir geschworen?

Frevel *outrage*

Stauffacher

Es ist umsonst. Wir haben keine Waffen;
15 Ihr seht den Wald von Lanzen° um uns her.

Tell

(*spannt die Armbrust und legt den Pfeil auf*)

Öffnet die Gasse! Platz!

Stauffacher

Was, Tell? Ihr wolltet—Nimmermehr—Ihr zittert,
Die Hand erbebt Euch, Eure Knie wanken—

wanken *are shaking*

Tell

(*läßt die Armbrust sinken*)

Mir schwimmt es vor den Augen!

149

Weiber

Gott im Himmel!

Tell

(*zum Landvogt*)

Erlasset mir den Schuß! Hier ist mein Herz!

(*Er reißt die Brust auf.*)

Ruft Eure Reisigen und stoßt mich nieder!

Geßler

Ich will dein Leben nicht, ich will den Schuß.
Du kannst ja alles, Tell! An nichts verzagst du; 5
Dich schreckt kein Sturm, wenn es zu retten gilt.
Jetzt, Retter, hilf dir selbst—du rettest alle!

(*Tell steht in fürchterlichem Kampf, mit den Händen
zuckend und die rollenden Augen bald auf den Landvogt,
bald zum Himmel gerichtet.—Plötzlich greift er in seinen
Köcher, nimmt einen zweiten Pfeil heraus und steckt ihn
in seinen Goller. Der Landvogt bemerkt alle diese Bewegungen.*)

Walter Tell

(*unter der Linde*)

Vater, schieß zu! Ich fürcht' mich nicht.

Tell

Es muß!

(*Er rafft sich zusammen und legt an.*)

Rudenz

(*der die ganze Zeit über in der heftigsten Spannung
gestanden und mit Gewalt an sich gehalten, tritt hervor*)

Herr Landvogt, weiter werdet Ihr's nicht treiben, 10
Ihr werdet n i c h t—Es war nur eine Prüfung—

Geßler

Ihr schweigt, bis man Euch aufruft!

Ernest A. Kehr

150

Kupferstich, 1657

Rudenz

      Ich will reden!
Ich darf's! Des Königs Ehre ist mir heilig;
Doch solches Regiment muß Haß erwerben.   Regiment   *government, rule*
Das ist des Königs Wille° nicht—ich darf's
Behaupten—Solche Grausamkeit verdient
5 Mein Volk nicht; dazu habt Ihr keine Vollmacht.   Vollmacht   *authority*

Geßler

Ha, Ihr erkühnt Euch!   erkühnt Euch   *dare, presume*

Rudenz

      Ich hab' still geschwiegen
Zu allen schweren Taten, die ich sah;

151

Doch länger schweigen wär' Verrat zugleich
An meinem Vaterland und an dem Kaiser.

Berta

(wirft sich zwischen ihn und den Landvogt)

O Gott, Ihr reizt den Wütenden noch mehr!

Rudenz

Mein Volk verließ ich; meinen Blutsverwandten
Entsagt' ich, alle Bande der Natur°   5
Zerriß ich, um an Euch mich anzuschließen —
Das Beste aller glaubt' ich zu befördern,
Da ich des Kaisers Macht befestigte —
Binde *blindfold* Die Binde fällt von meinen Augen — Schaudernd
Seh' ich an einen Abgrund mich geführt —   10
Mein freies Urteil habt Ihr irr' geleitet,
Mein redlich Herz verführt — ich war daran,
Mein Volk in bester Meinung zu verderben.

Geßler

verwegen (adj.) *rash* Verwegner, diese Sprache deinem Herrn?

Rudenz

Der Kaiser ist mein Herr, nicht Ihr. Frei bin ich   15
Wie Ihr geboren, und ich messe mich
Mit Euch in jeder ritterlichen Tugend.
Und stündet Ihr nicht hier in Kaisers Namen,
Den ich verehre, selbst wo man ihn schändet,
Den Handschuh wärf' ich vor Euch hin, Ihr solltet 20
Nach ritterlichem Brauch mir Antwort geben.
Ja, winkt nur Euren Reisigen — Ich stehe
Nicht wehrlos da wie d i e —

(auf das Volk zeigend)

Ich hab' ein Schwert,
Und wer mir naht —   25

Stauffacher

(ruft)

Der Apfel ist gefallen!

152

*(Indem sich alle nach dieser Seite gewendet, und
Berta zwischen Rudenz und den Landvogt sich geworfen,
hat Tell den Pfeil abgedrückt.)*

Rösselmann

Der Knabe lebt!

Viele Stimmen

Der Apfel ist getroffen!

*(Walter Fürst schwankt und droht zu sinken, Berta
hält ihn.)*

Geßler

(erstaunt)

Er hat geschossen? Wie? Der Rasende!

Berta

Der Knabe lebt! Kommt zu Euch, guter Vater!

Walter Tell

(kommt mit dem Apfel gesprungen)

5 Vater, hier ist der Apfel — Wußt' ich's ja;
Du würdest deinen Knaben nicht verletzen.

Tell

*(stand mit vorgebognem Leib, als wollte er dem Pfeil
folgen — die Armbrust entsinkt seiner Hand — wie er den
Knaben kommen sieht, eilt er ihm mit ausgebreiteten
Armen entgegen und hebt ihn zu seinem Herzen hinauf; in
dieser Stellung sinkt er kraftlos zusammen. Alle stehen
gerührt.)*

Berta

O güt'ger Himmel!

Walter Fürst

(zu Vater und Sohn)

Kinder! meine Kinder!

153

Stauffacher

Gott sei gelobt!

Leuthold

Das war ein Schuß! Davon
Wird man noch reden in den spätsten Zeiten.

Rudolf

Erzählen wird man von dem Schützen Tell,
Solang' die Berge stehn auf ihrem Grunde.   5

(reicht dem Landvogt den Apfel)

Geßler

Bei Gott! der Apfel mitten durch geschossen!
Es war ein Meisterschuß, ich muß ihn loben.

Stauffacher

Kommt zu Euch, Tell, steht auf, Ihr habt Euch
    männlich
Gelöst, und frei könnt Ihr nach Hause gehen.   10

Rösselmann

Kommt, kommt und bringt der Mutter ihren Sohn!

(Sie wollen ihn wegführen.)

Geßler

Tell, höre!

Tell

(kommt zurück)

Was befehlt Ihr, Herr?

Geßler

Du stecktest
Noch einen zweiten Pfeil zu dir—Ja, ja,   15
Ich sah es wohl—was meintest du damit?

Tell

(verlegen)

Herr, das ist also bräuchlich bei den Schützen.

Geßler

Nein, Tell, die Antwort lass' ich dir nicht gelten;
Es wird was anders wohl bedeutet haben.
Sag' mir die Wahrheit frisch und fröhlich, Tell;
Was es auch sei, dein Leben sichr' ich dir.
5 Wozu der zweite Pfeil?

Tell

Wohlan, o Herr,
Weil Ihr mich meines Lebens habt gesichert,
So will ich Euch die Wahrheit gründlich sagen.

(*Er zieht den Pfeil aus dem Goller und sieht den
Landvogt mit einem furchtbaren Blick an.*)

Mit diesem zweiten Pfeil durchschoß ich — E u c h ,
10 Wenn ich mein liebes Kind getroffen hätte,
Und Eurer — wahrlich! hätt' ich nicht gefehlt.

wohlan   *very well*

durchschoß   *would have shot*

Eurer   *you (genitive after fehlen)*

Geßler

Wohl, Tell! Des Lebens hab' ich dich gesichert;
Ich gab mein Ritterwort, das will ich halten —
Doch weil ich deinen bösen Sinn erkannt,
5 Will ich dich führen lassen und verwahren,
Wo weder Mond noch Sonne dich bescheint,
Damit ich sicher sei vor deinen Pfeilen.
Ergreift ihn, Knechte! Bindet ihn!

führen lassen und verwahren
have led away and locked up

(*Tell wird gebunden.*)

Ich kenn' euch alle — ich durchschau' euch ganz —
0 Den nehm' ich jetzt heraus aus eurer Mitte,
Doch alle seid ihr teilhaft seiner Schuld.
Wer klug ist, lerne schweigen und gehorchen.

seid teilhaft   *share*

(*Er entfernt sich, Berta, Rudenz, Rudolf und
Knechte folgen, Frießhard und Leuthold bleiben zurück.*)

Walter Fürst

(*in heftigem Schmerz*)

Es ist vorbei; er hat's beschlossen, mich
Mit meinem ganzen Hause zu verderben!

155

Stauffacher

(zum Tell)

Wütrich *tyrant*   O, warum mußtet Ihr den Wütrich reizen!

Tell

sich bezwingen (inf.) *to control oneself*   Bezwinge sich, wer meinen Schmerz gefühlt!

Stauffacher

O, nun ist alles, alles hin! Mit Euch
Sind wir gefesselt alle und gebunden!

Landleute

umringen *surround*   *(umringen den Tell)*

Mit Euch geht unser letzter Trost dahin!   5

Tell

Lebt wohl!

Marktplatz in Altdorf mit Telldenkmal

Tellturm in Altdorf. Alter Kupferstich

Walter Tell

(*sich mit heftigem Schmerz an ihn schmiegend*)　　　schmiegend　*clinging*

O Vater! Vater! lieber Vater!

Tell

(*hebt die Arme zum Himmel*)

Dort droben ist dein Vater! Den ruf an!

Stauffacher

Tell, sag' ich Eurem Weibe nichts von Euch?

Tell

(*hebt den Knaben an seine Brust*)

Der Knab' ist unverletzt; mir wird Gott helfen.

(*reißt sich schnell los und folgt den Waffenknechten*)

157

Illustration aus der Erstausgabe, 1804
Rütlischwur

2

The preceding scene, with Tell being led off a prisoner, brings the third act to a close. In Act Four, he escapes, and resolves that the safety of his family and his people demands the death of the tyrant Geßler. The deed is accomplished in the following scene, on a country road near the village of Küßnacht, and proves to be the decisive act which spurs his people on to throw off the yoke of oppression and declare their independence.

Vierter Akt. Dritte Szene

Die hohle Gasse bei Küßnacht°

Man steigt von hinten zwischen Felsen herunter, und die Wanderer° werden, ehe sie auf der Szene° erscheinen, schon von der Höhe gesehen. Felsen umschließen die ganze Szene; auf einem der vordersten ist ein Vorsprung.

umschließen *surround*
Vorsprung *projection*

Tell

(tritt auf mit der Armbrust)

Durch diese hohle Gasse muß er kommen;
Es führt kein andrer Weg nach Küßnacht° — Hier
Vollend' ich's — Die Gelegenheit ist günstig.
Dort der Holunderstrauch verbirgt mich ihm,   Holunderstrauch *elder bush*
5 Von dort herab kann ihn mein Pfeil erlangen.
Mach' deine Rechnung mit dem Himmel, Vogt,   Vogt *governor*
Fort mußt du, deine Uhr ist abgelaufen.

Ich lebte still und harmlos — Das Geschoß   Geschoß *arrow*
War auf des Waldes Tiere nur gerichtet,
10 Meine Gedanken waren rein von Mord —
Du hast aus meinem Frieden mich heraus
Geschreckt, in gährend Drachengift hast du   gährend Drachengift *seething*
Die Milch der frommen Denkart mir verwandelt;   *dragon's poison*
Zum Ungeheuren hast du mich gewöhnt —
15 Wer sich des Kindes Haupt zum Ziele setzte,
Der kann auch treffen in das Herz des Feinds.

Die armen Kindlein, die unschuldigen,
Das treue Weib muß ich vor deiner Wut
Beschützen, Landvogt! — Da, als ich den Bogen-   Bogenstrang *bowstring*
20   strang
anzog — als mir die Hand erzitterte —
Als du mit grausam teuflischer Lust
Mich zwangst, aufs Haupt des Kindes anzulegen —   anzulegen *to aim*
Als ich ohnmächtig flehend rang vor dir,
25 Damals gelobt' ich mir in meinem Innern   gelobt' *swore*
Mit furchtbarm Eidschwur, den nur Gott gehört,   Eidschwur *oath*
Daß meines nächsten Schusses erstes Ziel
Dein Herz sein sollte — Was ich mir gelobt
In jenes Augenblickes Höllenqualen,   Höllenqualen *infernal tortures*
30 Ist eine heil'ge Schuld — ich will sie zahlen.
Du bist mein Herr und meines Kaisers Vogt;
Doch nicht der Kaiser hätte sich erlaubt,
Was du — Er sandte dich in diese Lande,
Um Recht zu sprechen — strenges, denn er zürnet —
35 Doch nicht, um mit der mörderischen Lust

159

Dich jedes Greuels straflos zu erfrechen:
Es lebt ein Gott, zu strafen und zu rächen.

(*Wanderer gehen über die Szene.*)

Auf dieser Bank von Stein will ich mich setzen,
Dem Wanderer zur kurzen Ruh bereitet —
Sie alle ziehen ihres Weges fort   5
An ihr Geschäft — und meines ist der Mord!

(*setzt sich*)

Sonst, wenn der Vater auszog, liebe Kinder,
Da war ein Freuen, wenn er wieder kam;

Denn niemals kehrt' er heim, er bracht' euch
    etwas —   10

Jetzt geht er einem andern Weidwerk nach,
Am wilden° Weg sitzt er mit Mordgedanken:
Des Feindes Leben ist's, worauf er lauert.
— Und doch an e u c h nur denkt er, liebe Kinder,
Auch jetzt — euch zu verteid'gen, eure holde   15
    Unschuld
Zu schützen vor der Rache des Tyrannen°,
Will er zum Morde jetzt den Bogen spannen.

(*Geßler und Rudolf der Harras zeigen sich zu Pferd
auf der Höhe des Wegs. Tell geht ab.*)

Geßler

Sagt, was Ihr wollt, ich bin des Kaisers Diener
Und muß drauf denken, wie ich ihm gefalle.   20
Er hat mich nicht ins Land geschickt, dem Volk
Zu schmeicheln und ihm sanft zu tun — Gehorsam
Erwartet er; der Streit ist, ob der Bauer
Soll Herr sein in dem Lande, oder der Kaiser.
Ich hab' den Hut nicht aufgesteckt zu Altorf°   25
Des Scherzes wegen, oder um die Herzen
Des Volks zu prüfen; diese kenn' ich längst.
Ich hab' ihn aufgesteckt, daß sie den Nacken
Mir lernen beugen, den sie aufrecht tragen.

Rudolf der Harras

Das Volk hat aber doch gewisse Rechte —   30

160

Geßler

Ich will ihn brechen, diesen starren Sinn,
Den kecken Geist der Freiheit will ich beugen,
Ein neu Gesetz will ich in diesen Landen
Verkündigen — Ich will —

(Ein Pfeil durchbohrt ihn; er fährt mit der Hand ans   durchbohrt *pierces*
Herz und will sinken. Mit matter Stimme)

5   Gott sei mir gnädig!

Rudolf der Harras

Herr Landvogt — Gott! Was ist das? Woher kam
   das? *(springt° vom Pferde)*
Welch gräßliches Ereignis — Gott — Herr Ritter —   gräßlich *ghastly*
Ruft die Erbarmung Gottes an; Ihr seid   Erbarmung *mercy*
10 Ein Mann des Todes!

Geßler

                 Das ist Tells Geschoß.   Geschoß *arrow*

(Ist vom Pferd herab dem Rudolf Harras in den Arm
gegleitet und wird auf der Bank niedergelassen. Tell
erscheint oben auf der Höhe des Felsen.)

Tell

Du kennst den Schützen, suche keinen andern!
Frei sind die Hütten, sicher ist die Unschuld
Vor dir, du wirst dem Lande nicht mehr schaden.

(Verschwindet von der Höhe. Volk stürzt herein.)

XI
LUDWIG van BEETHOVEN

Ludwig van Beethoven has been aptly called "the man who freed music." For it was Beethoven who, at the beginning of the nineteenth century, opened up new vistas of tonal expressivity and laid the foundation for the extraordinary development of music in the course of the following one hundred years. He expanded its dynamic and coloristic resources and infused into it an unprecedented intensity, flexibility, and range of emotion. The figure of Beethoven, the proud individualist, hair unkempt, clothes in disorder, with fiery eyes and an arrogant, forbidding expression, his whole aspect a counterpart of the emotional force in his music, has been preserved for us in numerous paintings and illustrations.

162

It was the tragic fate of this musical Titan, who in his youth as a piano virtuoso dazzled his audiences with the fire and brilliance of his playing, to fall victim to deafness. At the age of 27, at the height of his career as a concert pianist, there began a roaring in his ears which increased rapidly in severity. Morbidly sensitive about his deafness, he sought for years to keep it secret, and acknowledged it openly only in his middle thirties, long after rumors about it were public property. Subject also to other bodily ills, he often sank into fits of despondency and melancholy. The famous *Heiligenstadt Will*, the product of one of these attacks of hypochondriac despair, written in 1802, when Beethoven was but 31 years old, was discovered among his papers after his death in 1827. It was written at the time of his *Second Symphony*, when all of his greatest works lay still in the future. Its poignant message brings into high relief the great tragedy of his life.

In sharp contrast, much of his finest music is filled with a dynamic sense of joy and an exuberant affirmation of life. No other work of art expresses with more power the joy of human existence than the magnificent finale to his *Ninth Symphony*, a choral movement set to the text of part of Schiller's ode *An die Freude*, which is also included here.

Das Heiligenstädter Testament° vom Oktober 1802

Für meine Brüder Karl und Johann Beethoven.

O ihr Menschen, die ihr mich für feindselig,   feindselig *hostile*
störrisch oder misanthropisch° haltet oder erklärt,   störrisch *stubborn*
wie unrecht tut ihr mir! Ihr wißt nicht die geheime
Ursache von dem, was euch so scheint. Mein Herz
5 und mein Sinn waren von Kindheit an für das
zarte Gefühl des Wohlwollens. Aber bedenkt nur,   Wohlwollen *good will*
daß seit sechs Jahren ein heilloser Zustand mich
befallen, durch unvernünftige Ärzte verschlimmert.
Von Jahr zu Jahr in der Hoffnung, gebessert zu
10 werden, betrogen, endlich zu dem Überblick eines
dauernden Übels (dessen Heilung vielleicht Jahre
dauern wird oder gar unmöglich ist) gezwungen,
mit einem feurigen, lebhaften Temperament° geboren, selbst empfänglich für die Zerstreuungen der
15 Gesellschaft, mußte ich früh mich absondern,   absondern *isolate*
einsam mein Leben zubringen. Wollte ich auch

taub – deaf

mich … über … hinaussetzen
forget, get away from

zuweilen mich einmal über alles das hinaussetzen, o wie hart wurde ich durch die verdoppelte traurige Erfahrung meines schlechten Gehörs dann zurückgestoßen, und doch war's mir noch nicht möglich, den Menschen zu sagen: sprecht lauter, schreit, 5 denn ich bin taub. Ach, wie wäre es möglich, daß ich die Schwäche eines Sinnes zugeben sollte, der bei mir in einem vollkommenern Grade als bei andern sein sollte, einen Sinn, den ich einst in der größten Vollkommenheit besaß, in einer Vollkom- 10 menheit, wie ihn wenige von meinem Fache gewiß haben noch gehabt haben. — O, ich kann es nicht. Darum verzeiht, wenn ihr mich da zurückweichen sehen werdet, wo ich mich gerne unter euch

verkennen (inf.) *to misunder-*
stand

mischte. Doppelt wehe tut mir mein Unglück, 15 indem ich dabei verkannt werden muß. Für mich darf Erholung in menschlicher Gesellschaft nicht stattfinden. Nur soviel, als es die höchste Notwendigkeit fordert, darf ich mich in Gesellschaft einlassen. Wie ein Verbannter muß ich leben. Nahe ich mich 20 einer Gesellschaft, so überfällt mich eine heiße Ängstlichkeit, indem ich fürchte, in Gefahr gesetzt zu werden, meinen Zustand merken zu lassen. — So war es denn auch dieses halbe Jahr, das ich auf dem Lande zubrachte. Von meinem vernünftigen 25 Arzte aufgefordert, soviel als möglich mein Gehör zu schonen, kam er fast meiner jetzigen natürlichen Disposition° entgegen, obschon, vom Triebe zur Gesellschaft manchmal hingerissen, ich mich dazu verleiten ließ. Aber welche Demütigung, wenn 30

Flöte *flute*

jemand neben mir stand und von weitem eine Flöte hörte und ich nichts hörte, oder jemand den Hirten singen hörte und ich auch nichts hörte. Solche Ereignisse brachten mich nahe an Verzweiflung: es fehlte wenig, und ich endigte selbst mein Leben. — 35 Nur sie, die Kunst, sie hielt mich zurück. Ach, es

es dünkte mir *it seemed to me*

dünkte mir unmöglich, die Welt eher zu verlassen, bis ich das alles hervorgebracht, wozu ich mich

aufgelegt *impelled*
fristete *kept going*

aufgelegt fühlte, und so fristete ich dieses elende Leben — wahrhaft elend; einen so reizbaren Körper, 40 daß eine etwas schnelle Veränderung mich aus dem

164

ich nächst meiner Kunst, daß ich durch keinen Selbst=mord mein Leben endigte — lebt wohl und liebt euch; — allen Freunden danke ich, besonders Fürst Lichnowski und Professor Schmidt. — die Instrumente von Fürst L. wünsche ich, daß sie doch mögen aufbewahrt werden bey einem von euch, doch entstehe deswegen kein Streit unter euch, sobald sie euch aber zu was nützlicherm dienen können, so verkauft sie nur, wie froh bin ich, wenn ich auch noch unter meinem Grabe euch nützen kann — so wär's geschehen — mit freuden eil ich dem Tode entgegen — kömmt er früher als ich Gelegenheit gehabt habe, noch alle meine Kunst=Fähigkeiten zu entfalten, so wird er mir trotz meinem harten Schicksaal doch noch zu frühe kommen, und ich würde ihn wohl später wünschen — doch auch dann bin ich zufrieden, befreyt er mich nicht von einem endlosen leidenden Zustande? — Komm, wenn du willst, ich gehe dir muthig entgegen — lebt wohl und vergeßt mich nicht ganz im Tode, ich habe es um euch verdient, indem ich in meinem Leben oft an euch gedacht, euch glücklich zu machen, seyd es —

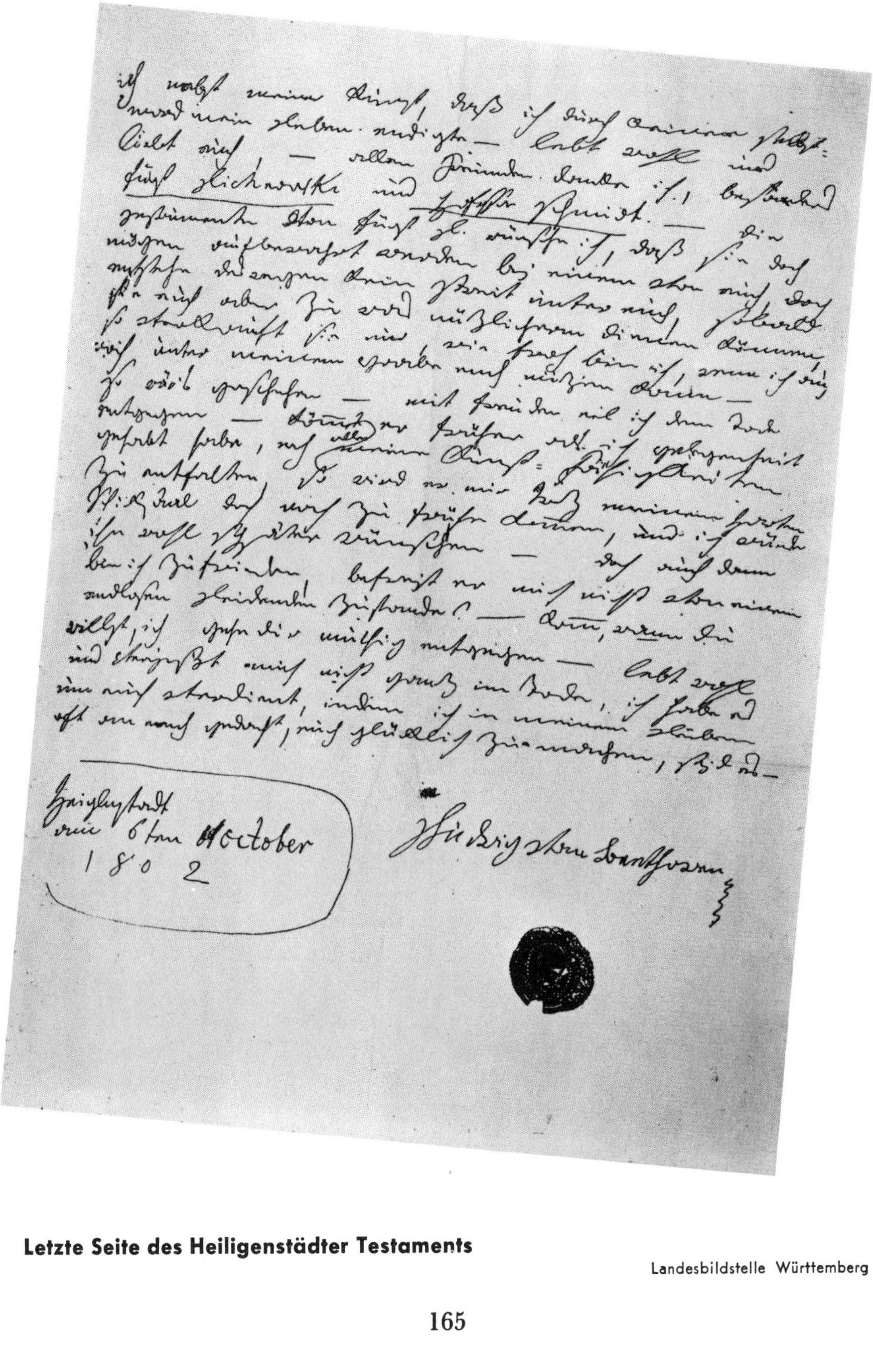

Heiglnstadt am 6ten October 1802

Ludwig van Beethowen

Letzte Seite des Heiligenstädter Testaments

Landesbildstelle Württemberg

From Romain Rolland, **Beethoven**, Editions du Sablier, Paris

auszuharren *to endure*

Gottheit *God, Divine Being*

beifügen (inf.) *to add, append*

besten Zustande in den schlechtesten versetzen
kann. — Geduld — so heißt es, sie muß ich nun zur
Führerin wählen: ich habe es. — Dauernd, hoffe ich,
soll mein Entschluß sein, auszuharren. Vielleicht
geht's besser, vielleicht nicht: ich bin gefaßt. — 5
Schon in meinem 28. Jahre gezwungen, Philosoph°
zu werden, es ist nicht leicht, für den Künstler
schwerer als für irgend jemand. — Gottheit, du
siehst herab auf mein Inneres, du kennst es; du
weißt, daß Menschenliebe und Neigung zum Wohl- 10
tun darin hausen. O Menschen, wenn ihr einst
dieses lest, so denkt, daß ihr mir unrecht getan, und
der Unglückliche, er tröste sich, einen seinesgleichen
zu finden, der trotz allen Hindernissen der Natur°
doch noch alles getan, was in seinem Vermögen 15
stand, um in die Reihe würdiger Künstler und
Menschen aufgenommen zu werden. — Ihr meine
Brüder Karl und Johann, sobald ich tot bin, und
Professor Schmidt lebt noch, so bittet ihn in meinem
Namen, daß er meine Krankheit beschreibe, und 20
dieses hier geschriebene Blatt fügt Ihr dieser meiner
Krankengeschichte bei, damit wenigstens soviel als
möglich die Welt nach meinem Tode mit mir
versöhnt werde. — Zugleich erkläre ich Euch beide
hier für die Erben des kleinen Vermögens (wenn 25
man es so nennen kann) von mir. Teilt es redlich
und vertragt und helft Euch einander. Was Ihr mir
zuwider getan, das wißt Ihr, war Euch schon längst
verziehen. Dir, Bruder Karl, danke ich noch
insbesondere für Deine in dieser letzteren Zeit mir 30

bewiesene Anhänglichkeit. Mein Wunsch ist, daß
Euch ein besseres, sorgenloseres Leben als mir
werde. Empfehlt Euren Kindern Tugend: sie nur
allein kann glücklich machen, nicht Geld; ich
5 spreche aus Erfahrung. Sie war es, die mich selbst
im Elende gehoben; ihr danke ich nebst meiner
Kunst, daß ich durch keinen Selbstmord mein
Leben endigte. — Lebt wohl und liebt Euch!

Mit Freuden eile ich dem Tode entgegen. —
10 Kommt er früher, als ich Gelegenheit gehabt habe,
noch alle meine Kunstfähigkeiten zu entfalten, so
wird er mir trotz meinem harten Schicksal doch
noch zu früh kommen, und ich würde ihn wohl
später wünschen. — Doch auch dann bin ich zu-
15 frieden: befreit er mich nicht von einem endlosen
leidenden Zustande? — Komm, wann du willst: ich
gehe dir mutig entgegen. — Lebt wohl und vergeßt
mich nicht ganz im Tode. Ich habe es um Euch
verdient, indem ich in meinem Leben oft an Euch
20 gedacht, Euch glücklich zu machen; seid es! —

Heiligenstadt, am 6. Oktober 1802.

Ludwig van Beethoven

Heiligenstadt, am 10. Oktober.

So nehme ich denn Abschied von Dir — und
25 zwar traurig. — Ja, die geliebte Hoffnung, die ich
mit hierher nahm, wenigstens bis zu einem gewissen
Punkte geheilt zu sein, sie muß mich nun gänzlich
verlassen. Wie die Blätter des Herbstes herabfallen,
gewelkt sind, so ist auch sie für mich dürr geworden.
30 Fast wie ich hierher kam, gehe ich fort — selbst der
hohe Mut, der mich oft in den schönen Sommer-
tagen beseelte, ist verschwunden. — O Vorsehung —
laß einmal einen reinen Tag der Freude mir
erscheinen! — So lange schon ist der wahren Freude
35 inniger Widerhall mir fremd. — O wann — o wann,
o Gottheit — kann ich im Tempel° der Natur und
der Menschen ihn wieder fühlen! — Nie? — nein — o,
es wäre zu hart! —

Anhänglichkeit *devotion,
loyalty*

From Stephen Ley, **Beethovens
Leben**, Bruno Cassirer, Berlin

gewelkt *withered*
dürr *withered*

beseelte *animated, inspired*
Vorsehung *Providence*

Widerhall *echo, responsive
sound*

167

Schiller: *An die Freude*

(*As used by Beethoven in his Ninth Symphony*)

(*Preceded by an introductory sentence, for baritone recitative, written by Beethoven*)

O Freunde, nicht diese Töne! sondern laßt uns angenehmere anstimmen, und freudenvollere.

168

Freude, schöner Götterfunken,
   Tochter aus Elysium°,
Wir betreten feuertrunken,
   Himmlische, dein Heiligtum!
5 Deine Zauber binden wieder,
   Was die Mode streng geteilt;
Alle Menschen werden Brüder,
   Wo dein sanfter Flügel weilt.

weilt   *stays, rests*

Wem der große Wurf gelungen,
   Eines Freundes Freund zu sein,
Wer ein holdes Weib errungen,
   mische seinen Jubel ein!
Ja, wer auch nur e i n e Seele   5
   S e i n nennt auf dem Erdenrund!
Und wer's nie gekonnt, der stehle
   Weinend sich aus diesem Bund.

Freude trinken alle Wesen
   An den Brüsten der Natur;   10
Alle Guten, alle Bösen
   Folgen ihrer Rosenspur.
Küsse gab sie uns und Reben,
   Einen Freund, geprüft im Tod;
Wollust ward dem Wurm gegeben,   15
   Und der Cherub° steht vor Gott!

Froh, wie seine Sonnen fliegen
   Durch des Himmels prächt'gen Plan,
Laufet, Brüder, eure Bahn,
   Freudig, wie ein Held zum Siegen.   20

Seid umschlungen, Millionen°!
   Diesen Kuß der ganzen Welt!
Brüder! überm Sternenzelt
   Muß ein lieber Vater wohnen.

Ihr stürzt nieder, Millionen?   25
   Ahnest du den Schöpfer, Welt?
Such' ihn überm Sternenzelt!
   Über Sternen muß er wohnen.

Glossary (margin):
- Rosenspur — *rosy path*
- Reben — *vines, wine*
- Wollust — *delight*
- Plan — *plain*
- umschlingen (inf.) — *to embrace*
- Sternenzelt — *starry canopy*

XII

DEUTSCHE LYRIK

Lyric poetry is the most subjective expression of which literature is capable. A lyric poem speaks from the heart to the heart, and a beautiful poem fully understood reveals much about the soul of the poet and the reader alike. Lyric poems are intensely individual. There is endless variety in them, reflecting the unique qualities of each author, the many moods of which he is capable, the infinite number of inspirations possible. In spite of their brevity, the discerning reader can usually trace back from the finished product an astonishing amount of fact or probable fact about the personality of the author or the inspiration behind the poem, and he can tell from a perceptive reading what the author was attempting to convey, and what means he chose to convey it. You will gain increased depth of appreciation for the poems which follow if you will analyze them in detail: for instance, what is the mood of Goethe in "Mailied" (p. 177) and then again in "Wanderers Nachtlied" (p. 179); what does "Der Ringer" (p. 191) reveal about the personality of George; what view of life is expressed by Hölderlin in "Schicksalslied" (p. 183); what is the ethical import of Schiller's "Der Handschuh" (p. 181), and so on.

Lyric poetry is one of the glories of German literature, and in Goethe Germany possessed one of the greatest lyrists of all times. A unique outgrowth of this wealth of poetry is the nineteenth-century *Lied*; composers like Schubert, Schumann, Mendelssohn, Brahms, Wolf, Richard Strauß, and others have drawn on the rich storehouse of German lyrics to create the unique works of art we know as German *Lieder*. A number of the poems which follow can be enjoyed both for themselves and in musical settings. It is a fascinating study to analyze such poems thoroughly as independent works of art and then observe in detail how the composer has combined the poem with a musical setting into a new synthesis of word and tone. In the appropriate cases, the name of the composer of the most famous setting is supplied.

Aus dem Weingartner Liederbuch

Walther von der Vogelweide
(ca. 1170-1230)

UNTER DER LINDE°

Unter der Linde
auf der Heide,
wo ich mit meinem Liebsten lag,
  da mögt ihr finden,
5 wie wir beide
die Blumen brachen und das Gras.
  Vor dem Wald in einem Tal°,
Tandaradei!
lieblich sang die Nachtigall.

10 Ich kam gegangen
zu der Aue,
da fand ich meinen Liebsten schon.
  Da ward ich empfangen,
heil'ge Fraue!
15 daß ich noch selig bin davon.
  Hat er mich wohl oft geküßt?
Tandaradei!
Seht, wie rot der Mund mir ist.

  Da hatte mein Lieber
20 uns gemachet
ein Bett von Blumen mancherlei,
  daß jeder drüber
herzlich lachet,
zieht etwa er des Wegs vorbei.
25 An den Rosen° er wohl mag
Tandaradei!
merken, wo das Haupt mir lag.

kam gegangen *came walking*
Aue *meadow*

173

Daß wir da lagen,
wüßt' es einer,
behüte Gott, wie schäm' ich mich!
Was er durft' wagen,
keiner, keiner
erfahre das, als er und ich,
und ein kleines Vögelein.
Tandaradei!

verschwiegen *discreet* Das wird wohl verschwiegen sein.

(*Eduard Grieg*)

Aus der großen Heidelberger Liederhandschrift

Friedrich Gottlieb Klopstock (1724-1803)
DEM UNENDLICHEN

Wie erhebt sich das Herz, wenn es dich,
Unendlicher, denkt! Wie sinkt es,
Wenn's auf sich herunterschaut!
Elend schaut's wehklagend dann und Nacht und   wehklagend *lamenting*
5   Tod!

Allein du rufst mich aus meiner Nacht, der im
    Elend, der im Tod hilft!
Dann denk' ich es ganz, daß du ewig mich schufst,
Herrlicher! den kein Preis, unten am Grab, oben
10   am Thron°,
Herr, Herr, Gott! den, dankend entflammt, kein   entflammt *enkindled*
    Jubel genug besingt!

Weht, Bäume des Lebens, ins Harfengetön!
Rausche mit ihnen ins Harfengetön, kristallner   Harfengetön *sound of the harp*
15   Strom!   kristallner *crystal*
Ihr lispelt und rauscht, und, Harfen, ihr tönt   lispelt *murmur*
Nie es ganz! Gott ist es, den ihr preist!

Donnert, Welten, in feierlichem Gang, in der
    Posaunen Chor!   Posaunen *trumpets*
20 Du, Orion°, Wage, du auch!   Wage *Libra, the Scales (con-*
Tönt, all ihr Sonnen auf der Straße voll Glanz,   *stellation)*
In der Posaunen Chor!

Ihr Welten, donnert,
Und du, der Posaunen Chor, hallest   hallen (inf.) *to sound forth*
25 Nie es ganz! Gott! nie es ganz! Gott!
Gott! Gott ist es, den ihr preist!

175

OMNEM IN HOMINE VENVSTATEM
MORS ABOLET.
1541
HSB

Hans Beham: Der Tod und das
Mädchen. Holzschnitt

Matthias Claudius (1740-1815)

DER TOD UND DAS MÄDCHEN

Das Mädchen:

Vorüber! Ach, vorüber!
Geh, wilder° Knochenmann!
Ich bin noch jung, geh, Lieber!
Und rühre mich nicht an.

Knochenmann *skeleton*
(*Death*)

Der Tod:

Gib deine Hand, du schön und zart Gebild! 5
Bin Freund und komme nicht zu strafen.
Sei gutes Muts! ich bin nicht wild,
Sollst sanft in meinen Armen schlafen.

Gebild *creature*

(*Franz Schubert*)

Erstausgabe von Beethovens Komposition des Mailiedes

Johann Wolfgang von Goethe
(1749-1832)

MAILIED

Wie herrlich leuchtet
Mir die Natur!
Wie glänzt die Sonne!
Wie lacht die Flur!

177

Es dringen Blüten
Aus jedem Zweig
Und tausend Stimmen
Geſträuch *bushes* Aus dem Geſträuch,

Und Freud' und Wonne   5
Aus jeder Bruſt.
O Erd', o Sonne!
O Glück, o Luſt!

O Lieb', o Liebe!
So golden schön,   10
Wie Morgenwolken
Auf jenen Höhn!

Du segnest herrlich
Das friſche° Feld,
Blütendampfe *fragrance of* Im Blütendampfe   15
    blossoms Die volle Welt.

O Mädchen, Mädchen,
Wie lieb' ich dich!
Wie blickt dein Auge!
Wie liebſt du mich!   20

So liebt die Lerche
Gesang und Luft,
Und Morgenblumen
Himmelsduft *fragrance of the* Den Himmelsduft,
  open sky

Wie ich dich liebe   25
mit warmem Blut *with ardor* Mit warmem Blut,
Die du mir Jugend
Und Freud' und Mut

Zu neuen Liedern
Und Tänzen gibst.   30
Sei ewig glücklich,
Wie du mich liebſt!

(*Ludwig van Beethoven*)

Das Gedicht „Über allen Gipfeln ist Ruh",
wie Goethe es an die Wand seines Gar-
tenhäuschens schrieb. *Rechts:* Das Gar-
tenhäuschen.

WANDERERS° NACHTLIED

Der du von dem Himmel bist,
Alles Leid und Schmerzen stillest,
Den, der doppelt elend ist,
Doppelt mit Erquickung füllest,
5 Ach, ich bin des Treibens müde!   Treibens *drifting*
Was soll all der Schmerz und Lust?
Süßer Friede,
Komm, ach komm in meine Brust!

EIN GLEICHES

Über allen Gipfeln
10 Ist Ruh,
In allen Wipfeln
Spürest du
Kaum einen Hauch;
Die Vögelein schweigen im Walde.
15 Warte nur, balde
Ruhest du auch.

(*Franz Schubert*)

179

ERLKÖNIG

Erlkönig *elf king*

Wer reitet so spät durch Nacht und Wind?
Es ist der Vater mit seinem Kind;
Er hat den Knaben wohl in dem Arm,
Er faßt ihn sicher, er hält ihn warm.

birgst du *do you hide*

Mein Sohn, was birgst du so bang dein Gesicht? — 5
Siehst, Vater, du den Erlkönig nicht?

Schweif *train*
Nebelstreif *strip of mist*

Den Erlenkönig mit Kron' und Schweif? —
Mein Sohn, es ist ein Nebelstreif. —

«Du liebes Kind, komm, geh mit mir!
Gar schöne Spiele spiel' ich mit dir,   10
Manch bunte Blumen sind an dem Strand,

gülden *golden*

Meine Mutter hat manch gülden Gewand.»

Mein Vater, mein Vater, und hörest du nicht,
Was Erlenkönig mir leise verspricht? —
Sei ruhig, bleibe ruhig, mein Kind: 15

dürr *dry*

In dürren Blättern säuselt der Wind. —

«Willst, feiner Knabe, du mit mir gehn?
Meine Töchter sollen dich warten schön;

Reihn *dance*

Meine Töchter führen den nächtlichen Reihn

ein *to sleep*

Und wiegen und tanzen und singen dich ein.» 20

Mein Vater, mein Vater, und siehst du nicht dort
Erlkönigs Töchter am düstern Ort? —
Mein Sohn, mein Sohn, ich seh' es genau:
Es scheinen die alten Weiden so grau. —

«Ich liebe dich, mich reizt deine schöne Gestalt; 25
Und bist du nicht willig, so brauch' ich Gewalt.» —
Mein Vater, mein Vater, jetzt faßt er mich an!
Erlkönig hat mir ein Leids getan! —

Dem Vater grauset's, er reitet geschwind,

ächzende *groaning*

Er hält in Armen das ächzende Kind,   30
Erreicht den Hof mit Mühe und Not;
In seinen Armen das Kind war tot.

(Franz Schubert)

180

Friedrich von Schiller (1759-1805)

DER HANDSCHUH

Vor seinem Löwengarten,
Das Kampfspiel zu erwarten,
Saß König Franz,
Und um ihn die Großen der Krone,
5 Und rings auf hohem Balkone°
Die Damen in schönem Kranz.

Und wie er winkt mit dem Finger,
Auf tut sich der weite Zwinger,
Und hinein mit bedächtigem Schritt
10 Ein Löwe tritt
Und sieht sich stumm
Rings um
Mit langem Gähnen
Und schüttelt die Mähnen
15 Und streckt die Glieder
Und legt sich nieder.

Und der König winkt wieder.
Da öffnet sich behend
Ein zweites Tor,
20 Daraus rennt
Mit wildem Sprunge
Ein Tiger hervor.
Wie der den Löwen erschaut,
Brüllt er laut,
25 Schlägt mit dem Schweif
Einen furchtbaren Reif
Und recket die Zunge,
Und im Kreise scheu
Umgeht er den Leu
30 Grimmig schnurrend,
Drauf streckt er sich murrend
Zur Seite nieder.

Löwengarten *arena for wild animals*
Kampfspiel *contest*

Zwinger *cage*
bedächtigem *deliberate*

Gähnen *yawn*
Mähnen *mane*

behend *swiftly*

Schweif *tail*
Reif *circle*
recket *stretches out*

Leu *lion*
schnurrend *snarling*
murrend *growling*

speit . . . aus	*spits out*
Kampfbegier	*lust for battle*
Tatzen	*paws*
Gebrüll	*roar*
Mordsucht	*desire to kill*
lagern	*lie down*
greulichen	*awful*
Altans	*balcony's*
keckem	*nimble, bold*
gelassen	*calmly*
verheißt	*promises*

Und der König winkt wieder.
Da speit das doppelt geöffnete Haus
Zwei Leoparden auf einmal aus.
Die stürzen mit mutiger Kampfbegier
Auf das Tigertier;   5
Das packt sie mit seinen grimmigen Tatzen,
Und der Leu mit Gebrüll
Richtet sich auf — da wird's still;
Und herum im Kreis,
Von Mordsucht heiß,   10
Lagern die greulichen Katzen.

Da fällt von des Altans Rand
Ein Handschuh von schöner Hand
Zwischen den Tiger und den Leun
Mitten hinein.   15

Und zu Ritter Delorges° spottender Weis'
Wendet sich Fräulein Kunigund°:
«Herr Ritter, ist Eure Lieb' so heiß,
Wie Ihr mir's schwört zu jeder Stund',
Ei, so hebt mir den Handschuh auf!"   20

Und der Ritter in schnellem Lauf
Steigt hinab in den furchtbaren Zwinger
Mit festem Schritte,
Und aus der Ungeheuer Mitte
Nimmt er den Handschuh mit keckem Finger.   25

Und mit Erstaunen und mit Grauen
Sehen's die Ritter und Edelfrauen,
Und gelassen bringt er den Handschuh zurück.
Da schallt ihm sein Lob aus jedem Munde,
Aber mit zärtlichem Liebesblick —   30
Er verheißt ihm sein nahes Glück —
Empfängt ihn Fräulein Kunigunde.
Und er wirft ihr den Handschuh ins Gesicht:
«Den Dank, Dame, begehr' ich nicht!"
Und verläßt sie zur selben Stunde.   35

182

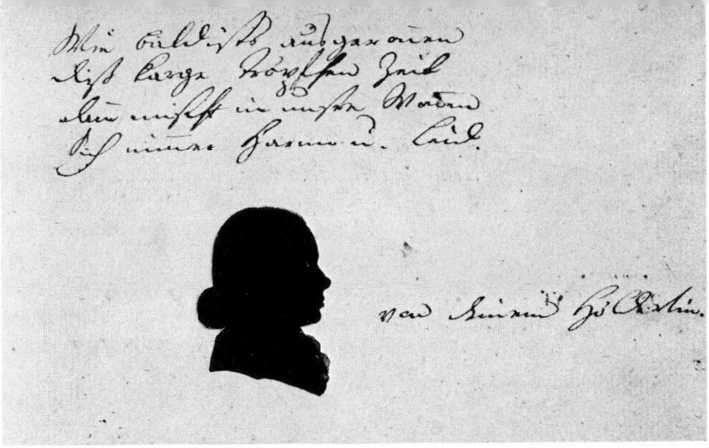

Silhouette und Handschrift von Hölderlin

Friedrich Hölderlin (1770-1843)

SCHICKSALSLIED

Ihr wandelt droben im Licht
Auf weichem Boden, selige Genien!   *Genien* spirits
Glänzende Götterlüfte   *Götterlüfte* divine breezes
Rühren euch leicht,
5 Wie die Finger der Künstlerin
Heilige Saiten.   *Saiten* strings

Schicksallos, wie der schlafende
Säugling, atmen die Himmlischen;
Keusch bewahrt   *keusch* chaste
10 In bescheidener Knospe,   *Knospe* bud
Blühet ewig
Ihnen der Geist,
Und die seligen Augen
Blicken in stiller,
15 Ewiger Klarheit.

Doch uns ist gegeben,
Auf keiner Stätte zu ruhn;
Es schwinden, es fallen
Die leidenden Menschen
20 Blindlings von einer   *blindlings* blindly
Stunde zur andern,
Wie Wasser von Klippe   *Klippe* crag
Zu Klippe geworfen,
Jahrlang ins Ungewisse hinab.

183

Novalis (1772-1801)
[Freiherr Friedrich von Hardenberg]

WENN ALLE UNTREU WERDEN

Wenn alle untreu werden,
So bleib' ich dir doch treu,
Daß Dankbarkeit auf Erden
Nicht ausgestorben sei.
umfing *surrounded* — Für mich umfing dich Leiden,   5
Vergingst für mich in Schmerz;
Drum geb' ich dir mit Freuden
Auf ewig dieses Herz.

Oft muß ich bitter° weinen,
Daß du gestorben bist   10
Und mancher von den Deinen
Dich lebenslang vergißt.
durchdrungen *filled* — Von Liebe nur durchdrungen
Hast du so viel getan,
verklungen *forgotten* — Und doch bist du verklungen,   15
Und keiner denkt daran.

Du stehst voll treuer Liebe
Noch immer jedem bei;
Und wenn dir keiner bliebe,
So bleibst du dennoch treu.   20
Die treuste Liebe sieget,
Am Ende fühlt man sie,
schmieget sich *clings* — Weint bitterlich° und schmieget
Sich kindlich an dein Knie°.

Ich habe dich empfunden,   25
O lasse nicht von mir!
Laß innig mich verbunden
Auf ewig sein mit dir!
Einst schauen meine Brüder
Auch wieder himmelwärts   30
Und sinken liebend nieder
Und fallen dir ans Herz.

Joseph von Eichendorff (1788-1857)

MONDNACHT

Es war, als hätt' der Himmel
Die Erde still geküßt,
Daß sie im Blütenschimmer
Von ihm nun träumen müßt'.

5 Die Luft ging durch die Felder,
Die Ähren wogten sacht,
Es rauschten leis die Wälder,
So sternklar war die Nacht.

Und meine Seele spannte
10 Weit ihre Flügel aus,
Flog durch die stillen Lande,
Als flöge sie nach Haus.

(*Robert Schumann*)

Blütenschimmer *gleaming of blossoms*

die Ähren wogten sacht *the grain swayed gently*

DER FROHE WANDERSMANN

Wandersmann *wanderer*

Wem Gott will rechte Gunst erweisen,
Den schickt er in die weite Welt;
15 Dem will er seine Wunder weisen
In Berg und Wald und Strom und Feld.

Die Trägen, die zu Hause liegen,
Erquicket nicht das Morgenrot,
Sie wissen nur von Kinderwiegen,
20 Von Sorgen, Last und Not um Brot.

Die Bächlein von den Bergen springen,
Die Lerchen schwirren hoch vor Lust;
Was sollt' ich nicht mit ihnen singen
Aus voller Kehl' und frischer Brust?

schwirren *whir*

Kehl' *throat*

25 Den lieben Gott lass' ich nur walten;
Der Bächlein, Lerchen, Wald und Feld
Und Erd' und Himmel will erhalten,
Hat auch mein' Sach' aufs best' bestellt.

walten *rule*

185

Ludwig Uhland (1787-1862)
SIEGFRIEDS SCHWERT

Jung Siegfried war ein stolzer Knab',
Ging von des Vaters Burg herab,

Wollt' rasten nicht in Vaters Haus,
Wollt' wandern° in alle Welt hinaus.

Begegnet' ihm manch Ritter wert   5
Mit festem Schild und breitem Schwert.

Stecken *stick* Siegfried nur einen Stecken trug,
Das war ihm bitter° und leid genug.

Und als er ging im finstern Wald,
Kam er zu einer Schmiede bald.   10

186

Da sah er Eisen und Stahl genug,
Ein lustig Feuer Flammen° schlug.

«O Meister, liebster Meister mein,
Laß du mich deinen Gesellen sein!

5 Und lehr du mich mit Fleiß und Acht,
Wie man die guten Schwerter macht!"

Siegfried den Hammer° wohl schwingen° kunnt',   kunnt' = konnte
Er schlug den Amboß in den Grund.   Amboß   *anvil*

Er schlug, daß weit der Wald erklang
10 Und alles Eisen in Stücke sprang.

Und von der letzten Eisenstang'   Eisenstang'   *bar of iron*
Macht er ein Schwert so breit und lang:

«Nun hab' ich geschmiedet ein gutes Schwert,
Nun bin ich wie andre Ritter wert.

15 Nun schlag' ich wie ein andrer Held
Die Riesen und Drachen in Wald und Feld."   Drachen   *dragons*

187

Heinrich Heine (1797-1856)

WENN ICH IN DEINE AUGEN SEH'

Wenn ich in deine Augen seh',
So schwindet all mein Leid und Weh;
Doch wenn ich küsse deinen Mund,
So werd' ich ganz und gar gesund.

Wenn ich mich lehn' an deine Brust,   5
Kommt's über mich wie Himmelslust;
Doch wenn du sprichst: Ich liebe dich!
So muß ich weinen bitterlich.

(*Robert Schumann*)

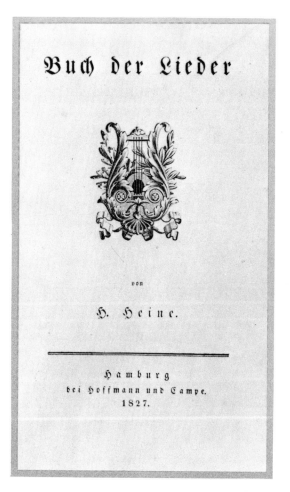

**Erstausgabe der Gedichtsamm-
lung, die Heines „Wenn ich in
deine Augen seh' " enthält**

WELTLAUF

Hat man viel, so wird man bald
Noch viel mehr dazu bekommen,
Wer nur wenig hat, dem wird
Auch das wenige genommen.

5 Wenn du aber gar nichts hast,
Ach, so lasse dich begraben —
Denn ein Recht zum Leben, Lump,   Lump *wretch*
Haben nur, die etwas haben.

Eduard Mörike

Landesbildstelle Württemberg

Eduard Mörike (1804-1875)

DAS VERLASSENE MÄGDLEIN

Früh, wann die Hähne krähn,   wann = wenn
10 Eh' die Sternlein verschwinden,
Muß ich am Herde stehn,
Muß Feuer zünden.

Schön ist der Flammen° Schein,
Es springen die Funken;
15 Ich schaue so drein,
In Leid versunken.

Plötzlich, da kommt es mir,
Treuloser Knabe,
Daß ich die Nacht von dir
20 Geträumet habe.

Träne auf Träne dann
Stürzet hernieder;
So kommt der Tag heran —
O ging' er wieder!

(*Hugo Wolf*)

189

Käthe Kollwitz: Die Mutter beschirmt ihre Kinder. Lithographie, 1942

Richard Dehmel (1863-1920)

DER ARBEITSMANN

Wir haben ein Bett, wir haben ein Kind, mein
Weib!

zu zweit for both of us   Wir haben auch Arbeit, und gar zu zweit,
Und haben die Sonne und Regen und Wind,
Und uns fehlt nur eine Kleinigkeit,   5
Um so frei zu sein, wie die Vögel sind:
Nur Zeit.

Wenn wir Sonntags durch die Felder gehn, mein
Kind,

Ähren grain   Und über den Ähren weit und breit   10
Schwalbenvolk swallows   Das blaue Schwalbenvolk blitzen sehn,
O, dann fehlt uns nicht das bißchen Kleid,
Um so schön zu sein, wie die Vögel sind:
Nur Zeit.

Nur Zeit! wir wittern Gewitterwind, wir Volk.   15
Nur eine kleine Ewigkeit;
Uns fehlt ja nichts, mein Weib, mein Kind,
gedeiht prospers   Als all das, was durch uns gedeiht,
Um so kühn zu sein, wie die Vögel sind.
Nur Zeit.   20

190

Stefan George (1868-1933)

DER RINGER

Sein arm — erstaunen und bewundrung — rastet
An seiner rechten hüfte sonne spielt   hüfte *hip*
Auf seinem starken leib und auf dem lorbeer   lorbeer *laurel*
An seiner schläfe langsam wälzet jubel   schläfe *temple*
5 Sich durch die dichten reihen wenn er kommt   wälzet *rolls*
Entlang die grade grünbestreute strasse.   grünbestreute *strewn with*
Die frauen lehren ihre kinder hoch —   *greens*
Erhebend seinen namen freudig rufen
Und palmenzweige ihm entgegenstrecken.
10 Er geht mit vollem fusse wie der löwe
Und ernst nach vielen unberühmten jahren
Die zierde ganzen landes und er sieht nicht   zierde *adornment*
Die zahl der jauchzenden und nicht einmal
Die eltern stolz aus dem gedränge ragen.   ragen *stand out*

Erstausgabe der Gedichtsammlung, die Georges „Der Ringer" enthält, 1895

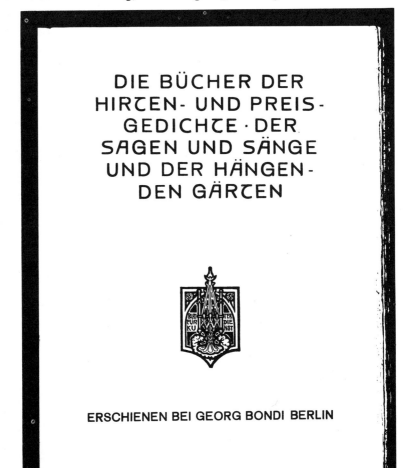

DIE BÜCHER DER
HIRTEN- UND PREIS-
GEDICHTE · DER
SAGEN UND SÄNGE
UND DER HÄNGEN-
DEN GÄRTEN

ERSCHIENEN BEI GEORG BONDI BERLIN

Rainer Maria Rilke

Rainer Maria Rilke (1875-1926)

DER PANTHER°

Sein Blick ist vom Vorübergehn der Stäbe
so müd geworden, daß er nichts mehr hält.
Ihm ist, als ob es tausend Stäbe gäbe
und hinter tausend Stäben keine Welt.

geschmeidig *lithely*   Der weiche Gang geschmeidig starker Schritte,   5
der sich im allerkleinsten Kreise dreht,
ist wie ein Tanz von Kraft um eine Mitte,
betäubt *dazed*   in der betäubt ein großer Wille steht.

Nur einmal schiebt der Vorhang der Pupille°
sich lautlos auf—. Dann geht ein Bild hinein,   10
angespannte *strained*   geht durch der Glieder angespannte Stille—
und hört im Herzen auf zu sein.

Franz Werfel (1890-1945)

AN DEN LESER

Mein einziger Wunsch ist, dir, o Mensch verwandt
zu sein!
Neger *negro*   Bist du Neger, Akrobat°, oder ruhst du noch in 15
tiefer Mutterhut,

Klingt dein Mädchenlied über den Hof, lenkst du
   dein Floß im Abendschein,
Bist du Soldat, oder Aviatiker° voll Ausdauer und
   Mut.

5 Trugst du als Kind auch ein Gewehr in grüner
   Armschlinge?
Wenn es losging, entflog ein angebundener Stöpsel
   dem Lauf.
Mein Mensch, wenn ich Erinnerung singe,
10 Sei nicht hart, und löse dich mit mir in Tränen auf!

Denn ich habe alle Schicksale durchgemacht. Ich
   weiß
Das Gefühl von einsamen Harfenistinnen in
   Kurkapellen,
15 Das Gefühl von schüchternen Gouvernanten im
   fremden Familienkreis,
Das Gefühl von Debutanten, die sich zitternd vor
   den Souffleurkasten stellen.

Ich lebte im Walde, hatte ein Bahnhofsamt,
20 Saß gebeugt über Kassabücher, und bediente
   ungeduldige Gäste.
Als Heizer stand ich vor Kesseln, das Antlitz grell
   überflammt,
Und als Kuli° aß ich Abfall und Küchenreste.
25 So gehöre ich dir und Allen!
Wolle mir, bitte, nicht widerstehn!
O, könnte es einmal geschehn,
Daß wir uns, Bruder, in die Arme fallen!

Floß *raft*

Ausdauer *endurance*

Armschlinge *sling*

entflog ein angebundener
Stöpsel dem Lauf *a cork on a
string escaped from the barrel*

Harfenistinnen in Kurkapellen *harpists in health resort
orchestras*
Gouvernanten *governesses*

Debutanten *novice actors*

Souffleurkasten *prompter's box*

Kassabücher *ledgers*

Kesseln *boilers*

grell überflammt *bathed in
flames*
Abfall und Küchenreste *garbage and leftovers*

Die Brüder Grimm

XIII

Jakob und Wilhelm Grimm:

DER BÄRENHÄUTER

Few books have been more universally popular than the *Kinder-und Hausmärchen* collected by Jakob and Wilhelm Grimm. Few children in Europe and America grow up even now without hearing at least of Sleeping Beauty, Hänsel and Gretel, and Snow White, and deriving as much pleasure from these ageless tales as did their parents and grandparents before them.

How can adults concern themselves with these childish things? How could the two Professors Grimm, patriarchs of Germanic philology and ancient German legal history, compilers of enormous dictionaries and reference works, ever bother to assemble the yarns that old peasant women in Hesse and Westphalia told at the fireside?

The answer lies partly in the high esteem that nineteenth-century romanticists, especially in Germany, felt for everything close to the "folk soul"; partly in the fascination the themes of these tales have had in all ages and countries.

The *Bärenhäuter* (Mr. Bearskin), for example, hero of the following story from the *Kinder- und Hausmärchen*, is a figure that reappears in various guises among popular tales from at least twelve countries. In him are combined many familiar motifs: he is the unemployed veteran wondering what to do; he is a younger son cast out by his brethren, like the Biblical Joseph; he is another Faust, bargaining with the devil. And through the story echo as well ancient pagan themes and symbols whose origins nobody can fathom.

You will notice the artfully simple structure and style of the story, especially the way in which the narrators simplify and enliven sentences by using demonstratives instead of long relative clauses like this one.

Es war einmal ein junger Kerl, der ließ sich als Soldat anwerben, hielt sich tapfer und war immer der vorderste, wenn es blaue Bohnen regnete. Solange der Krieg dauerte, ging alles gut, aber als
5 Friede geschlossen war, erhielt er seinen Abschied, und der Hauptmann sagte, er könne gehen, wohin er wolle. Seine Eltern waren tot, und er hatte keine Heimat mehr, da ging er zu seinen Brüdern und bat, sie möchten ihm so lange Unterhalt geben, bis
10 der Krieg wieder anfinge. Die Brüder aber waren hartherzig und sagten: «Was sollen wir mit dir? Wir können dich nicht brauchen, sieh zu, wie du dich durchschlägst."
Der Soldat hatte nichts übrig als sein Gewehr,
15 das nahm er auf die Schulter und wollte in die Welt gehen. Er kam auf eine große Heide, auf der nichts zu sehen war als ein Ring° von Bäumen; darunter setzte er sich ganz traurig nieder und sann über sein Schicksal nach.
20 «Ich habe kein Geld", dachte er, «ich habe nichts gelernt als das Kriegshandwerk, und jetzt, weil Friede geschlossen ist, brauchen sie mich nicht mehr; ich sehe voraus, ich muß verhungern."
Auf einmal hörte er ein Brausen, und wie er
25 sich umblickte, stand ein unbekannter Mann vor ihm, der einen grünen Rock trug, recht stattlich aussah, aber einen garstigen Pferdefuß hatte.

ließ sich anwerben   *enlisted*

garstigen   *nasty*

«Ich weiß schon, was dir fehlt", sagte der Mann, «Geld und Gut sollst du haben, soviel du mit aller Gewalt durchbringen kannst, aber ich muß zuvor wissen, ob du dich nicht fürchtest, damit ich mein Geld nicht umsonst ausgebe." — «Ein 5 Soldat und Furcht, wie paßt das zusammen?" antwortete er, «du kannst mich auf die Probe stellen." — «Wohlan", antwortete der Mann, «schau hinter dich."

Der Soldat kehrte sich um und sah einen 10 großen Bär°, der brummend auf ihn zutrabte. «Oho", rief der Soldat, «dich will ich an der Nase kitzeln, daß dir die Lust zum Brummen vergehen soll", legte an und schoß den Bär auf die Schnauze, daß er zusammenfiel und sich nicht mehr regte. 15

«Ich sehe wohl", sagte der Fremde, «daß dir's an Mut nicht fehlt, aber es ist noch eine Bedingung dabei, die mußt du erfüllen." — «Wenn mir's an meiner Seligkeit nicht schadet", antwortete der Soldat, der wohl merkte, wen er vor sich hatte, 20 «sonst laß ich mich auf nichts ein." — «Das wirst du selber sehen", antwortete der Grünrock, «du darfst in den nächsten sieben Jahren dich nicht waschen, dir Bart und Haare nicht kämmen, die Nägel nicht schneiden und kein Vaterunser beten. Dann will 25 ich dir einen Rock und Mantel geben, den mußt du in dieser Zeit tragen. Stirbst du in diesen sieben Jahren, so bist du mein, bleibst du aber leben, so bist du frei und bist reich dazu für dein Lebtag."

Der Soldat dachte an die große Not, in der er 30 sich befand, und da er so oft in den Tod gegangen war, wollte er es auch jetzt wagen und willigte ein. Der Teufel zog den grünen Rock aus, reichte ihn dem Soldaten hin und sagte: «Wenn du den Rock an deinem Leibe hast und in die Tasche greifst, so 35 wirst du die Hand immer voll Geld haben." Dann zog er dem Bären die Haut ab und sagte: «Das soll dein Mantel sein und auch dein Bett, denn darauf mußt du schlafen und darfst in kein anderes Bett kommen. Und dieser Tracht wegen sollst du Bären- 40 häuter heißen." Hierauf verschwand der Teufel.

durchbringen *squander*

wohlan *all right*

brummend auf ihn zutrabte *growling, trotted up to him*

kitzeln *tickle*
legte an *took aim*
Schnauze *muzzle, snout*

sich einlassen (inf.) *to commit oneself*

Vaterunser *Lord's Prayer*

für dein Lebtag *for life*

Ludwig Richter: Illustration aus einer Märchenausgabe

Der Soldat zog den Rock an, griff gleich in die Tasche und fand, daß die Sache ihre Richtigkeit hatte. Dann hing er die Bärenhaut um, ging in die Welt, war guter Dinge und unterließ nichts, was ihm wohl und dem Gelde wehe tat. Im ersten Jahr ging 5 es noch leidlich, aber in dem zweiten sah er schon aus wie ein Ungeheuer. Das Haar bedeckte ihm fast das ganze Gesicht, sein Bart glich einem Stück grobem Filztuch, seine Finger° hatten Krallen, und sein Gesicht war so mit Schmutz bedeckt, daß, 10 wenn man Kresse hineingesät hätte, sie aufgegangen wäre. Wer ihn sah, lief fort; weil er aber allerorten den Armen Geld gab, damit sie für ihn beteten, daß er in den sieben Jahren nicht stürbe, und weil er alles gut bezahlte, so erhielt er doch immer noch 15 Herberge. Im vierten Jahr kam er in ein Wirtshaus, da wollte ihn der Wirt nicht aufnehmen und wollte ihm nicht einmal einen Platz im Stall anweisen, weil er fürchtete, seine Pferde würden scheu werden. Doch als der Bärenhäuter in die Tasche griff und 20 eine Handvoll Dukaten° herausholte, so ließ der Wirt sich erweichen und gab ihm eine Stube im Hintergebäude; doch mußte er versprechen, sich nicht sehen zu lassen, damit sein Haus nicht in bösen Ruf käme. 25

Als der Bärenhäuter abends allein saß und von Herzen wünschte, daß die sieben Jahre herum wären, so hörte er in einem Nebenzimmer ein lautes Jammern. Er hatte ein mitleidiges Herz, öffnete die Tür und erblickte einen alten Mann, 30 der heftig weinte und die Hände über dem Kopf zusammenschlug. Der Bärenhäuter trat näher, aber der Mann sprang auf und wollte entfliehen.

Endlich, als er eine menschliche Stimme vernahm, ließ er sich bewegen, und durch freundliches 35 Zureden brachte es der Bärenhäuter dahin, daß er ihm die Ursache seines Kummers offenbarte. Sein Vermögen war nach und nach geschwunden, er und seine Töchter mußten darben, und er war so arm, daß er den Wirt nicht einmal bezahlen konnte 40 und ins Gefängnis gesetzt werden sollte.

Filztuch *felt cloth*
Krallen *claws*

Kresse *(water) cress*

Herberge *lodging*

in bösen Ruf kommen (inf.) *to get a bad reputation*

zureden (inf.) *to talk to, persuade*

darben *suffer want*

198

«Wenn ihr weiter keine Sorge habt", sagte der
Bärenhäuter, «Geld habe ich genug." Er ließ den
Wirt kommen, bezahlte ihn und steckte dem Unglück-
lichen noch einen Beutel voll Gold in die Tasche.

5 Als der alte Mann sich aus seinen Sorgen
erlöst sah, wußte er nicht, womit er sich dankbar
erweisen sollte. «Komm mit mir", sprach er zu ihm,
«meine Töchter sind Wunder der Schönheit, wähle
dir eine davon zur Frau. Wenn sie hört, was du
10 für mich getan hast, so wird sie sich nicht weigern.
Du siehst freilich ein wenig seltsam aus, aber sie
wird dich schon wieder in Ordnung bringen."

Dem Bärenhäuter gefiel das wohl, und er ging
mit. Als ihn die älteste erblickte, entsetzte sie sich
15 so gewaltig vor seinem Antlitz, daß sie aufschrie
und fortlief. Die zweite blieb zwar stehen und
betrachtete ihn von Kopf bis zu Füßen, dann
aber sprach sie: «Wie kann ich einen Mann
nehmen, der keine menschliche Gestalt mehr hat?
20 Da gefiel mir der rasierte Bär noch besser, der
einmal hier zu sehen war und sich für einen
Menschen ausgab, der hatte doch einen Husaren-   Husarenpelz *hussar's fur cloak*
pelz an und weiße Handschuhe. Wenn er nur
häßlich wäre, so könnte ich mich an ihn gewöhnen."
25 Die jüngste aber sprach: «Lieber Vater, das muß
ein guter Mann sein, der euch aus der Not geholfen
hat, habt ihr ihm dafür eine Braut versprochen, so
muß euer Wort gehalten werden."

Es war schade, daß das Gesicht des Bären-
30 häuters von Schmutz und Haaren bedeckt war,
sonst hätte man sehen können, wie ihm das Herz
im Leibe lachte, als er diese Worte hörte. Er nahm
einen Ring von seinem Finger, brach ihn entzwei
und gab ihr die eine Hälfte, die andere behielt er
35 für sich. In ihre Hälfte aber schrieb er seinen
Namen und in seine Hälfte schrieb er ihren Namen
und bat sie, ihr Stück gut aufzuheben. Hierauf
nahm er Abschied und sprach: «Ich muß noch drei
Jahre wandern, komm' ich aber nicht wieder, so
40 bist du frei, weil ich dann tot bin. Bitte aber Gott,
daß er mir das Leben erhält."

zuteil werden (inf.) *to fall to
one's lot, be granted*

Tatze *paw*

anheben (inf.) *to begin*

sauste *roared*

Die arme Braut kleidete sich ganz schwarz, und wenn sie an ihren Bräutigam dachte, so kamen ihr die Tränen in die Augen. Von ihren Schwestern ward ihr nichts als Hohn und Spott zuteil. «Nimm dich in acht», sprach die älteste, «wenn du ihm die 5 Hand reichst, so schlägt er dir mit der Tatze darauf.» — «Hüte dich», sagte die zweite, «die Bären lieben die Süßigkeit, und wenn du ihm gefällst, so frißt er dich auf.» — «Du mußt nur immer seinen Willen° tun», hob die älteste wieder an, 10 «sonst fängt er an zu brummen.» Und die zweite fuhr fort: «Aber die Hochzeit wird lustig sein; Bären, die tanzen gut.»

Die Braut schwieg still und ließ sich nicht irremachen. Der Bärenhäuter aber zog in der Welt 15 herum, von einem Ort zum andern, tat Gutes, wo er konnte, und gab den Armen reichlich, damit sie für ihn beteten. Endlich als der letzte Tag von den sieben Jahren anbrach, ging er wieder hinaus auf die Heide und setzte sich unter den Ring von 20 Bäumen. Nicht lange, so sauste der Wind, und der Teufel stand vor ihm und blickte ihn verdrießlich an; dann warf er ihm den alten Rock hin und verlangte seinen grünen zurück.

«So weit sind wir noch nicht», antwortete der 25 Bärenhäuter, «erst sollst du mich reinigen.» Der Teufel mochte wollen oder nicht, er mußte Wasser holen, den Bärenhäuter abwaschen, ihm die Haare kämmen und die Nägel schneiden. Hierauf sah er wie ein tapferer Krieger aus und war viel schöner 30 als je vorher.

Als der Teufel glücklich abgezogen war, so war es dem Bärenhäuter ganz leicht ums Herz. Er ging

in die Stadt, tat einen prächtigen Samtrock an,
setzte sich in einen Wagen, mit vier Schimmeln
bespannt, und fuhr zu dem Haus seiner Braut.
Niemand erkannte ihn, der Vater hielt ihn für
5 einen vornehmen Offizier° und führte ihn in das
Zimmer, wo seine Töchter saßen. Er mußte sich
zwischen den beiden ältesten niederlassen; sie
schenkten ihm Wein ein, legten ihm die besten
Bissen vor und meinten, sie hätten keinen schönern
10 Mann auf der Welt gesehen. Die Braut aber saß in
schwarzem Kleide ihm gegenüber, schlug die
Augen nicht auf und sprach kein Wort.

Als er endlich den Vater fragte, ob er ihm eine
seiner Töchter zur Frau geben wollte, so sprangen
15 die beiden ältesten auf, liefen in ihre Kammer und
wollten prächtige Kleider anziehen, denn eine jede
bildete sich ein, sie wäre die Auserwählte.

Der Fremde, sobald er mit seiner Braut allein
war, holte den halben Ring hervor und warf ihn
20 in einen Becher mit Wein, den er ihr über den
Tisch reichte. Sie nahm ihn an, aber als sie getrunken hatte und den halben Ring auf dem
Grunde liegen fand, so schlug ihr das Herz. Sie
holte die andere Hälfte, die sie an einem Band um
25 den Hals trug, hielt sie daran, und es zeigte sich,
daß beide Teile vollkommen zueinander paßten.

Da sprach er: «Ich bin dein Bräutigam, den
du als Bärenhäuter gesehen hast, aber durch Gottes
Gnade habe ich meine menschliche Gestalt wieder
30 erhalten und bin wieder rein geworden.'' Er ging
auf sie zu, umarmte sie und gab ihr einen Kuß.

Indem kamen die beiden Schwestern in vollem
Putz herein, und als sie sahen, daß der schöne
Mann der jüngsten zuteil geworden war, und
35 hörten, daß das der Bärenhäuter war, liefen sie voll
Zorn und Wut hinaus; die eine ersäufte sich im
Brunnen, die andere erhenkte sich an einem Baum.

Am Abend klopfte jemand an die Tür, und als
der Bräutigam öffnete, so war's der Teufel im
40 grünen Rock, der sprach: «Siehst du, nun habe ich
zwei Seelen für deine eine.''

Samtrock *velvet coat*

mit vier Schimmeln bespannt
drawn by four white horses

ersäufte sich *drowned herself*
erhenkte sich *hanged herself*

The brothers Grimm told in the preface to a new edition of the Märchen *in 1819 something of their difficulties in collecting them. By good fortune they found in a village near Kassel a Hessian peasant woman, gifted with a phenomenal memory of the many stories she repeated to them.*

die *those who*
gemeinlich *usually*

gescheite *clever, smart*
abgeschmackt *insipid, absurd*

wo wir her sind *from whence we came*

rüstig *vigorous, in good health*

Sagen *tales*

bedächtig *deliberately*

Es war vielleicht gerade Zeit, diese Märchen festzuhalten, da diejenigen, die sie bewahren sollen, immer seltener werden. Freilich, die sie noch wissen, wissen gemeinlich auch recht viel, weil die Menschen ihnen absterben, sie nicht den Menschen. 5 Wo sie noch da sind, leben sie so, daß man nicht daran denkt, ob sie gut oder schlecht sind, poetisch° oder für gescheite Leute abgeschmackt; man weiß sie und liebt sie, weil man sie eben so empfangen hat, und freut sich daran, ohne einen Grund dafür. 10

Gesammelt haben wir an diesen Märchen seit etwa dreizehn Jahren, der erste Band, welcher im Jahre 1812 erschien, enthielt meist, was wir nach und nach in Hessen°, in den Gegenden der Grafschaft Hanau°, wo wir her sind, von mündlichen 15 Überlieferungen aufgefaßt hatten. Der zweite Band wurde im Jahre 1814 beendigt und kam schneller zustande, teils weil das Buch selbst sich Freunde verschafft hatte, teils weil uns das Glück begünstigte.

Einer jener guten Zufälle aber war es, daß wir 20 aus dem bei Cassel° gelegenen Dorfe Niederzwehrn° eine Bäuerin kennenlernten, die uns die meisten und schönsten Märchen des zweiten Bandes erzählte. Die Frau war noch rüstig und nicht viel über fünfzig Jahre alt. Ihre Gesichtszüge hatten 25 etwas Festes, Verständiges und Angenehmes, und aus großen Augen blickte sie hell und scharf. Sie bewahrte die alten Sagen fest im Gedächtnis und sagte wohl selbst, daß diese Gabe nicht jedem verliehen sei und mancher gar nichts im Zusammen- 30 hange behalten könne. Dabei erzählte sie bedächtig, sicher und ungemein lebendig, mit eigenem Wohlgefallen daran, erst ganz frei, dann, wenn man es wollte, noch einmal langsam, so daß man ihr mit einiger Übung nachschreiben konnte. Manches ist 35 auf diese Weise wörtlich beibehalten und wird in

seiner Wahrheit nicht zu verkennen sein. Wer an
leichte Verfälschung der Überlieferung, Nachlässigkeit bei Aufbewahrung und daher an Unmöglichkeit langer Dauer als Regel glaubt, der hätte
5 hören müssen, wie genau sie immer bei der Erzählung blieb und auf ihre Richtigkeit eifrig war;
sie änderte niemals bei einer Wiederholung etwas
in der Sache ab und besserte ein Versehen, sobald
sie es bemerkte, mitten in der Rede gleich selber.
10 Was die Weise betrifft, in der wir hier gesammelt haben, so ist es uns zuerst auf Treue und
Wahrheit angekommen. Wir haben nämlich aus
eigenen Mitteln nichts hinzugesetzt, keinen Umstand und Zug der Sage selbst verschönert, sondern
15 ihren Inhalt so wiedergegeben, wie wir ihn empfangen haben.

zu verkennen sein *be mis-
understood*
Verfälschung *falsification*
Nachlässigkeit *carelessness*

Die Zwehrner Märchenfrau

203

XIV

Heine:

DIE HARZREISE

Heinrich Heine's *Harzreise* created a sensation on the literary scene in 1826. The author, a young man at the beginning of a stormy career, immediately became a figure of controversy, and has remained so to this day. Heine is many things to many people, and there are more unresolved questions concerning him than about any other figure in German literature. Was he a romantic or an anti-romantic? Is his poetry fragilely beautiful or slickly contrived? Is his prose style boldly creative or facilely journalistic? Was he pro-German or anti-German? There are many other problems, but these have been mentioned because they have relevance to the passages from the *Harzreise* which follow.

Die Harzreise is unlike anything published before or since. It is indeed what the title implies, an account of a journey on foot from Göttingen to the Harz mountains. But it is more than this; the trip serves as a frame for some of the most brilliant social and political satire in German literature, as well as for some absorbing evocations in poetry and prose of the mood and atmosphere of meadow, wood and mountains, and of simple peasant life. Heine shows in the *Harzreise*, as in his other works, that he is both the poetic soul sensitive to the beauties of nature and the sophisticated man of the world with a sharp eye for the foibles, weaknesses and pretenses of society.

204

1

Heine was a student when he made the trip, and the university town of Göttingen is his starting point. But he does not leave the town before subjecting what he considered its pedantic, smugly scholarly atmosphere to some devastating ridicule.

Die Stadt Göttingen°, berühmt durch ihre Würste und Universität°, gehört dem Könige von Hannover° und enthält 999 Feuerstellen, diverse° Kirchen, eine Entbindungsanstalt, eine Bibliothek 5 und einen Ratskeller, wo das Bier° sehr gut ist. Die Stadt selbst ist schön und gefällt einem am besten, wenn man sie mit dem Rücken ansieht.

Im allgemeinen werden die Bewohner Göttingens eingeteilt in Studenten°, Professoren°, Philister 10 und Vieh, welche vier Stände doch nichts weniger als streng geschieden sind. Der Viehstand ist der bedeutendste. Die Namen aller Studenten und aller ordentlichen und unordentlichen Professoren hier herzuzählen, wäre zu weitläuftig; auch sind mir in 15 diesem Augenblicke nicht alle Studentennamen im Gedächtnisse, und unter den Professoren sind manche, die noch gar keinen Namen haben. Die

Feuerstellen *hearths, houses*

Entbindungsanstalt *maternity hospital*

Ratskeller *cellar restaurant in the town hall*

Philister *philistines*

ordentlichen und unordentlichen *"regular" and "irregular" (a pun)*

weitläuftig *long-winded*

Marktplatz in Göttingen, 1824   Landesbildstelle Niedersachsen

205

Göttinger Universitätsbibliothek zur Zeit der *Harzreise*

Kot *mud, filth*

nachlesen (inf.) *to look up*

gehört *attended lectures on*
excerpiert *excerpted*

grundgelehrten Abhandlung
erudite treatise
so = welche

Zahl der Göttinger° Philister muß sehr groß sein, wie Sand°, oder besser gesagt, wie Kot am Meer. Ausführlicheres über die Stadt Göttingen läßt sich sehr bequem nachlesen in der Topographie° derselben von K. F. H. Marx. Ich kann das Werk 5 nicht unbedingt empfehlen, und ich muß tadeln, daß es jener falschen Meinung, als hätten die Göttingerinnen allzu große Füße, nicht streng genug widerspricht. Ja, ich habe mich sogar seit Jahr und Tag mit einer ernsten Widerlegung dieser 10 Meinung beschäftigt, ich habe deshalb vergleichende Anatomie° gehört, die seltensten Werke auf der Bibliothek excerpiert, auf der Weenderstraße° stundenlang die Füße der vorübergehenden Damen studiert, und in der grundgelehrten Abhandlung, 15 so die Resultate° dieser Studien° enthalten wird, spreche ich 1) von den Füßen überhaupt, 2) von den Füßen bei den Alten, 3) von den Füßen der Elefanten°, 4) von den Füßen der Göttingerinnen, 5) stelle ich alles zusammen, was über diese Füße 20 schon gesagt worden, 6) betrachte ich diese Füße in ihrem Zusammenhang und verbreite mich bei

206

dieser Gelegenheit auch über Waden, Kniee° u.s.w., | Waden *calves*
und endlich 7) wenn ich nur so großes Papier° |
auftreiben kann, füge ich noch hinzu einige | auftreiben *get hold of*
Kupfertafeln mit dem Faksimile° göttingischer° | Kupfertafeln *copper plates*
5 Damenfüße.

Es war noch sehr früh, als ich Göttingen
verließ, und der gelehrte ** lag gewiß noch im
Bette und träumte wie gewöhnlich: er wandle in
einem schönen Garten°, auf dessen Beeten lauter | Beeten *beds*
10 weiße, mit Citaten beschriebene Papierchen wach- | Citaten *quotations*
sen, die im Sonnenlichte lieblich glänzen, und von
denen er hier und da mehrere pflückt und mühsam
in ein neues Beet verpflanzt, während die Nachti- | verpflanzt *transplants*
gallen mit ihren süßesten Tönen sein altes Herz
15 erfreuen.

Auf der Chaussee wehte frische Morgenluft, | Chaussee *highroad*
und die Vögel sangen gar freudig, und auch mir
wurde allmählich wieder frisch und freudig zu
Mute. Dann und wann rollte° auch ein Einspänner | Einspänner *one-horse carriage*
20 vorüber, wohlbepackt mit Studenten, die für die
Ferienzeit oder auch für immer wegreisten. In solch
einer Universitätsstadt ist ein beständiges Kommen
und Abgehen, alle drei Jahre findet man dort eine
neue Studentengeneration°, das ist ein ewiger
25 Menschenstrom, wo eine Semesterwelle die andere
fortdrängt, und nur die alten Professoren bleiben
stehen in dieser allgemeinen Bewegung, uner- | unerschütterlich *imperturbably*
schütterlich fest, gleich den Pyramiden° Ägyptens°
—nur daß in diesen Universitätspyramiden° keine
30 Weisheit verborgen ist.

Türme von Göttingen

Harzlandschaft mit Brocken im Hintergrund

Erich Fischer

2

Leaving the town and his cares behind, Heine immerses himself in the countryside and sees charm and beauty in lovely nature settings such as the following.

Die Sonne ging auf. Die Nebel flohen, wie Gespenster beim dritten Hahnenschrei. Ich stieg wieder bergauf und bergab, und vor mir schwebte die schöne Sonne, immer neue Schönheiten beleuchtend. Der Geist des Gebirges begünstigte mich 5 ganz offenbar; er wußte wohl, daß so ein Dichtermensch viel Hübsches wieder erzählen kann, und

208

er ließ mich diesen Morgen seinen Harz° sehen, wie
ihn gewiß nicht jeder sah. Aber auch mich sah der
Harz, wie mich nur wenige gesehen, in meinen
Augenwimpern flimmerten eben so kostbare Perlen°
5 wie in den Gräsern des Tals. Morgentau der Liebe
feuchtete meine Wangen, die rauschenden Tannen
verstanden mich, ihre Zweige taten sich voneinander, bewegten sich herauf und herab, gleich
stummen Menschen, die mit den Händen ihre
10 Freude bezeigen, und in der Ferne klang's wunderbar geheimnisvoll, wie Glockengeläute einer ver-
lornen Waldkirche. Man sagt, das seien die
Herdenglöckchen, die im Harz so lieblich, klar und
rein gestimmt sind.
15 Nach dem Stande der Sonne war es Mittag,
als ich auf eine solche Herde stieß, und der Hirt,
ein freundlich blonder° junger Mensch, sagte mir,

Augenwimpern flimmerten
eyelashes glistened

feuchtete *moistened*

taten sich voneinander *parted*

Herdenglöckchen *cow bells*

gestimmt *tuned*

Erich Fischer

209

der große Berg, an dessen Fuß ich stände, sei der alte, weltberühmte Brocken. Viele Stunden ringsum liegt kein Haus, und ich war froh genug, daß mich der junge Mensch einlud, mit ihm zu essen. Wir setzten uns nieder zu einem *Déjeuner dînatoire*, das aus Käse und Brot bestand; die Schäfchen erhaschten die Krumen, die lieben blanken Kühlein sprangen um uns herum und klingelten schelmisch mit ihren Glöckchen und lachten uns an mit ihren großen vergnügten Augen. Wir tafelten recht königlich; überhaupt schien mir mein Wirt ein echter König, und weil er bis jetzt der einzige König ist, der mir Brot gegeben hat, so will ich ihn auch königlich besingen.

Brocken (highest mountain in the Harz)

Déjeuner dînatoire lunch
erhaschten die Krumen snatched the crumbs
blanken sleek

schelmisch roguishly

tafelten dined

> König ist der Hirtenknabe, 15
> Grüner Hügel ist sein Thron°,
> Über seinem Haupt die Sonne
> Ist die schwere, goldne° Kron'°.

> Ihm zu Füßen liegen Schafe,
> Weiche Schmeichler, rotbekreuzt; 20
> Kavaliere° sind die Kälber,
> Und sie wandeln stolz gespreizt.

gespreizt legs spread apart

> Hofschauspieler sind die Böcklein;
> Und die Vögel und die Küh',
> Mit den Flöten, mit den Glöcklein, 25
> Sind die Kammermusici.

Hofschauspieler court actors

Flöten flutes
Kammermusici chamber musicians

> Und das klingt und singt so lieblich,
> Und so lieblich rauschen drein
> Wasserfall° und Tannenbäume,
> Und der König schlummert ein. 30

schlummert ein falls asleep

> Unterdessen muß regieren
> Der Minister°, jener Hund,
> Dessen knurriges Gebelle
> Widerhallet in der Rund'.

knurriges Gebelle growling and barking
widerhallet echoes
lallt mutters

> Schläfrig lallt der junge König: 35
> „Das Regieren ist so schwer,
> Ach, ich wollt', daß ich zu Hause
> Schon bei meiner Kön'gin wär'!

> „In den Armen meiner Kön'gin
> Ruht mein Königshaupt so weich, 40
> Und in ihren lieben Augen
> Liegt mein unermeßlich Reich!"

unermeßlich immeasurable

Ilsetal

Hans Rudolphi

Wir nahmen freundschaftlich Abschied, und
fröhlich stieg ich den Berg hinauf. Allerliebst   allerliebst *most charmingly*
schossen die goldenen° Sonnenlichter durch das
dichte Tannengrün. Eine natürliche Treppe bil-

deten die Baumwurzeln. Überall schwellende Moosbänke, denn die Steine sind fußhoch von den schönsten Moosarten, wie mit hellgrünen Sammetpolstern, bewachsen. Liebliche Kühle und träumerisches Quellengemurmel. Hier und da sieht man 5 wie das Wasser unter den Steinen silberhell hinrieselt und die nackten Baumwurzeln und Fasern bespült. Wenn man sich nach diesem Treiben hinabbeugt, so belauscht man gleichsam die geheime Bildungsgeschichte der Pflanzen und 10 das ruhige Herzklopfen des Berges. An manchen Orten sprudelt das Wasser aus den Steinen und Wurzeln stärker hervor und bildet kleine Kaskaden°. Da läßt sich gut sitzen. Es murmelt und rauscht so wunderbar, die Vögel singen abge- 15 brochene Sehnsuchtslaute, die Bäume flüstern wie mit tausend Mädchenzungen, wie mit tausend Mädchenaugen schauen uns an die seltsamen Bergblumen, sie strecken nach uns aus die wundersam breiten, drollig gezackten Blätter, spielend 20 flimmern hin und her die lustigen Sonnenstrahlen, die sinnigen Kräutlein erzählen sich grüne Märchen, es ist alles wie verzaubert, es wird immer heimlicher und heimlicher, ein uralter Traum wird lebendig, die Geliebte erscheint—ach, daß sie so 25 schnell wieder verschwindet!

Moosbänke *banks of moss*
Sammetpolstern *velvet cushions*
Quellengemurmel *murmuring of springs*
hinrieselt *trickles along*
Fasern bespült *washes the fibres*
Treiben *activity*
Bildungsgeschichte *story of the growth*
sprudelt *gushes*
drollig gezackten *drolly notched*
flimmern *glisten*
Kräutlein *little plants*

3

The ascent of the Brocken, the highest of the Harz mountains, is the climax of his journey, and Heine describes an overnight stay at the Brockenhaus, a hotel on its summit. In the excerpt which follows, he combines the rollicking carousal of the guests at the inn with potent social and political satire, and then moves to an enchanting evocation of the sunrise as seen from the mountain top.

Burschenschafter *member of a Student Society*
Garderobeaufwand *expenditure for costumes*

Im großen Zimmer wurde eine Abendmahlzeit gehalten. Ein junger Burschenschafter, der kürzlich in Berlin gewesen, sprach viel von dieser Stadt, aber sehr einseitig. Er hatte das Theater° besucht; 30 er sprach von Garderobeaufwand, Schauspieler-

und Schauspielerinnenskandal u.s.w. Der junge
Mensch wußte nicht, daß, da in Berlin überhaupt
der Schein der Dinge am meisten gilt, dieses
Scheinwesen auf den Brettern erst recht florieren
5 muß, und daß daher die Intendanz am meisten zu
sorgen hat für die «Farbe des Barts, womit eine
Rolle° gespielt wird," für die Treue der Kostüme°,
die von beeidigten Historikern vorgezeichnet und
von wissenschaftlich gebildeten Schneidern genäht
10 werden. Und das ist notwendig. Denn trüge mal
Maria Stuart eine Schürze, die schon zum Zeitalter
der Königin Anna gehört, so würde gewiß der
Bankier Christian Gumpel sich mit Recht beklagen,
daß ihm dadurch alle Illusion° verloren gehe. So
15 soll künftig der Othello von einem wirklichen
Mohren° gespielt werden, den Professor Lichten-
stein schon aus Afrika° verschrieben hat; in
«Menschenhaß und Reue" soll künftig die Eulalia°
von einem wirklich verlaufenen Weibsbilde, der
20 Peter von einem wirklich dummen Jungen und der
Unbekannte von einem wirklich geheimen Hahnrei
gespielt werden, die man alle drei nicht erst aus
Afrika zu verschreiben braucht. Hatte nun oben-
erwähnter junger Mensch die Verhältnisse des
25 Berliner Schauspiels schlecht begriffen, so begriff er
am allerwenigsten die diplomatische° Bedeutung

Scheinwesen *sham*
florieren *flourish*
Intendanz *management*

von beeidigten Historikern
vorgezeichnet *designed by
historians under oath*

Schürze *apron*

Bankier *banker*

verschrieben *ordered*

«Menschenhaß und Reue"
*"Misanthropy and Remorse"
(a popular play)*
Weibsbild *woman*
Hahnrei *cuckold*

Brockenhotel mit Aussichtsturm   Hans Rudolphi

des Balletts°. Mit Mühe zeigte ich ihm, wie alle die Tanztouren von Hoguet diplomatische° Verhandlungen bedeuten, wie jede seiner Bewegungen eine politische° Beziehung habe, so z. B., daß er unser Kabinett° meint, wenn er, sehnsüchtig vorgebeugt, mit den Händen weit ausgreift; daß er den Bundestag meint, wenn er sich hundertmal auf einem Fuße herumdreht, ohne vom Fleck zu kommen; daß er die kleinen Fürsten im Sinne hat, wenn er wie mit gebundenen Beinen herumtrippelt; daß er das europäische° Gleichgewicht bezeichnet, wenn er wie ein Trunkener hin- und herschwankt; und endlich, daß er unseren allzu großen Freund im Osten darstellt, wenn er in allmählicher Entfaltung sich in die Höhe hebt, in dieser Stellung lange ruht und plötzlich in die erschrecklichsten Sprünge ausbricht.

An unserem Tische wurde es immer lauter und traulicher, der Wein° verdrängte das Bier, die Punschbowlen° dampften, es wurde getrunken und gesungen. Herrliche Lieder von W. Müller, Rükkert, Uhland u.s.w. erschollen. Und draußen brauste es, als ob der alte Berg mitsänge, und einige schwankende Freunde behaupteten sogar, er schüttle freudig sein kahles Haupt, und unser Zimmer werde dadurch hin und her bewegt. Die Flaschen wurden leerer und die Köpfe voller. Der eine brüllte, der andere fistulierte, ein dritter deklamierte, ein vierter sprach Latein°, ein fünfter predigte von der Mäßigkeit, und ein sechster stellte sich auf den Stuhl und dozierte.

Ein gemütlicher Mecklenburger, der seine Nase im Punschglase° hatte und selig lächelnd den Dampf einschnupfte, machte die Bemerkung, es sei ihm zu Mute, als stände er wieder vor dem Theaterbüffett in Schwerin°. Ein anderer hielt sein Weinglas° wie ein Perspektiv vor die Augen und schien uns aufmerksam damit zu betrachten, während ihm der rote Wein über die Backen ins hervortretende Maul hinablief. Der Greifswalder, plötzlich begeistert, warf sich an meine Brust und jauchzte:

«O verständest du mich, ich bin ein Liebender, ich
bin ein Glücklicher, ich werde wieder geliebt, und,
Gott verdamm' mich! es ist ein gebildetes Mädchen,
denn sie hat volle Brüste und trägt ein weißes Kleid
5 und spielt Klavier!"

. . . .

Aus diesem Lärmen zog mich der Brockenwirt,
indem er mich weckte, um den Sonnenaufgang
anzusehen. Auf dem Turm fand ich schon einige
Harrende, die sich die frierenden Hände rieben,
10 andere, noch den Schlaf in den Augen, taumelten
herauf. Endlich stand die stille Gemeinde von
gestern abend wieder ganz versammelt, und
schweigend sahen wir, wie am Horizonte° die kleine
karmoisinrote Kugel emporstieg, eine winterlich°
15 dämmernde Beleuchtung sich verbreitete, die Berge
wie in einem weißwallenden Meere schwammen°
und bloß die Spitzen derselben sichtbar hervor-
traten, so daß man auf einem kleinen Hügel zu
stehen glaubte mitten auf einer überschwemmten
20 Ebene, wo nur hier und da eine trockene Erdscholle
hervortritt. Um das Gesehene und Empfundene in
Worten festzuhalten, zeichnete ich folgendes Gedicht:

Heller wird es schon im Osten
25   Durch der Sonne kleines Glimmen,
Weit und breit die Bergesgipfel
In dem Nebelmeere schwimmen.

Hätt' ich Siebenmeilenstiefel,
Lief' ich mit der Hast des Windes
30   Über jene Bergesgipfel,
Nach dem Haus des lieben Kindes.

Von dem Bettchen, wo sie schlummert,
Zög' ich leise die Gardinen,
Leise küßt' ich ihre Stirne,
35   Leise ihres Munds Rubinen.

Und noch leiser wollt' ich flüstern
In die kleinen Lilienohren:
„Denk' im Traum, daß wir uns lieben,
Und daß wir uns nie verloren!"

Harrende *people waiting*
taumelten *stumbled*

karmoisinrote *carmine red*

weißwallenden *undulating white*

überschwemmten *inundated*
Erdscholle *clod*

Glimmen *glimmer*

Gardinen *curtains*

Rubinen *rubies*

215

4

On leaving the Brocken and descending on its north side, Heine encounters the lovely river Ilse. His portrait of the origin of this mountain stream is among the most effective passages in all his works.

Gewässer *waters*
Gestein und Gestrüpp *stones and underbrush*
blinkte . . . hervor *sparkled forth, gleamed*

Troß der Zagenden *troop of timid ones*

Windungen *twists and turns*

Buchen *beech trees*
Blattgesträuche *leafy shrubs*
Nadelholz *conifers*

emporzischt *spurts up*
schäumend *foaming*
Steinspalten *stone crevices*
Gießkannen *watering cans*
hintrippelt *trips along*

blinkt *glitters*
Schaumgewand *garment of foam*

Je tiefer wir hinabstiegen, desto lieblicher rauschte das unterirdische Gewässer, nur hier und da, unter Gestein und Gestrüpp blinkte es hervor und schien heimlich zu lauschen, ob es ans Licht treten dürfe, und endlich kam eine kleine Welle 5 entschlossen hervorgesprungen. Nun zeigt sich die gewöhnliche Erscheinung: ein Kühner macht den Anfang, und der ganze Troß der Zagenden wird plötzlich zu seinem eigenen Erstaunen von Mut ergriffen und eilt, sich mit jenem ersten zu ver- 10 einigen. Eine Menge anderer Quellen hüpften jetzt hastig aus ihrem Versteck, verbanden sich mit der zuerst hervorgesprungenen, und bald bildeten sie zusammen ein schon bedeutendes Bächlein, das in unzähligen Wasserfällen° und in wunderlichen 15 Windungen das Bergtal hinabbraust. Das ist nun die Ilse°, die liebliche, süße Ilse. Sie zieht sich durch das gesegnete Ilsetal, an dessen beiden Seiten sich die Berge allmählich höher erheben, und diese sind bis zu ihrem Fuße meistens mit Buchen, Eichen und 20 gewöhnlichem Blattgesträuche bewachsen, nicht mehr mit Tannen und anderm Nadelholz.

Es ist unbeschreibbar, mit welcher Fröhlichkeit, Naivetät° und Anmut die Ilse sich hinunterstürzt über die abenteuerlich gebildeten Felsstücke, 25 die sie in ihrem Laufe findet, so daß das Wasser hier wild emporzischt oder schäumend überläuft, dort aus allerlei Steinspalten, wie aus vollen Gießkannen, in reinen Bögen sich ergießt, und unten wieder über die kleinen Steine hintrippelt, wie ein 30 munteres Mädchen. Ja, die Sage ist wahr, die Ilse ist eine Prinzessin°, die lachend und blühend den Berg hinabläuft. Wie blinkt im Sonnenschein° ihr weißes Schaumgewand! Wie flattern im Winde ihre

silbernen Busenbänder! Wie funkeln und blitzen   Busenbänder *breast ribbons*
ihre Diamanten°! Die hohen Buchen stehen dabei
gleich ernsten Vätern, die verstohlen lächelnd dem
Mutwillen des lieblichen Kindes zusehen; die   Mutwillen *high spirits*
5 weißen Birken bewegen sich tantenhaft vergnügt   tantenhaft vergnügt *like con-*
und doch zugleich ängstlich über die gewagten   *tented old aunts*
Sprünge; der stolze Eichbaum schaut drein wie ein
verdrießlicher Oheim, der das schöne Wetter bezahlen soll; die Vögelein in den Lüften jubeln ihren
10 Beifall, die Blumen am Ufer flüstern zärtlich: «O,
nimm uns mit, nimm uns mit, lieb' Schwesterchen!"
— aber das lustige Mädchen springt unaufhaltsam
weiter, und plötzlich ergreift sie den träumenden
Dichter, und es strömt auf mich herab ein Blumen-
15 regen von klingenden Strahlen und strahlenden
Klängen, und die Sinne vergehen mir vor lauter
Herrlichkeit, und ich höre nur noch die flötensüße   flötensüße *sweet as a flute*
Stimme:

    „Ich bin die Prinzessin Ilse,
20   Und wohne im Ilsenstein°;
    Komm mit nach meinem Schlosse,
    Wir wollen selig sein.

    „Dein Haupt will ich benetzen   benetzen *moisten*
    Mit meiner klaren Well',
25   Du sollst deine Schmerzen vergessen,
    Du sorgenkranker Gesell'!   Hans Rudolphi

    „In meinen weißen Armen,
    An meiner weißen Brust,
    Da sollst du liegen und träumen
30   Von alter Märchenlust."

XV

Richard Wagner:

TRISTAN und ISOLDE

Richard Wagner's music drama, *Tristan und Isolde*, is a masterful adaptation of Gottfried's poem for the lyric stage. While remaining faithful to the general outline of the mediaeval epic, Wagner has focussed the attention on three crucial scenes, transforming the episodic tale into a character tragedy of great intensity. With the help of subtle musical portraiture and dialogue which affords revealing insights into the souls of the speakers, the composer-poet has made the chief characters of this drama of the Middle Ages understandable to his modern audience; indeed, he has given us a character study of the chief personages which goes beyond anything else ever before written for the musical stage.

Richard Wagner was one of the great innovators in the field of musical drama. In the four dramas of *Der Ring° des Nibelungen°* (*Das Rheingold; Die Walküre* [The Valkyrie]*; Siegfried;* and *Götterdämmerung* [Twilight of the Gods]), as well as in *Tristan und Isolde, Die Meistersinger*, and *Parsifal*, he rejected traditional opera and strove to bring poetry, drama and music into equal balance to create a unified work of art, a *Gesamtkunstwerk* (total work of art). *Tristan und Isolde* is widely regarded as his most successful musical-poetic-dramatic synthesis.

A word of caution is in order about the verse form. Wagner wrote his own texts for all his works. As you can see, the lines of *Tristan und Isolde* are very short, most of them containing only two stressed syllables. It must be borne in mind, however, that the text was written to be *sung*, not spoken nor read, and that what looks on the printed page like short choppy declamation is in performance the exact opposite. This fact will become readily apparent when you listen to recordings of the passages which follow with the text before you. The first and last excerpts are given unshortened to facilitate this.

218

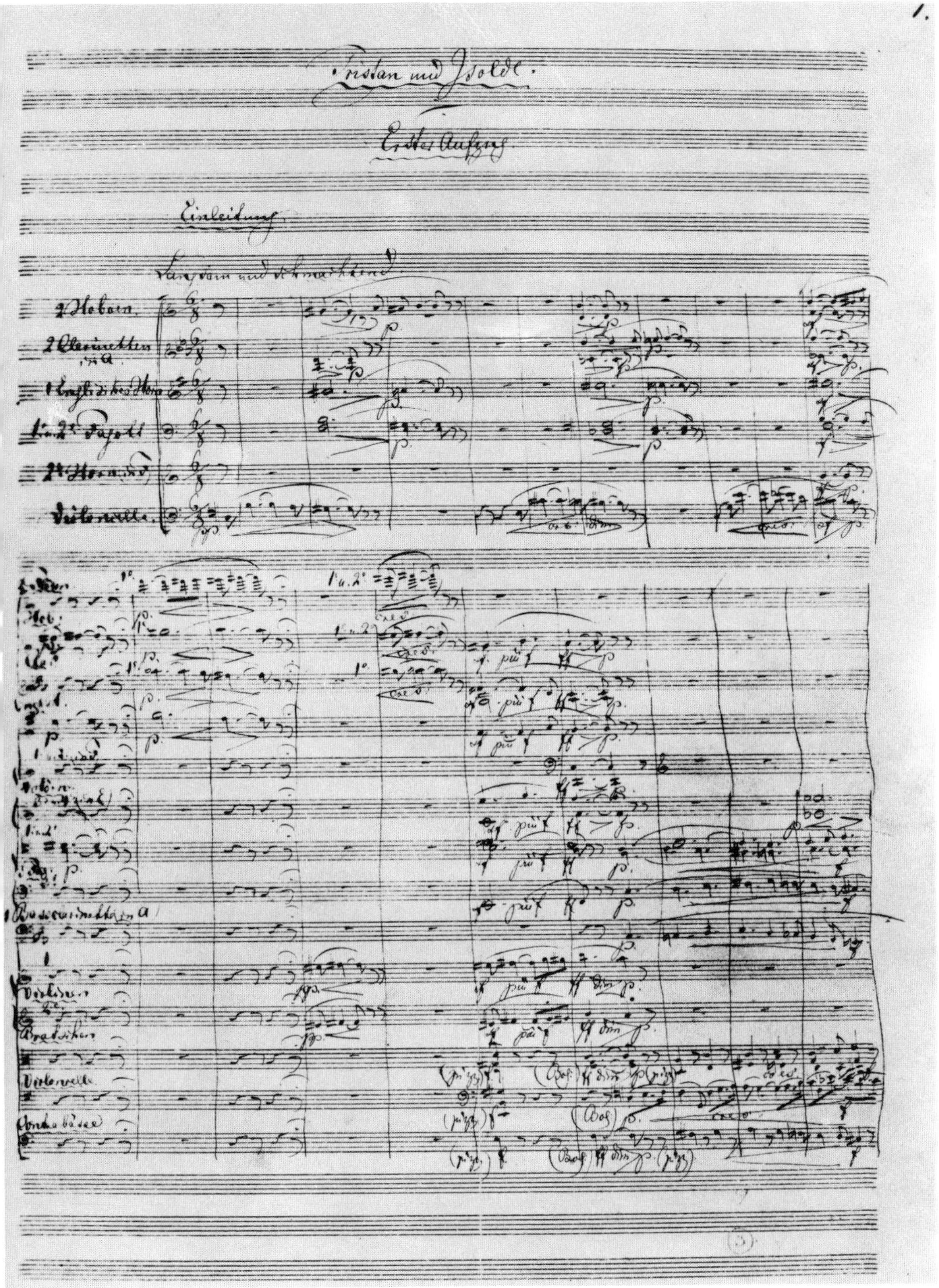

Courtesy New York Public Library

Richard Wagner im Jahre 1873

1

The scene of Act One is on board the ship which is bringing Isolde to be the bride of King Marke. In the following excerpt, often called Isolde's Narrative, she reveals to Brangäne the details of Tristan's arrival in Ireland critically wounded, his subsequent recovery, and her discovery that the sliver of metal removed from the head of the slain Morold fitted into Tristan's sword, much as we read in the excerpts from Gottfried's poem in Chapter Three, which you are urged to compare with the scenes which follow. There are some differences, however, including one of particular significance. We see from the Narrative, and even more from the music which goes with it, that Isolde has fallen in love with Tristan against her will.

Isolde

Erfuhrest du meine Schmach,
nun höre, was sie mir schuf. —
  Wie lachend sie
  mir Lieder singen,
wohl könnt' auch ich erwidern!   5
  Von einem Kahn,
  der klein und arm
an Irlands° Küsten schwamm,

**Ramon Vinay und Martha Mödl als Tristan
und Isolde. Bayreuther Festspiele, 1952**
Opera News, The Metropolitan Opera Guild, Inc.

darinnen krank
ein siecher Mann
elend im Sterben lag.
Isoldes Kunst
5 ward ihm bekannt,
mit Heilsalben
und Balsamsaft
der Wunde, die ihn plagte,
getreulich pflag sie da.
10 Der «Tantris»
mit sorgender List sich nannte,
als «Tristan»
Isold' ihn bald erkannte,
da in des Müß'gen Schwerte
15 eine Scharte sie gewahrte,
darin genau
sich fügt' ein Splitter,
den einst im Haupt
des Irenritter,
20 zum Hohn ihr heimgesandt,
mit kund'ger Hand sie fand.
Da schrie's mir auf
aus tiefstem Grund!

siecher *infirm, ailing*

Heilsalben *healing salves*
Balsamsaft *balm*

getreulich pflag sie *she faith-
fully nursed*

Scharte *notch*

Splitter *sliver*

Irenritter *Irish knight (Morold, Isolde's betrothed, slain by
Tristan)*

221

Tristan und Isolde: 1. Akt. Bayreuther Festspiele

Opera News, The Metropolitan Opera Guild, Inc.

Mit dem hellen Schwert

stund = stand   ich vor ihm stund,

Überfrechen *most insolent one*   an ihm, dem Überfrechen,

Herrn Morolds Tod zu rächen.

Von seinem Lager   5

blickt' er her, —

nicht auf das Schwert,

nicht auf die Hand, —

er sah mir in die Augen.

Seines Elendes   10

jammerte mich;

das Schwert — ich ließ es fallen!

Die Morold schlug, die Wunde,

sie heilt' ich, daß er gesunde,

und heim nach Hause kehre,   15

beschweren (inf.) *to disturb*   mit dem Blick mich nicht mehr beschwere!

222

Brangäne

O Wunder! Wo hatt' ich die Augen?
  Der Gast, den einst
  ich pflegen half—?

Isolde

Sein Lob hörtest du eben:—
5 «Hei! unser Held Tristan!"—   Hei! *hail!*
  Der war jener traur'ge Mann.
  Er schwur mit tausend Eiden
  mir ew'gen Dank und Treue!
    Nun hör' wie ein Held
10   Eide hält!—
  Den als Tantris
  unerkannt ich entlassen,
    als Tristan
  kehrt' er kühn zurück;
15   auf stolzem Schiff
    von hohem Bord,   von hohem Bord *with a high*
    Irlands Erbin   *deck*
    begehrt' er zur Eh'
  für Kornwalls müden König,
20 für Marke, seinen Ohm.   Ohm *uncle*
    Da Morold lebte,
    wer hätt' es gewagt,
  uns je solche Schmach zu bieten?

    (Three lines omitted here)

    Ach, wehe mir!
25   Ich ja war's,—
    die heimlich selbst
    die Schmach sich schuf!
    Das rächende Schwert,
    statt es zu schwingen,
30 machtlos ließ ich's fallen!
  Nun dien' ich dem Vasallen!

2

*Isolde has resolved to die rather than be tortured by secret love for Tristan,
and orders Brangäne to mix a death potion in the cup of reconciliation which she
ostensibly offers Tristan as the ship is landing in Cornwall. The latter, himself
secretly in love with Isolde, suspects that what he is about to drink is a poisoned
draught, as he cryptically states in the opening lines of the following excerpt.
But Brangäne has substituted the love potion. The act ends with Isolde in
Tristan's arms, as Marke's retinue is about to board the ship. You are urged to
compare this scene with the quite different version of the same incident by Gottfried, (see p. 27).*

(see p. 27)

Tristan

Wohl kenn' ich Irlands
Königin,
und ihrer Künste
Wunderkraft.
Den Balsam nützt' ich,   5
den sie bot;
den Becher nehm' ich nun,

genese *recover*   daß ganz ich heut' genese!

(*Er trinkt.*)

Isolde

Betrug auch hier?
Mein die Hälfte!   10

entwindet *wrests from*   (*Sie entwindet ihm den Becher.*)

Verräter! Ich trink' sie dir!

Schale *cup*   (*Sie trinkt. Dann wirft sie die Schale fort. — Beide,*
Schauer *shuddering*   *von Schauer erfaßt, blicken sich mit höchster Aufregung,*
unverwandt *fixedly*   *doch mit starrer Haltung, unverwandt in die Augen, in*
deren Ausdruck der Todestrotz bald der Liebesglut weicht.
krampfhaft *convulsively*   *—Zittern ergreift sie. Sie fassen sich krampfhaft ans*
Herz, — und führen die Hand wieder an die Stirn. —
Dann suchen sie sich wieder mit dem Blicke, senken ihn
verwirrt, und heften ihn von neuem mit steigender Sehnsuch
aufeinander.)

224

Aus einer Aufführung der Städtischen Oper, Berlin

Isolde

(*mit bebender Stimme*)

Tristan!

Tristan

(*überströmend*)

überströmend *bursting forth*

Isolde!

Isolde

(*an seine Brust sinkend*)

Treuloser Holder!

Tristan

(*mit Glut sie umfassend*)

Seligste Frau!

(*Sie verbleiben in stummer Umarmung. Aus der Ferne vernimmt man Trompeten° und Posaunen, von außen auf dem Schiffe den Ruf der Männer.*)

verbleiben *remain*

Posaunen *trombones*

225

Männer

Heil! Heil!
König Marke!
König Marke Heil!

3

Act Two is the Liebesnacht, *and shows Tristan and Isolde meeting alone for the first and only time since they drank the ill-fated potion, while Marke is presumably absent on a hunt. But the hunt is a ruse, and Melot leads the king back to surprise the lovers.*

Beide

(zu immer innigerer Umarmung auf einer Blumen-bank sich niederlassend)

O sink' hernieder,
Nacht der Liebe,   5
gib Vergessen,
daß ich lebe,
nimm mich auf
in deinen Schoß,
löse von   10
der Welt mich los!
Herz an Herz dir,
Mund an Mund,
Eines Atems
ein'ger *single* ein'ger Bund; —   15
O süße Nacht!
Ew'ge Nacht!
hehr *sublimely* Hehr erhab'ne
Liebesnacht!

(Man hört einen Schrei Brangänes, zugleich Waffen-
Waffengeklirr *clashing of* geklirr. — Kurwenal stürzt herein.)*
weapons

Kurwenal

Rette dich, Tristan!   20

(Unmittelbar folgen ihm, heftig und rasch, Marke, Melot und mehrere Hofleute, die den Liebenden gegenüber

226

zur Seite anhalten und die Augen auf sie heften. Brangäne
kommt zugleich von der Zinne herab und stürzt auf   Zinne *battlements*
Isolde zu. Diese, von unwillkürlicher Scham ergriffen,
lehnt sich mit abgewandtem Gesicht auf die Blumenbank.
Tristan, in ebenfalls unwillkürlicher Bewegung, streckt
mit dem einen Arme den Mantel breit aus, so daß er
Isolde von den Blicken der Ankommenden verdeckt. In   verdeckt *conceals*
dieser Stellung verbleibt er längere Zeit, unbeweglich den
starren Blick auf die Männer gerichtet. — Morgen-
dämmerung.)

Tristan
(*nach längerem Schweigen*)

Der öde Tag —
zum letzten Mal!

Melot
(*zu Marke, der in sprachloser Erschütterung steht*)

Das sollst du, Herr, mir sagen,
ob ich ihn recht verklagt?
5 Ich zeigt' ihn dir
in off'ner Tat:
Namen und Ehr'
hab' ich getreu
vor Schande dir bewahrt.

Marke
(*mit zitternder Stimme*)

10 Tatest du's wirklich?
Wähnst du das? —   wähnst du *do you imagine*
Sieh ihn dort,
den Treu'sten aller Treuen;
blick' auf ihn,
15 den freundlichsten der Freunde:
Seiner Treue
frei'ste Tat
traf mein Herz
mit feindlichstem Verrat!

(*Schweigen. — Tristan senkt langsam den Blick zu*
Boden; in seinen Mienen ist zunehmende Trauer zu lesen.

227   **Wagner bei einer Probe**
in Bayreuth

Bettmann Archive

Lauritz Melchior als Tristan
Opera News, The Metropolitan Opera Guild, Inc.

*Er wendet sich seitwärts zu Isolde, welche die Augen
sehnsüchtig zu ihm aufgeschlagen hat.)*

Tristan

Wohin nun Tristan scheidet,
willst du, Isold', ihm folgen?

Isolde

Wo Tristans Haus und Heim,
da kehr' Isolde ein:
    Auf dem sie folge   5
      treu und hold,
den Weg nun zeig' Isold'!

(Tristan küßt sie sanft auf die Stirn.)

Melot

auffahrend   *starting up*   *(wütend auffahrend)*

Verräter! Ha!
Zur Rache, König!
Duldest du diese Schmach?   10

Kirsten Flagstad als Isolde
Opera News, The Metropolitan Opera Guild, Inc.

Tristan

(zieht sein Schwert und wendet sich schnell um)

Wer wagt sein Leben an das meine?
      (Er heftet den Blick auf Melot.)
  Mein Freund war der;
er minnte mich hoch und teuer: minnte *loved*
  um Ehr' und Ruhm
5 mir war er besorgt wie keiner.
  Dein Blick, Isolde,
  blendet auch ihn,
  aus Eifer verriet   Eifer *jealousy*
  mich der Freund —
10 dem König, den ich verriet! —
  Wehr' dich, Melot!

    (Er dringt auf ihn ein; als Melot ihm das Schwert   dringt auf ihn ein *advances*
entgegenstreckt, läßt Tristan das seinige fallen und sinkt   *toward him*
verwundet in Kurwenals Arme. Isolde stürzt sich an seine
Brust. Marke hält Melot zurück. — Der Vorhang fällt   Vorhang *curtain*
schnell.)

229

The events of the final act were not covered by Gottfried, whose poem, you will remember, was incomplete. Wagner drew on Gottfried's own chief source, the Anglo-Norman poet, Thomas of Britain, for the closing scenes, adapting it freely. In the final act, the mortally wounded Tristan, attended in Kareol, his ancestral home, by his loyal servant Kurwenal, learns that the latter has sent for Isolde. In a feverish vision, Tristan sees Isolde hastening across the seas to be by his side. The ship does indeed arrive and Tristan dies in Isolde's arms.

Tristan

(*langsam zu sich kommend*)

Das Schiff—siehst du's noch nicht?

Kurwenal

Das Schiff? Gewiß,
das naht noch heut';
es kann nicht lang mehr säumen.

Tristan

	Und drauf Isolde,	5
	wie sie winkt,—	
	wie sie hold	
Sühne *reconciliation*	mir Sühne trinkt:—	
	Siehst du sie noch nicht?	
	Wie sie selig,	10
hehr *sublime*	hehr und milde	
	wandelt durch	
Gefilde *open spaces*	des Meers Gefilde?	
	Auf wonniger Blumen	
Wogen *waves*	lichten Wogen	15
	kommt sie sanft	
	ans Land gezogen.	
	Sie lächelt mir Trost	
	und süße Ruh',	
	sie führt mir letzte	20
Labung *solace, comfort*	Labung zu.	
	Ach, Isolde! Isolde!	
	Wie schön bist du!—	

**Hans Knappertsbusch, Wolfgang Wagner, Herbert von Karajan und Wieland
Wagner beim Lesen einer Wagner-Partitur**

    Und Kurwenal, wie?
Du säh'st sie nicht?
Zur Warte schnell!   Warte   *lookout*
Eilig zur Warte!
5 Bist du zur Stell'?
Das Schiff, das Schiff!
Isoldens Schiff —
du mußt es sehen!
mußt es sehen!
10 Das Schiff — säh'st du's noch nicht?

    (*Während Kurwenal noch zögernd mit Tristan
ringt, läßt der Hirt von außen einen lustigen Reigen*   Reigen *dance tune*
vernehmen.)

Kurwenal

O Wonne! Freude!
Ha! Das Schiff!
Von Norden seh' ich's nahen.

Tristan

(*mit wachsender Begeisterung*)

Wußt' ich's nicht?
Sagt' ich's nicht?   5

(*auf dem Lager hoch sich aufrichtend*)

Hell am Tage
zu mir Isolde,
Isolde zu mir! —
Siehst du sie selbst?

Kurwenal

Sie ist's! Sie winkt!   10

Tristan

O seligstes Weib!

Kurwenal

Kiel *keel*   Im Hafen der Kiel! —
Isolde — ha!
mit einem Sprung
springt sie vom Bord° ans Land.   15

Tristan

Herab von der Warte!
Hinab! Hinab
an den Strand!
Hilf ihr! Hilf meiner Frau!

Kurwenal

Sie trag' ich herauf: 20
trau meinen Armen!
Doch du, Tristan,
bleib mir treulich am Bett!

Szene des 3. Aktes: Max Lorenz als Tristan

(*Er eilt durch das Tor hinab. Tristan hat sich ganz aufgerafft und springt jetzt vom Lager.*)

hat sich ganz aufgerafft *summons all his strength*

Isolde

(*von außen rufend*)

Tristan! Tristan! Geliebter!

Tristan

(*in der furchtbarsten Aufregung*)

Zu ihr! Zu ihr!

(*Er stürzt taumelnd der hereineilenden Isolde entgegen. In der Mitte der Bühne begegnen sie sich.*)

taumelnd *reeling*

Isolde

Tristan! Ha!

Tristan

(*in Isoldes Arm sinkend*)

Isolde!

(*Den Blick zu ihr aufgeheftet, sinkt er leblos in ihren Armen langsam zu Boden.*)

aufgeheftet *raised fixedly*

233

5

Isolde's Liebestod *composes the final moments of this love drama. We see her already oblivious of her surroundings, passing ecstatically from life to death as she rejoins Tristan in eternity.*

Isolde

teilnahmlos *oblivious of her*
surroundings

(die teilnahmlos vor sich hingeblickt, heftet das Auge endlich auf Tristan)

Mild und leise
wie er lächelt,
wie das Auge
hold er öffnet,
seht ihr, Freunde,   5
säh't ihr's nicht?
Immer lichter,
wie er leuchtet,

sternumstrahlet *surrounded by*
the light of stars

sternumstrahlet
hoch sich hebt?   10
seht ihr's nicht?
Wie das Herz ihm
mutig schwillt,

hehr *sublime*
quillt *surges*

voll und hehr
im Busen ihm quillt?   15
Wie den Lippen°,
wonnig mild,
süßer Atem

entweht *escapes*

sanft entweht: —
Freunde, seht —   20
fühlt und seht ihr's nicht? —
Höre ich nur
diese Weise,
die so wunder-
voll und leise,   25
Wonne klagend,
alles sagend,
mild versöhnend
aus ihm tönend,
in mich dringet,   30

234

auf sich schwinget,
hold erhallend
um mich klinget?
Heller schallend,
5   mich umwallend,
sind es Wellen
sanfter Lüfte?
Sind es Wolken
wonniger Düfte?
10   Wie sie schwellen,
mich umrauschen,
soll ich atmen,
soll ich lauschen?
Soll ich schlürfen,
15   untertauchen,
süß in Düften
mich verhauchen?
In dem wogenden Schwall,
in dem tönenden Schall,
20   in des Weltatems
wehendem All —
ertrinken —
versinken —
unbewußt —
25   höchste Lust!

(*Wie verklärt sinkt sie sanft in Brangänes Armen auf Tristans Leiche. — Große Rührung unter den Umstehenden. Marke segnet die Leichen. — Der Vorhang fällt langsam.*)

Glossary:

auf sich schwinget *soars upward*
erhallend *sounding*
umwallend *surrounding*
Düfte *fragrance*
mich umrauschen *surround me with their sound*
schlürfen *sip*
untertauchen *sink down*
mich verhauchen *expire*
wogenden Schwall *surging swell*
tönenden *ringing*
Weltatem *breath of the universe*
verklärt *transfigured*

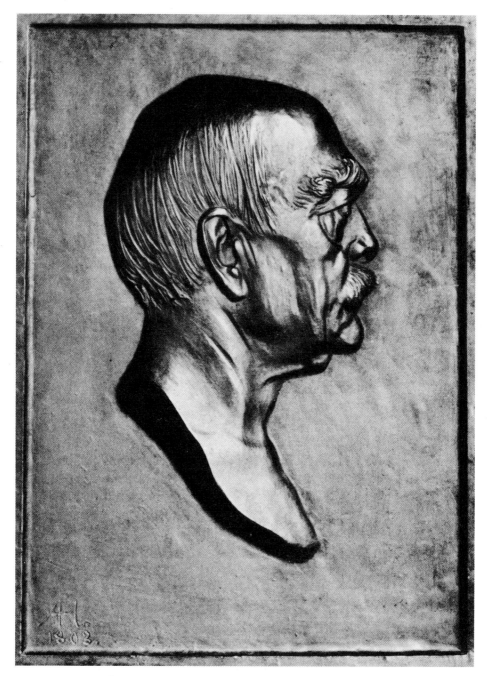

Otto von Bismarck. Bronzerelief, 1893

Landesbildstelle Württemberg

XVI

BISMARCK

1

For nearly twenty years Bismarck, the Iron Chancellor, bestrode Europe like a colossus. The fame of the man who had brought Prussia successfully through conflict with Austria to the leadership of Germany, who then created the new German Empire after a victorious war against France, and maintained thereafter two decades of peace, outshadowed, by the time he resigned, his earlier reputation as a reactionary and a warmonger. The world was shocked when he left office after a dispute with young Kaiser Wilhelm II.

Bismarck was essentially a Prussian royalist who insisted that the best rule was that of a monarch uninhibited by constitutional limitations (though he later compromised on this issue). He represented the view of the extreme Right in the revolution of 1848, and in various diplomatic posts in the following years he vigorously pushed Prussia's claim to a leading place in German affairs. He was recalled to Berlin in 1862, at a time of internal crisis, and was appointed Prime Minister of Prussia. While still new in that office, he uttered in a meeting of the Prussian Parliament's Budget Commission the phrase "Blood and Iron" that clung so persistently to him, threatening that the road to German unity under Prussia would not be peaceful.

Here follow Bismarck's remarks, from the official report of the meeting of the Budget Commission, September 30, 1862.

Wir sind vielleicht zu «gebildet", um eine
Verfassung zu tragen; wir sind zu kritisch°. Wir
haben zu heißes Blut, wir haben die Vorliebe, eine
zu große Rüstung für unsern schmalen Leib zu
5 tragen; nur sollen wir sie auch utilisieren°.
Nicht auf Preußens Liberalismus° sieht
Deutschland, sondern auf seine Macht; Bayern,   Bayern *Bavaria (like Würt-*
Württemberg°, Baden° mögen dem Liberalismus   *temberg and Baden, one of the*
indulgieren°, darum wird ihnen doch keiner   *south German states)*
10 Preußens Rolle° anweisen; Preußen muß seine

Thomas Nast: Karikatur von Bismarck, 1880

verpaßt *missed*

Majoritätsbeschlüsse *decisions of the majority*

1848 and 1849 (*the years of the vain attempt to unify Germany on a national and liberal basis*)

Kraft zusammenhalten auf den günstigen Augenblick, der schon einige Male verpaßt ist; Preußens Grenzen sind zu einem gesunden Staatsleben nicht günstig; nicht durch Reden und Majoritätsbeschlüsse werden die großen Fragen der Zeit ent- 5 schieden — das ist der große Fehler von 1848 und 1849 gewesen — sondern durch Eisen und Blut.

In Gedanken und Erinnerungen, the memoirs Bismarck composed many years later, we hear how he appealed to the honor of King Wilhelm I as a monarch and an officer, when the King was deeply depressed by the hostile public reaction to Bismarck's speech. Bismarck hastened to meet the King, who was returning from a journey, and urged him, if revolution should come, to face his executioners bravely, like Charles I of England, not like the weakling Louis XVI of France.

Roon (*Prussian Minister of War*)

Abgeordnete *members* (*of Parliament*)

Politik *policy*

Roon sprach seine Unzufriedenheit mit meinen Äußerungen aus. Meine eignen Gedanken bewegten sich zwischen dem Wunsche, Abgeordnete für eine 10 energische° nationale° Politik zu gewinnen, und der Gefahr, den König mißtrauisch gegen mich und meine Absichten zu machen. Um dem vermutlichen Eindruck der Presse° auf ihn entgegenzuwirken, fuhr ich ihm entgegen. 15

238

Ich hatte einige Mühe den Wagen zu ermitteln, in dem der König allein in einem gewöhn-
lichen Coupé erster Klasse° saß. Er war in ge-
drückter Stimmung, und als ich um die Erlaubnis
5 bat, die Vorgänge während seiner Abwesenheit
darzulegen, unterbrach er mich mit den Worten:
«Ich sehe ganz genau voraus, wie das alles
endigen wird. Da vor dem Opernplatz, unter
meinen Fenstern, wird man Ihnen den Kopf
10 abschlagen und etwas später mir.”
Als er schwieg, antwortete ich mit der kurzen
Phrase° «Et après, Sire?” – «Ja, après, dann sind
wir tot!” erwiderte der König. «Ja”, fuhr ich fort,
«dann sind wir tot, aber sterben müssen wir früher
15 oder später doch, und können wir anständiger
umkommen? Ich selbst im Kampfe für die Sache
meines Königs, und Eure Majestät°, indem Sie
Ihre königlichen Rechte von Gottes Gnaden mit
dem eignen Blute besiegeln, ob auf dem Schafott
20 oder auf dem Schlachtfelde, ändert nichts an dem
rühmlichen Einsetzen von Leib und Leben für die
von Gottes Gnaden verliehnen Rechte. Eure
Majestät müssen nicht an Ludwig XVI. denken;
der lebte und starb in einer schwächlichen Gemüts-
25 verfassung und macht kein gutes Bild in der
Geschichte. Karl I. dagegen, wird er nicht immer
eine vornehme historische° Erscheinung bleiben,
wie er, nachdem er für sein Recht das Schwert
gezogen, die Schlacht verloren hatte, ungebeugt
30 seine königliche Gesinnung mit seinem Blute
bekräftigte?”
Je länger ich in diesem Sinne sprach, desto
mehr belebte sich der König und fühlte sich in die
Rolle° des für Königtum und Vaterland kämpfen-
35 den Offiziers° hinein. Der ideale° Typus° des
preußischen Offiziers war in ihm im höchsten
Grade ausgebildet. Er hatte sich bis dahin auf
seiner Fahrt nur gefragt, ob er vor der Kritik der
öffentlichen Meinung in Preußen mit dem Wege,
40 den er mit mir einschlug, würde bestehen können.
Demgegenüber war die Wirkung unsrer Unter-

239

---

ermitteln *find*

Coupé *compartment*

Vorgänge *events*
darzulegen *to describe*

Opernplatz *Opera Square (in Berlin)*

et après *and afterward*

umkommen *die*

besiegeln *seal*
Schafott *scaffold*

rühmlichen Einsetzen *honorable risking*

Gemütsverfassung *attitude*

Kritik *criticism*

einschlug *was embarking on*

Kaiser Wilhelm I.

redung in dem dunklen Coupé, daß er die ihm nach der Situation° zufallende Rolle mehr vom Standpunkte des Offiziers auffaßte. Er fühlte sich ganz in der Aufgabe des ersten Offiziers der preußischen Monarchie°, für den der Untergang 5 im Dienste ein ehrenvoller Abschluß der ihm gestellten Aufgabe ist. Der König, den ich matt, niedergeschlagen und entmutigt gefunden hatte, geriet schon vor der Ankunft in Berlin in eine heitere, fröhliche und kampflustige Stimmung. 10

niedergeschlagen *depressed*

2

The last step toward unifying Germany after Prussia's victory over Austria in 1866 was, in Bismarck's view, a war with France. An attempt by him, through devious negotiations, to place a relative of the Prussian Hohenzollerns on the throne of Spain, was thwarted by the French, who then demanded guarantees against such undertakings in the future.

A dispatch from Bismarck's subordinate Heinrich Abeken, reporting an interview between the French Ambassador Benedetti and King Wilhelm I at the little spa of Bad Ems, was received by Bismarck while he was disconsolately dining with Roon and the Chief of Staff Count Moltke. By tricky editing before releasing the dispatch, Bismarck managed to make the text sound to the French like a slight to their ambassador, to the Germans like a mortal insult to the Prussian King. In the overheated atmosphere existing between the French and the Germans, the war was assured.

240

Zum Rücktritt entschlossen trotz der Vor-
würfe, die mir Roon darüber machte, lud ich ihn
und Moltke ein, mit mir zu speisen. Beide waren
sehr niedergeschlagen. Während der Unterhaltung
5 wurde mir gemeldet, daß ein Ziffertelegramm aus
Ems° in der Übersetzung begriffen sei. Nachdem
mir die Entzifferung überbracht war, las ich dasselbe meinen Gästen vor, deren Niedergeschlagenheit so tief wurde, daß sie Speise und Trank
10 verschmähten. Ich stellte an Moltke einige Fragen
in Bezug auf den Stand unsrer Rüstungen. Er
antwortete, daß er, wenn Krieg werden sollte, von
einem Aufschub des Ausbruchs keinen Vorteil für
uns erwarte; selbst wenn wir zunächst nicht stark
15 genug sein sollten, sofort alle linksrheinischen
Landesteile gegen französische Invasion° zu decken,
so würde unsre Kriegsbereitschaft die französische
sehr bald überholen, während in einer spätern
Periode° dieser Vorteil sich abschwächen würde.
20 Der Haltung Frankreichs gegenüber zwang
uns nach meiner Ansicht das nationale° Ehrgefühl
zum Kriege, und wenn wir den Forderungen dieses
Gefühls nicht gerecht wurden, so verloren wir auf
dem Wege zur Vollendung unsrer nationalen Ent-
25 wicklung den ganzen 1866 gewonnenen Vorsprung.
Alle diese Erwägungen, bewußt und unbewußt,
verstärkten in mir die Empfindung, daß der Krieg
nur auf Kosten unsrer preußischen Ehre und des
nationalen Vertrauens auf dieselbe vermieden
30 werden könne.
In dieser Überzeugung machte ich von der
königlichen Ermächtigung Gebrauch, den Inhalt
des Telegramms° zu veröffentlichen und kürzte das
Telegramm durch Streichungen, ohne ein Wort
35 hinzuzusetzen oder zu ändern.
Nachdem ich meinen beiden Gästen die
konzentrierte° Redaktion vorgelesen hatte, bemerkte Moltke: «So hat das einen andern Klang,
vorher klang es wie Chamade, jetzt wie eine
40 Fanfare° in Antwort auf eine Herausforderung.''

Ziffertelegramm *telegram in code*
in der Übersetzung begriffen *in process of decoding*
Entzifferung *decoded text*
Niedergeschlagenheit *depression*

Aufschub *delay*

linksrheinischen *left (i.e. west) of the Rhine*

überholen *overtake*

1866 *(the year of Prussia's victory over Austria)*
Vorsprung *advantage*

Ermächtigung *empowerment*
veröffentlichen *publish*

Redaktion *version*

Chamade *summons to parley*
Herausforderung *challenge*

241

Das von Bismarck redigierte Telegramm an die preußischen Gesandten

Ich erläuterte: «Wenn ich diesen Text°, welcher keine Änderungen und keinen Zusatz des Telegramms enthält, sofort nicht nur an die Zeitungen, sondern auch telegraphisch° an alle 5 unsre Gesandtschaften mitteile, so wird er vor Mitternacht in Paris bekannt sein, und dort nicht nur wegen des Inhalts, sondern auch wegen der Art der Verbreitung den Eindruck des roten Tuches auf den gallischen Stier machen. Schlagen müssen 10 wir, wenn wir nicht die Rolle° des Geschlagenen ohne Kampf auf uns nehmen wollen. Der Erfolg hängt aber doch wesentlich von den Eindrücken bei uns und andern ab, die der Ursprung des Kriegs hervorruft: es ist wichtig, daß wir die 15 Angegriffenen seien.»

Die beiden Generale° hatten plötzlich die Lust zu essen und zu trinken wiedergefunden und sprachen in heiterer Laune. Roon sagte: «Der alte Gott lebt noch und wird uns nicht in Schande 20 verkommen lassen.» Moltke trat so weit aus seiner Passivität° heraus, daß er sich, mit freudigem Blick gegen die Zimmerdecke, mit der Hand vor die Brust schlug und sagte: «Wenn ich das noch erlebe, in solchem Kriege unsre Heere zu führen, so mag 25 gleich nachher ‚die alte Karkasse' der Teufel holen!»

erläuterte *explained*
Zusatz *addition*

gallischen Stier *Gallic bull*

Rolle° [*rôle*]

Generale° *generals*

verkommen *go to ruin*

Karkasse *carcass*

The original dispatch told how King Wilhelm I had rejected Benedetti's request to guarantee that the Hohenzollern candidacy would never be renewed; how, after the interview, the King received a letter from his relative, the father of the candidate, confirming the report of the withdrawal of the candidacy; and sent word of this to Benedetti, adding that he had nothing further to tell him. Bismarck telescoped these events so that it appeared that the French Ambassador had insisted on an impossible demand, and that the King had brusquely refused to see him.

Here are the two texts: Abeken's telegram, side by side with Bismarck's edited version. Was Bismarck right in claiming that he had not changed the text?

Abeken

S. M. der König schreibt mir: «Graf Benedetti fing mich auf der Promenade° ab, um auf zuletzt sehr zudringliche Art von mir zu verlangen, ich sollte ihn autorisieren°, sofort zu telegraphieren°, daß ich für alle Zukunft mich verpflichtete, niemals wieder meine Zustimmung zu geben, wenn die Hohenzollern° auf ihre Kandidatur zurückkämen. Ich wies ihn, zuletzt etwas ernst, zurück, da man à tout jamais dergleichen Engagements nicht nehmen dürfe noch könne. Natürlich sagte ich ihm, daß ich noch nichts erhalten hätte, und, da er über Paris und Madrid früher benachrichtigt sei als ich, er wohl einsähe, daß mein Gouvernement° wiederum außer Spiel sei." 5

S. M. hat seitdem ein Schreiben des Fürsten bekommen. Da S. M. dem Grafen Benedetti gesagt, daß er Nachricht vom Fürsten erwarte, hat Allerhöchstderselbe, mit Rücksicht auf obige Zumutung, auf des Grafen Eulenburg und meinen Vortrag beschlossen, den Grafen Benedetti nicht mehr zu empfangen, sondern ihm nur durch einen Adjutanten° sagen zu lassen, daß S. Majestät jetzt vom Fürsten die Bestätigung der Nachricht erhalten, die Benedetti aus Paris schon gehabt, und dem Botschafter nichts weiter zu sagen habe. 15

S. M. stellt Ew. Excellenz° anheim, ob nicht die neue Forderung Benedettis und ihre Zurückweisung sogleich sowohl unseren Gesandten als in der Presse° mitgeteilt werden sollte. 25

244

Bismarck

Nachdem die Nachrichten von der Entsagung
des Prinzen von Hohenzollern der Kaiserlich
französischen Regierung von der Königlich spa-
nischen° amtlich mitgeteilt worden sind, hat der
5 französische Botschafter in Ems° an S. M. den
König noch die Forderung gestellt, ihn zu autori-
sieren°, daß er nach Paris telegraphiere, daß S. M.
der König sich für alle Zukunft verpflichte, niemals
wieder seine Zustimmung zu geben, wenn die
10 Hohenzollern auf ihre Kandidatur zurückkommen
sollten.

S. M. hat es darauf abgelehnt, den französischen Botschafter nochmals zu empfangen, und
demselben durch den Adjutanten vom Dienst sagen
15 lassen, daß S. M. dem Botschafter nichts weiter
mitzuteilen habe.

**Tenniels berühmte Zeichnung "Drop-
ping the Pilot", die Bismarcks Rücktritt darstellt**

Bettmann Archive

3

Hassell on Bismarck

After the Franco-Prussian War and the establishment of the German Empire, Bismarck in the main showed wisdom and moderation in foreign affairs, viewing Germany as a "saturated nation" which could gain nothing from war. The tradition of the conservative master statesman, not merely of the man of blood and iron, has lived on among some thoughtful Germans. One of these was Ulrich von Hassell, a leader in the attempted uprising against the Nazis on July 20, 1944, who wrote some notes about Bismarck in his diary a few weeks before the Nazis caught and executed him and his associates.

(From Hassell: *Vom andern Deutschland*)

Deutschland, in Europas° Mitte gelegen, ist das Herz Europas. Europa kann nicht „leben" ohne ein gesundes, kräftiges Herz. Ich habe mich in den letzten Jahren viel mit Bismarck beschäftigt, und er wächst als Außenpolitiker dauernd bei mir. Es 5 ist bedauerlich, welch falsches Bild wir selbst in der Welt von ihm erzeugt haben, als dem Gewaltspolitiker mit Kürassierstiefeln. Er hat es verstanden, in einziger Weise in der Welt Vertrauen zu erwecken, genau umgekehrt wie heute. In Wahrheit 10 waren die höchste Diplomatie° und das Maßhalten seine großen Gaben.

Außenpolitiker *person dealing with foreign policy*

Gewaltspolitiker *person using power politics*
Kürassierstiefeln *curassier's boots*

Maßhalten *moderation*

Ulrich von Hassell

Presse- und Informationsamt der Bundesregierung, Bonn

XVII

Friedrich Nietzsche:

ALSO SPRACH ZARATHUSTRA

Max Klinger: Nietzsche-Büste Bettmann Archive

The fame of Friedrich Nietzsche has grown like some strange plant. Until the last decade of his life, this philosopher-poet was not very widely known. Then his followers gradually spread his renown as the man who had warned that the civilization of the nineteenth century was doomed, and who had tried to set up new standards "beyond good and evil"; to create a new ideal, the *Übermensch*, that would overcome what he believed to be the negation inherent in Christianity, democracy and materialism. Many Germans, especially the younger generation, took him all too seriously, accepted unquestioningly his biting criticism of the world as it was, and tried to follow his vague and rhapsodic solutions for its evils.

247

1

Nietzsche composed his chief work, Also sprach Zarathustra, *in a few days, under what seemed to him a prophetic spell. In the beginning, the seer Zarathustra, after spending ten solitary years in a mountain cave, descends to preach his new dogma, the* Übermensch, *to humanity. The following passages, from the early pages, tell of Zarathustra's encounter with a crowd gathered to watch a tight-rope walker. You will hear echoes of Luther's Bible in the style, and see how Darwin and the theory of evolution have affected the thought.*

daselbst *there*
verheißen (inf.) *to promise*

Als Zarathustra in die nächste Stadt kam, die an den Wäldern liegt, fand er daselbst viel Volk versammelt auf dem Markte: denn es war verheißen worden, daß man einen Seiltänzer sehen solle. Und Zarathustra sprach also zum Volke: 5

Ich lehre euch den Übermenschen. Der Mensch ist etwas, das überwunden werden soll. Was habt ihr getan, ihn zu überwinden?

Alle Wesen bisher schufen etwas über sich hinaus: und ihr wollt die Ebbe° dieser großen Flut 10 sein und lieber noch zum Tiere zurückgehn, als den Menschen überwinden?

Was ist der Affe für den Menschen? Ein Gelächter oder eine schmerzliche Scham. Und ebendas soll der Mensch für den Übermenschen 15 sein: ein Gelächter oder eine schmerzliche Scham.

Ihr habt den Weg vom Wurme zum Menschen gemacht, und vieles ist in euch noch Wurm. Einst wart ihr Affen, und auch jetzt noch ist der Mensch mehr Affe, als irgend ein Affe. 20

Seht, ich lehre euch den Übermenschen!

Der Übermensch ist der Sinn der Erde. Euer Wille sage: der Übermensch sei der Sinn der Erde!

beschwöre *adjure*

Ich beschwöre euch, meine Brüder, bleibt 25 der Erde treu und glaubt denen nicht, welche euch von überirdischen Hoffnungen reden! Giftmischer sind es, ob sie es wissen oder nicht.

Verächter des Lebens sind es, Absterbende und selber Vergiftete, deren die Erde müde ist: so mögen sie dahinfahren!

Einst blickte die Seele verächtlich auf den 5 Leib: und damals war diese Verachtung das Höchste:—sie wollte ihn mager, gräßlich, verhungert. So dachte sie ihm und der Erde zu entschlüpfen.

O diese Seele war selber noch mager, gräßlich 10 und verhungert: und Grausamkeit war die Wollust dieser Seele!

Aber auch ihr noch, meine Brüder, sprecht mir: was kündet euer Leib von eurer Seele? Ist eure Seele nicht Armut und Schmutz und ein erbärm15 liches Behagen?

Wahrlich, ein schmutziger Strom ist der Mensch. Man muß schon ein Meer sein, um einen schmutzigen Strom aufnehmen zu können, ohne unrein zu werden.

20 Seht, ich lehre euch den Übermenschen: der ist dies Meer, in ihm kann eure große Verachtung untergehn.

Was ist das Größte, das ihr erleben könnt? Das ist die Stunde der großen Verachtung. Die Stunde, 25 in der euch auch euer Glück zum Ekel wird und ebenso eure Vernunft und eure Tugend.

Die Stunde, wo ihr sagt: «Was liegt an meinem Glücke! Es ist Armut und Schmutz und ein erbärmliches Behagen. Aber mein Glück sollte das 30 Dasein selber rechtfertigen!"

Die Stunde, wo ihr sagt: «Was liegt an meiner Vernunft! Begehrt sie nach Wissen wie der Löwe nach seiner Nahrung? Sie ist Armut und Schmutz und ein erbärmliches Behagen!"

35 Die Stunde, wo ihr sagt: «Was liegt an meiner Tugend! Noch hat sie mich nicht rasen gemacht. Wie müde bin ich meines Guten und meines Bösen! Alles das ist Armut und Schmutz und ein erbärm- liches Behagen!"

40 Spracht ihr schon so? Schriet ihr schon so? Ach, daß ich euch schon so schreien gehört hätte!

absterben (inf.) *to expire*

mager *thin, meager*
gräßlich *horrible*

entschlüpfen *escape from*

Wollust *lust*

künden (inf.) *to make known*
erbärmliches *wretched*

Ekel *disgust*

rasen *rave, be delirious*

Aus einem Manuskript von Nietzsche

lecken (inf.) *to lick*
geimpft *inoculated*

Wo ist doch der Blitz, der euch mit seiner Zunge lecke? Wo ist der Wahnsinn, mit dem ihr geimpft werden müßtet?

Seht, ich lehre euch den Übermenschen: der ist dieser Blitz, der ist dieser Wahnsinn! — 5

Als Zarathustra so gesprochen hatte, schrie einer aus dem Volke: «Wir hörten nun genug von dem Seiltänzer; nun laßt uns ihn auch sehen!" Und alles Volk lachte über Zarathustra.

Zarathustra aber sahe das Volk an und 10 wunderte sich. Dann sprach er also:

Der Mensch ist ein Seil, geknüpft zwischen Tier und Übermensch, — ein Seil über einem Abgrunde.

Was groß ist am Menschen, das ist, daß er eine 15 Brücke und kein Zweck ist: was geliebt werden kann am Menschen, das ist, daß er ein Übergang und ein Untergang ist.

Ich liebe Die, welche nicht erst hinter den Sternen einen Grund suchen, unterzugehen und 20 Opfer zu sein: sondern die sich der Erde opfern, daß die Erde einst des Übermenschen werde.

Ich liebe Den, welcher lebt, damit er erkenne, und welcher erkennen will, damit einst der Übermensch lebe. Und so will er seinen Untergang. 25

Ich liebe Den, welcher arbeitet und erfindet, daß er dem Übermenschen das Haus baue und zu

250

ihm Erde, Tier und Pflanze vorbereite: denn so
will er seinen Untergang.

Ich liebe Den, welcher seine Tugend liebt:
denn Tugend ist Wille zum Untergang und ein
5 Pfeil der Sehnsucht.

Ich liebe Den, dessen Seele sich verschwendet,
der nicht Dank haben will und nicht zurückgibt:
denn er schenkt immer und will sich nicht bewahren.

10 Ich liebe Den, welcher sich schämt, wenn der
Würfel zu seinem Glücke fällt, und der dann fragt: Würfel *die*
bin ich denn ein falscher Spieler? — denn er will
zugrunde gehen.

Ich liebe Den, welcher goldne Worte seinen
15 Taten voraus wirft und immer noch mehr hält, als
er verspricht: denn er will seinen Untergang.

Ich liebe Den, welcher seinen Gott züchtigt, züchtigt *chastises*
weil er seinen Gott liebt: denn er muß am Zorne
seines Gottes zugrunde gehen.

20 Ich liebe Den, dessen Seele übervoll ist, so daß
er sich selber vergißt, und alle Dinge in ihm sind:
so werden alle Dinge sein Untergang.

Ich liebe alle Die, welche wie schwere Tropfen
sind, einzeln fallend aus der dunklen Wolke, die
25 über den Menschen hängt: sie verkündigen, daß verkündigen *announce, pro-*
der Blitz kommt, und gehn als Verkündiger *claim*
zugrunde. Verkündiger *proclaimers*

Seht, ich bin ein Verkündiger des Blitzes, und
ein schwerer Tropfen aus der Wolke: dieser Blitz
30 aber heißt Ü b e r m e n s c h .

2

Near the end of the third book of Also sprach Zarathustra *is a crucial
chapter, «Von alten und neuen Tafeln,” in which Zarathustra-Nietzsche
appears as the great overthrower of old standards, and the prophet setting up
new tables of law.*

Hier sitze ich und warte, alte zerbrochene
Tafeln um mich und auch neue halb beschriebene
Tafeln. Wann kommt meine Stunde?

Die Stunde meines Niederganges, Unterganges: denn noch ein Mal will ich zu den Menschen gehn.

O meine Brüder, wer ein Erstling ist, der wird immer geopfert. Nun aber sind wir Erstlinge. 5

Wir bluten alle an geheimen Opfertischen, wir brennen und braten alle zu Ehren alter Götzenbilder.

O meine Brüder, bin ich denn grausam? Aber ich sage: was fällt, das soll man auch noch stoßen! 10

Das Alles von heute—das fällt, das verfällt: wer wollte es halten! Aber ich—ich will es noch stoßen!

Ein Vorspiel bin ich besserer Spieler, o meine Brüder! Ein Beispiel! Tut nach meinem Beispiele! 15

O meine Brüder, ich weihe und weise euch zu einem neuen Adel: ihr sollt mir Zeuger und Züchter werden und Säemänner der Zukunft,—

—wahrlich, nicht zu einem Adel, den ihr kaufen könntet gleich den Krämern und mit 20 Krämer-Golde: denn wenig Wert hat alles, was seinen Preis hat.

Nicht, woher ihr kommt, mache euch fürderhin eure Ehre, sondern wohin ihr geht! Euer Wille und euer Fuß, der über euch selber hinaus will,—das 25 mache eure neue Ehre.

Nicht, daß euer Geschlecht an Höfen höfisch wurde, und ihr lerntet, bunt, einem Flamingo° ähnlich, lange Stunden in flachen Teichen stehn:

O meine Brüder, nicht zurück soll euer Adel 30 schauen, sondern hinaus! Vertriebene sollt ihr sein aus allen Vater- und Urväterländern!

Eurer Kinder Land sollt ihr lieben: diese Liebe sei euer neuer Adel,—das unentdeckte, im fernsten Meere! Nach ihm heiße ich eure Segel 35 suchen und suchen!

An euren Kindern sollt ihr gut machen, daß ihr eurer Väter Kinder seid: alles Vergangene sollt ihr so erlösen! Diese neue Tafel stelle ich über euch! 40

Erstling *first-born*

Götzenbilder *idols*

weihe *consecrate*
Adel *nobility*
Züchter *breeders*

Krämern *shopkeepers, merchants*

fürderhin *henceforth*

Vertriebene *exiles*

XVIII

Thomas Mann:

BUDDENBROOKS

In 1929, Thomas Mann was awarded the Nobel Prize for Literature, "principally for his great novel *Buddenbrooks*, which in the
course of years has received recognition as one of the classic works of
contemporary literature," according to the official citation. Although
Thomas Mann is better known in America for his *Magic Mountain*
(*Der Zauberberg*—1924), his *Buddenbrooks*, first published in 1900, has
been a "best seller" in Germany for over fifty years, except during the
Nazi rule, when its sale was prohibited.

Buddenbrook is a family name, and the subtitle, *Verfall einer
Familie*, indicates the underlying tone of pessimism and decadence
which pervades the work. Yet the writing is full of vigor and humor,
and although one never loses touch with the menacing and tragic
undercurrents, these are held in balance by the entertaining satirical,
or rather ironic, portrayal of the social background, and the sympathetic treatment of the problems of the Buddenbrook family.

All this is abundantly in evidence in the following excerpt. It is
taken from the last section of the book, when, after having witnessed
the passing of three generations of Buddenbrooks, we are given a
penetrating insight into the life of young Hanno, the last of the line.
He has a morbidly sensitive, artistic temperament, so delicate and
fragile that he cannot face life. He is shy and lonely and terrified at
the thought of having to take his place in society. His early death
from typhus rescues him from the tortures which would inevitably
have faced him if he had lived on.

Some fifty pages of the novel describe a day at school with Hanno,
and the excerpt to follow is a part of that day, the Latin class. Comedy,
satire and irony are here consummately blended with a warmly human
understanding and sympathy, while the pathos of Hanno's inability to
face the harshness of reality is always present just below the surface.

Thomas Mann, 1955

Thea Goldmann, Zürich

einmütig *with one accord*
˒ Oberlehrer (*title of certified secondary school teacher*)
Ordinarius (*approximately: home-room teacher*)
reckte *stretched*

Katheder *desk on a platform*
nahm er Aufstellung *he took his place*

Es ward still in der Klasse°, und alles stand einmütig auf, als Oberlehrer Doktor Mantelsack eintrat. Er war der Ordinarius, und es war Sitte, vor dem Ordinarius Respekt° zu haben. Er zog die Tür hinter sich zu, indem er sich bückte, reckte 5 den Hals, um zu sehen, ob alle standen, hing seinen Hut an den Nagel und ging dann rasch zum Katheder, wobei er seinen Kopf in schnellem Wechsel hob und senkte. Hier nahm er Aufstellung und sah ein wenig zum Fenster hinaus, indem er 10 seinen ausgestreckten Zeigefinger, an dem ein großer Siegelring saß, zwischen Kragen und Hals hin und her bewegte. Er war ein mittelgroßer Mann mit dünnem, ergrautem Haar, und kurzsichtig hervortretenden saphirblauen° Augen, die 15 hinter den scharfen Brillengläsern glänzten.

254

Plötzlich wandte er den Kopf vom Fenster
weg, stieß einen kleinen freundlichen Seufzer aus,
indem er in die lautlose Klasse hineinblickte, sagte
«Ja, ja!" und lächelte mehrere Schüler zutraulich
5 an. Er war guter Laune, es war offenbar. Eine
Bewegung der Erleichterung ging durch den Raum.
Es kam so viel, es kam alles darauf an, ob Doktor
Mantelsack guter Laune war oder nicht, denn man
wußte, daß er sich seinen Stimmungen unbewußt
10 und ohne die geringste Selbstkritik überließ. Er war
von einer ganz ausnehmenden, grenzenlos naiven°
Ungerechtigkeit, und seine Gunst war hold und
flatterhaft wie das Glück. Stets hatte er ein paar
Lieblinge, zwei oder drei, die er «Du" und mit
15 Vornamen nannte, und die es gut hatten wie im
Paradiese°. Sie konnten beinahe sagen, was sie
wollten, und es war dennoch richtig; und nach der
Stunde plauderte Doktor Mantelsack aufs menschlichste mit ihnen. Eines Tages jedoch, vielleicht
20 nach den Ferien, Gott allein wußte, warum, war
man gestürzt, vernichtet, abgeschafft, verworfen,
und ein anderer wurde mit Vornamen genannt . . .
Diesen Glückseligen pflegte er die Fehler in den
Extemporalien ganz leicht und zierlich anzu-
25 streichen, so daß ihre Arbeiten auch bei großer
Mangelhaftigkeit einen reinlichen Aspekt behielten.
In anderen Heften aber fuhr er mit breiter und
zorniger Feder umher und überschwemmte sie mit
Rot, so daß sie einen abschreckenden und verwahr-
30 losten Eindruck machten. Und da er die Fehler
nicht zählte, sondern die Zensuren je nach der
Menge von roter Tinte erteilte, so gingen seine
Günstlinge mit großem Vorteil aus der Sache
hervor. Bei diesem Verfahren dachte er sich nicht
35 das geringste, sondern fand es vollständig in der
Ordnung und ahnte nichts von Parteilichkeit.
Hätte jemand den traurigen Mut besessen, dagegen
zu protestieren°, so wäre er der Aussicht verlustig
gegangen, jemals geduzt und mit Vornamen
40 genannt zu werden. Und diese Hoffnung ließ
niemand fahren . . .

Selbstkritik *self-criticism*
ausnehmenden *exceptional*

flatterhaft *fickle*

abgeschafft *done for*

Glückseligen *fortunate boy*
Extemporalien *class tests*
zierlich anzustreichen *to mark
  neatly*
bei großer Mangelhaftigkeit
  when full of errors
Aspekt *appearance*
überschwemmte *inundated*
verwahrlosten *disorderly*

Zensuren *grades*

Parteilichkeit *partiality*

geduzt *addressed as «du"*

255

Nun kreuzte Doktor Mantelsack im Stehen die Beine und blätterte in seinem Notizbuch°. Hanno Buddenbrook saß vornüber gebeugt und rang unter dem Tische die Hände. Das B, der Buchstabe B war an der Reihe! Gleich würde sein Name ertönen, 5 und er würde aufstehen und nicht eine Zeile wissen, und es würde einen Skandal° geben, eine laute, schreckliche Katastrophe°, so guter Laune der Ordinarius auch sein mochte . . . Die Sekunden° dehnten sich martervoll. «Buddenbrook” . . . jetzt 10 sagte er «Buddenbrook” . . .

«Edgar!” sagte Doktor Mantelsack, schloß sein Notizbuch, indem er seinen Zeigefinger darin stecken ließ, und setzte sich aufs Katheder, als ob nun alles in bester Ordnung sei. 15

Was? Wie war das? Edgar . . . Das war Lüders°, der dicke Lüders dort, am Fenster, der Buchstabe L, der nicht im entferntesten an der Reihe war! Nein, war es möglich? Doktor Mantelsack war so guter Laune, daß er einfach einen Liebling heraus- 20 griff und sich gar nicht darum kümmerte, wer heute ordnungsmäßig vorgenommen werden mußte . . .

Der dicke Lüders stand auf. Obgleich er einen vorzüglichen Platz innehatte und mit Bequemlich- keit hätte ablesen können, war er auch hierzu zu 25 träge. Er fühlte sich zu sicher im Paradiese° und antwortete einfach: «Ich habe gestern wegen Kopfschmerzen nicht lernen können.”

«Oh, du lässest mich im Stich, Edgar?” sagte Doktor Mantelsack betrübt . . . «Du willst mir die 30 Verse vom goldenen Zeitalter nicht sprechen? Wie jammerschade, mein Freund! Hattest du Kopf- schmerzen? Aber mich dünkt, du hättest mir das zu Beginn° der Stunde sagen sollen, bevor° ich dich aufrief . . . Hattest du nicht schon neulich Kopf- 35 schmerzen gehabt? Du solltest etwas dagegen tun, Edgar, denn sonst ist die Gefahr nicht ausge- schlossen, daß du Rückschritte machst . . . Timm, wollen Sie ihn vertreten.”

Lüders setzte sich. In diesem Augenblick war 40 er allgemein verhaßt. Man sah deutlich, daß des

---

vornüber *forward*

martervoll *excruciatingly*

herausgriff *selected at random*

ablesen *read off (the other boy's book)*

wie jammerschade *what a great pity*

mich dünkt *I think*

aufrief *called on*

Rückschritte machst *will fall behind in your work*
ihn vertreten *take his place*

Alt-Lübecker Patrizierhäuser

Deutsche Zentrale für Fremdenverkehr

257

rückte ... zurecht *adjusted*

Fibel *primer*

abzuspannen *to relax*

Lektüre *reading*

Rezitierenden *reciting boy*

lustwandelte gemächlich
strolled in a leisurely way

beiseitegeräumt *shoved aside*

schnappte *gasped*

trichterförmigen *funnel-shaped*

verstörten *troubled*

Ordinarius Laune beträchtlich gesunken war, und
daß Lüders vielleicht schon in der nächsten Stunde
würde mit Nachnamen genannt werden . . . Timm
stand auf, in einer der hintersten Bänke. Er rückte
hastig sein offenes Buch zurecht, indem er ange- 5
strengt geradeaus blickte. Dann senkte er den Kopf
und begann vorzulesen, langgezogen, stockend und
monoton°, wie ein Kind aus der Fibel: «*Aurea
prima sata est aetas* . . .*»*

Es war klar, daß Doktor Mantelsack heute 10
außerhalb jeder Ordnung fragte und sich gar nicht
darum kümmerte, wer am längsten nicht exami-
niert° worden war. Es war jetzt nicht mehr so
drohend wahrscheinlich, daß Hanno aufgerufen
wurde, es konnte nur noch durch einen unseligen 15
Zufall geschehen. Er wechselte einen glücklichen
Blick mit Kai° und fing an, seine Glieder ein wenig
abzuspannen und auszuruhen . . .

Plötzlich ward Timm in seiner Lektüre unter-
brochen. Sei es nun, daß Doktor Mantelsack den 20
Rezitierenden nicht recht verstand, oder daß er sich
Bewegung zu machen wünschte: er verließ das
Katheder, lustwandelte gemächlich durch die
Klasse und stellte sich, seinen Ovid° in der Hand,
dicht neben Timm, der mit kurzen unsichtbaren 25
Bewegungen sein Buch beiseitegeräumt hatte und
nun vollkommen hilflos war. Er schnappte mit
seinem trichterförmigen Munde, blickte den Ordinarius mit blauen, ehrlichen, verstörten Augen an
und brachte nicht eine Silbe mehr zustande. 30

«Nun, Timm», sagte Doktor Mantelsack . . .
«Jetzt geht es auf einmal nicht mehr?»

Und Timm griff sich nach dem Kopf, rollte°
die Augen, atmete heftig und sagte schließlich mit
einem irren Lächeln: «Ich bin so verwirrt, wenn 35
Sie bei mir stehen, Herr Doktor.»

Auch Doktor Mantelsack lächelte; er lächelte
geschmeichelt und sagte: «Nun, sammeln Sie sich
und fahren Sie fort.» Damit wandelte er zum
Katheder zurück. 40

Und Timm sammelte sich. Er zog sein Buch

wieder vor sich hin, öffnete es, indem er, sichtlich
nach Fassung ringend, im Zimmer umherblickte,
senkte dann den Kopf und hatte sich wiedergefunden.

5 «Ich bin befriedigt», sagte der Ordinarius, als
Timm geendet hatte. «Sie haben gut gelernt, das
steht außer Zweifel. Nur entbehren Sie zu sehr des
rhythmischen° Gefühles, Timm. Über die Bindun-
gen sind Sie sich klar, und dennoch haben Sie nicht   Bindungen *elisions*
10 eigentlich Hexameter° gesprochen. Ich habe den
Eindruck, als ob Sie das Ganze wie Prosa° auswendig gelernt hätten . . . Aber wie gesagt, Sie sind
fleißig gewesen, Sie haben Ihr Bestes getan, und
wer immer strebend sich bemüht . . . Sie können
15 sich setzen.»

Timm setzte sich stolz und strahlend, und
Doktor Mantelsack schrieb eine wohl befriedigende
Note hinter seinen Namen. Das Merkwürdige aber   Note *mark*
war, daß in diesem Augenblick nicht allein der
20 Lehrer, sondern auch Timm selbst und seine sämtlichen Kameraden° der aufrichtigen Ansicht waren,
daß Timm wirklich und wahrhaftig ein guter und
fleißiger Schüler sei, der seine gute Note vollauf   vollauf *completely*
verdient hatte. Auch Hanno Buddenbrook war
25 außerstande, sich diesem Eindruck zu entziehen,   außerstande *unable*
obgleich er fühlte, wie etwas in ihm sich mit Wider-
willen dagegen wehrte . . . Wieder horchte er
angespannt auf den Namen, der nun ertönen   angespannt *tensely*
würde . . .

30 «Mumme!» sagte Doktor Mantelsack. «Noch
einmal! *Aurea prima* . . . ?»

Also Mumme! Gott sei gelobt, nun war Hanno
wohl in Sicherheit! Zum drittenmal würden die
Verse kaum rezitiert werden müssen, und bei der   rezitiert *recited*
35 Neupräparation war der Buchstabe B erst kürzlich   Neupräparation *new prepara-*
an der Reihe gewesen . . .   *tion*

Mumme erhob sich. Er war ein langer,
bleicher Mensch mit zitternden Händen und außerordentlich großen, runden Brillengläsern. Er war
40 augenleidend und so kurzsichtig, daß es ihm
unmöglich war, im Stehen aus einem vor ihm

liegenden Buche zu lesen. Er mußte lernen, und er
hatte gelernt. Da er aber herzlich unbegabt war
und außerdem nicht geglaubt hatte, heute aufgerufen zu werden, so wußte er dennoch nur wenig
und verstummte schon nach den ersten Worten. 5

half ... ein *prompted*   Doktor Mantelsack half ihm ein, er half ihm zum
zweiten Male mit schärferer Stimme und zum
dritten Male mit äußerst gereiztem Tone° ein; als

festsaß *bogged down*   aber Mumme dann ganz und gar festsaß, wurde
der Ordinarius von heftigem Zorne ergriffen. 10

«Das ist vollständig ungenügend, Mumme!
Setzen Sie sich hin! Sie sind eine traurige Figur°,
dessen können Sie versichert sein, Sie Kretin°!
Dumm u n d faul ist zuviel des Guten . . .”

Mumme versank. Er sah aus wie das Unglück, 15
und es gab in diesem Augenblicke niemanden im
Zimmer, der ihn nicht verachtet hätte. Abermals

Brechreiz *nausea*   stieg ein Widerwille, eine Art von Brechreiz in

Rathaus in Lübeck

Hanno Buddenbrook auf und schnürte ihm die
Kehle zusammen. Gleichzeitig aber beobachtete er
mit entsetzlicher Klarheit, was vor sich ging.
Doktor Mantelsack malte heftig ein Zeichen von
5 böser Bedeutung hinter Mummes Namen und sah
sich dann mit finsteren Brauen in seinem Notizbuch
um. Aus Zorn ging er zur Tagesordnung über, sah
nach, wer eigentlich an der Reihe war, es war klar!
Und als Hanno von dieser Erkenntnis gerade
10 gänzlich überwältigt war, hörte er auch schon
seinen Namen, hörte ihn wie in einem bösen Traum.

«Buddenbrook!" — Doktor Mantelsack hatte
«Buddenbrook" gesagt, der Schall war noch in der
Luft, und dennoch glaubte Hanno nicht daran.
15 Ein Sausen war in seinen Ohren entstanden. Er
blieb sitzen.

«Herr Buddenbrook!" sagte Doktor Mantelsack und starrte ihn mit seinen saphirblauen°,
hervorquellenden Augen an, die hinter den scharfen
20 Brillengläsern glänzten . . . «Wollen Sie die Güte
haben?"

Gut, also es sollte so sein. So hatte es kommen
müssen. Ganz anders, als er es sich gedacht hatte,
aber nun war dennoch alles verloren. Er war nun
25 gefaßt. Ob es wohl ein sehr großes Gebrüll geben
würde? Er stand auf und war im Begriffe, eine
unsinnige, und lächerliche Entschuldigung vorzu-
bringen, zu sagen, daß er «vergessen" habe, die
Verse zu lernen, als er plötzlich gewahrte, daß sein
30 Vordermann ihm das offene Buch hinhielt.

Er wies sogar mit dem Zeigefinger auf die
Stelle, wo anzufangen war . . .

Und Hanno starrte dorthin und fing an zu
lesen. Mit wankender Stimme und verzogenen
35 Brauen und Lippen° las er von dem goldenen
Zeitalter. Er las mit gequältem und angeekeltem
Gesichtsausdruck, las mit Willen schlecht und
unzusammenhängend, vernachlässigte absichtlich
einzelne Bindungen, die in Kilians° Buch mit
40 Bleistift angegeben waren, sprach fehlerhafte Verse,
stockte und arbeitete sich scheinbar nur mühsam

schnürte ihm die Kehle zusammen *choked him*

Sausen *roaring*

hervorquellenden *bulging*

Gebrüll *blow-up*

sein Vordermann *the boy sitting in front of him*

wankender *quavering*
verzogenen *twisted*

angeekeltem *disgusted*

vorwärts, immer gewärtig, daß der Ordinarius alles
entdecken und sich auf ihn stürzen werde . . . Der
diebische Genuß, das offene Buch vor sich zu sehen,
verursachte ein Prickeln in seiner Haut; aber er
war voll Widerwillen und betrog mit Absicht so 5
schlecht wie möglich, nur um den Betrug dadurch
weniger gemein zu machen. Dann schwieg er, und
es entstand eine Stille, in der er nicht aufzublicken
wagte. Diese Stille war entsetzlich; er war überzeugt, daß Doktor Mantelsack alles gesehen habe, 10
und seine Lippen waren ganz weiß. Schließlich
aber seufzte der Ordinarius und sagte:

«O Buddenbrook, *si tacuisses!* Sie entschuldigen
wohl ausnahmsweise das klassische° Du! . . . Wissen
Sie, was Sie getan haben? Sie haben die Schönheit 15
in den Staub gezogen, Sie haben sich benommen
wie ein Vandale°, wie ein Barbar°, Sie sind ein
amusisches Geschöpf, Buddenbrook, man sieht es
Ihnen an der Nase an! Wenn ich mich frage, ob
Sie die ganze Zeit gehustet oder erhabene Verse 20
gesprochen haben, so neige ich mehr der ersteren
Ansicht zu. Timm hat wenig rhythmisches° Gefühl
entwickelt, aber gegen Sie ist er ein Genie, ein
Rhapsode . . . Setzen Sie sich, Unseliger. Sie haben
gelernt, gewiß, Sie haben gelernt. Ich kann Ihnen 25
kein schlechtes Zeugnis geben. Sie haben sich wohl
nach Kräften bemüht . . . Hören Sie, erzählt man
sich nicht, daß Sie musikalisch° sind, daß Sie
Klavier spielen? Wie ist das möglich? . . . Nun, es
ist gut, setzen Sie sich, Sie mögen fleißig gewesen 30
sein, es ist gut.”

Er schrieb eine befriedigende Note in sein
Taschenbuch, und Hanno Buddenbrook setzte sich.
Wie es vorhin bei dem Rhapsoden Timm gewesen
war, so war es auch jetzt. Er konnte nicht umhin, 35
sich durch das Lob, das in Doktor Mantelsacks
Worten enthalten gewesen war, aufrichtig getroffen
zu fühlen. Er war in diesem Augenblick ernstlich
der Meinung, daß er ein etwas unbegabter, aber
fleißiger Schüler sei, der verhältnismäßig mit Ehren 40
aus der Sache hervorgegangen war, und er empfand

Marginal glosses:

gewärtig *expecting*

Prickeln *prickling sensation*

si tacuisses *if you had only remained silent*

amusisches *unpoetic*

gehustet *coughed*

ein Genie, ein Rhapsode *a genius, a rhapsodist*

Taschenbuch *notebook*

er konnte nicht umhin *he couldn't help*

deutlich, daß seine sämtlichen Klassengenossen, Hans Hermann Kilian nicht ausgeschlossen, ebenderselben Anschauung huldigten. Wieder regte sich etwas wie Übelkeit in ihm; aber er war zu ermattet,
5 um über die Vorgänge nachzudenken. Bleich und zitternd schloß er die Augen und versank in Lethargie° . . .

Doktor Mantelsack aber setzte den Unterricht fort. Er ging zu den Versen über, die für heute neu
10 zu präparieren° waren, und rief Petersen auf. Petersen erhob sich, frisch, munter und zuversichtlich, in tapferer Attitüde°, streitbar und bereit, den Strauß zu wagen. Und dennoch war ihm heute der Untergang bestimmt! Ja, die Stunde sollte
15 nicht vorübergehen, ohne daß eine Katastrophe° eintrat, weit schrecklicher als diejenige mit dem armen, kurzsichtigen Mumme . . .

Petersen übersetzte, indem er dann und wann einen Blick auf die andere Seite seines Buches warf,
20 dorthin, wo er eigentlich gar nichts zu suchen hatte. Er trieb dies mit Geschick. Er tat, als störe ihn dort etwas, fuhr mit der Hand darüber hin und blies darauf, als gelte es, ein Staubfäserchen oder dergleichen zu entfernen, das ihn inkommodierte.
25 Und doch erfolgte nun das Entsetzliche.

Doktor Mantelsack nämlich vollführte plötzlich eine heftige Bewegung, die Petersen mit einer ebensolchen Bewegung beantwortete. Und in demselben Augenblick verließ der Ordinarius das Katheder,
30 er stürzte sich förmlich kopfüber hinab und ging mit langen, unaufhaltsamen Schritten auf Petersen zu.

«Sie haben einen Schlüssel im Buche, eine Übersetzung", sagte er, als er bei ihm stand.
35 «Einen Schlüssel . . . ich . . . nein . . .", stammelte Petersen.

«Sie haben keinen Schlüssel im Buche?"

«Nein . . . Herr Oberlehrer . . . Herr Doktor . . . Einen Schlüssel? . . . Ich habe wahrhaftig keinen
40 Schlüssel . . . Sie befinden sich im Irrtum . . . Sie haben mich in einem falschen Verdacht . . ."

263

Klassengenossen *classmates*
ebenderselben Anschauung huldigten *held the same opinion*
Übelkeit *nausea*
ermattet *exhausted*
Vorgänge *events*

streitbar *valiant*
Strauß *struggle*

Geschick *skill*

Staubfäserchen *speck of dust*
inkommodierte *bothered*

kopfüber *headlong*
unaufhaltsamen *irresistible*

stammelte *stammered*

Blick auf Lübeck

Deutsche Zentrale für Fremdenverkehr

ordentlich gewählt *in very elegant language*

Petersen redete, wie man eigentlich nicht zu reden pflegte. Die Angst bewirkte, daß er ordentlich gewählt sprach, in der Absicht, dadurch den Ordinarius zu erschüttern. «Ich betrüge nicht", sagte er aus übergroßer Not. «Ich bin immer ehrlich 5 gewesen . . . mein Lebtag!"

mein Lebtag *my whole life long*

Aber Doktor Mantelsack war seiner traurigen Sache allzu sicher.

«Geben Sie mir Ihr Buch", sagte er kalt.

klammerte sich *clung*
beschwörend *entreating*
deklamieren *declaim*

Petersen klammerte sich an sein Buch, er hob 10 es beschwörend mit beiden Händen empor und fuhr fort, mit halb gelähmter Zunge zu deklamieren: «Glauben Sie mir doch . . . Herr Oberlehrer . . . Herr Doktor . . . Es ist nichts im Buche . . . Ich habe keinen Schlüssel . . . Ich habe nicht betrogen . . . 15 Ich bin immer ehrlich gewesen . . ."

264

«Geben Sie mir das Buch”, wiederholte der Ordinarius und stampfte mit dem Fuße.

Da erschlaffte Petersen, und sein Gesicht wurde ganz grau.

5 «Gut”, sagte er und lieferte das Buch aus, «hier ist es. Ja, es ist ein Schlüssel darin! Sehen Sie selbst, da steckt er! . . . Aber ich habe ihn nicht gebraucht!” schrie er plötzlich in die Luft hinein.

Allein Doktor Mantelsack überhörte diese
10 unsinnige Lüge, die der Verzweiflung entsprang. Er zog den «Schlüssel” hervor, betrachtete ihn mit einem Gesicht, als hätte er stinkenden° Unrat in der Hand, schob ihn in die Tasche und warf den Ovid° verächtlich auf Petersens Platz zurück.
15 «Das Klassenbuch”, sagte er dumpf.

Adolf Todtenhaupt brachte dienstbeflissen das Klassenbuch herbei, und Petersen erhielt einen Tadel wegen versuchten Betruges, was ihn auf lange Zeit hinaus vernichtete und die Unmöglichkeit
20 seiner Versetzung zu Ostern besiegelte. «Sie sind der Schandfleck der Klasse”, sagte Doktor Mantelsack noch und kehrte dann zum Katheder zurück.

Petersen setzte sich und war gerichtet. Man sah deutlich, wie sein Nebenmann ein Stück von
25 ihm wegrückte. Alle betrachteten ihn mit einem Gemisch von Ekel, Mitleid und Grauen. Er war gestürzt, einsam und vollkommen verlassen, darum, daß er ertappt worden war. Es gab nur eine Meinung über Petersen, und das war die, daß er
30 wirklich «der Schandfleck der Klasse” sei. Man anerkannte und akzeptierte seinen Fall° ebenso widerstandslos, wie man Timms und Buddenbrooks Erfolge und das Unglück des armen Mumme anerkannt und akzeptiert hatte . . . Und er selbst tat
35 desgleichen.

Wer unter diesen fünfundzwanzig jungen Leuten von rechtschaffener Konstitution°, stark und tüchtig für das Leben war, wie es ist, der nahm in diesem Augenblicke die Dinge völlig wie sie lagen,
40 fühlte sich nicht durch sie beleidigt und fand, daß alles selbstverständlich und in der Ordnung sei.

stampfte *stamped*

erschlaffte *wilted*

lieferte aus *handed over*

Unrat *garbage*

dienstbeflissen *dutifully, zealously*

Versetzung *promotion*
besiegelte *sealed*
Schandfleck *disgrace*

Ekel *disgust*

ertappt *caught*

anerkannte und akzeptierte *recognized and accepted*

Aber es gab auch Augen, die sich in finsterer Nachdenklichkeit auf einen Punkt richteten . . . Der
kleine Johann starrte auf Hans Hermann Kilians
breiten Rücken, und seine goldbraunen°, bläulich
umschatteten Augen waren ganz voll von Abscheu, 5
Widerstand und Furcht . . . Doktor Mantelsack
aber fuhr fort zu unterrichten. Er rief einen anderen
Schüler auf, irgendeinen, Adolf Todtenhaupt, weil
er für heute ganz und gar die Lust verloren hatte,
die Zweifelhaften zu prüfen. Und dann kam noch 10
einer daran, der mäßig vorbereitet war und nicht
einmal wußte, was *«patula Jovis arbore, glandes"* hieß,
weshalb Buddenbrook es sagen mußte . . . Er sagte
es leise und ohne aufzublicken, weil Doktor
Mantelsack ihn fragte, und erhielt ein Kopfnicken 15
dafür.

Und als es mit den Produktionen° der Schüler
zu Ende war, hatte die Stunde auch jedes Interesse°
verloren. Doktor Mantelsack ließ einen Hochbe-
gabten auf eigene Faust weiter übersetzen und 20
hörte ebensowenig zu wie die anderen vierund-
zwanzig, die anfingen, sich für die nächste Stunde
zu präparieren°. Dies war nun gleichgültig. Man
konnte niemandem ein Zeugnis dafür geben, noch
überhaupt den dienstlichen Eifer danach beur- 25
teilen . . . Auch war die Stunde nun gleich zu Ende.
Sie war zu Ende; es schellte. So hatte es kommen
sollen für Hanno. Sogar ein Kopfnicken hatte er
bekommen.

umschatteten *shadowed*
Abscheu *loathing*

es schellte *the bell rang*

266

Hermann Hesse und Thomas Mann   Alfred A. Knopf

XIX

Hermann Hesse:

DER STEPPENWOLF

Hermann Hesse's *Der Steppenwolf* (1927) is a penetrating psycho-logical study of a man who is unable to make the compromises and adjustments necessary to live in our complex modern world. Harry Haller, the *Steppenwolf* (prairie-wolf), is a split personality, a schizoid, whose two natures are in conflict. These can perhaps most simply be described as the animal and the God-like in man; the former drawing Harry to the wild, the primitive, the instinctive, the anarchically and savagely free; the latter toward fulfillment, order, thoughtfulness, the intellectual, the saintly.

With both sides of his nature, Haller rejects modern society; he sees it as mechanized, impersonal, highly sophisticated, superficial; and his way through life is a seemingly endless succession of clashes with it. Only at the end of the novel does the *Steppenwolf* see the possibility of playing a useful, purposeful role in society. He obtains at last a way of finding himself, of learning to know his own soul, and this self-knowledge provides him with the means for facing life with a balance and detachment, with a sense of humor, which he had not previously known.

The following excerpt, from the closing pages of the novel, presents this resolution. It is effected by the surrealistic, symbolic device of a «magisches Theater", to which Harry Haller is introduced by his worldly friend, Pablo. In this fantasy, Harry finds himself in a long corridor from which various doors with superscriptions lead off. As he enters one after the other, he gains successive insights into life in general, and his own life in particular; in the first room, a figure before a kind of chess board shows him how he can rearrange the elements of his personality, symbolized by small figures like chess men, into an infinite number of combinations. After demonstrating various possibilities, the player offers the chess men, elements of Harry's own personality, to him, inviting him to learn how to rearrange them himself. Thus he realizes that no man is condemned to a single personality for his whole life, but has the power to learn through experience and insight to adjust the elements into different, more satisfactory patterns.

Endlos lief die Reihe der Inschriften. Eine hieß:

Anleitung *guidance*

> ANLEITUNG ZUM AUFBAU
> DER PERSÖNLICHKEIT
> ERFOLG GARANTIERT°

Das schien mir beachtenswert, und ich trat in 5 diese Tür.

Es empfing mich ein dämmriger, stiller Raum,

morgenländischer *Oriental* darin saß, ohne Stuhl nach morgenländischer Art, ein Mann auf dem Boden, der hatte vor sich etwas

Schachbrett *chess board* wie ein großes Schachbrett stehen. Im ersten 10 Augenblick schien es mir Freund Pablo zu sein, wenigstens trug der Mann eine ähnliche bunt-

Jacke *jacket* seidene Jacke und hatte dieselben dunkel strahlen-den Augen.

«Sind Sie Pablo?" fragte ich.   15

«Ich bin niemand", erklärte er freundlich.

«Wir tragen hier keine Namen, wir sind hier keine

268

Portraitaufnahme des Dichters, 1955

Fritz Eschen

Personen°. Ich bin ein Schachspieler. Wünschen Sie Unterricht über den Aufbau der Persönlichkeit?"

"Ja, bitte."

"Dann stellen Sie mir freundlichst ein paar 5 Dutzend Ihrer Figuren° zur Verfügung."

"Meiner Figuren . . . ?"

"Der Figuren, in welche Sie Ihre sogenannte Persönlichkeit haben zerfallen lassen. Ohne Figuren kann ich ja nicht spielen." 10

Er hielt mir einen Spiegel vor, wieder sah ich darin die Einheit meiner Person in viele Ichs zerfallen, ihre Zahl schien noch gewachsen zu sein. Die Figuren waren aber jetzt sehr klein, so groß etwa wie Schachfiguren, und der Spieler nahm 15 einige Dutzend davon und stellte sie neben dem Schachbrett an den Boden. Eintönig sprach er dazu, wie ein Mann, der eine oft gehaltene Rede wiederholt:

"Die fehlerhafte und Unglück bringende Auf- 20 fassung, als sei ein Mensch eine dauernde Einheit, ist Ihnen bekannt. Es ist Ihnen auch bekannt, daß der Mensch aus einer Menge von Seelen, aus sehr vielen Ichs besteht. Die scheinbare Einheit der Person in diese vielen Figuren auseinanderzu- 25 spalten gilt für verrückt, die Wissenschaft hat damit insofern recht, als natürlich keine Vielheit ohne Führung, ohne eine gewisse Ordnung und Gruppierung zu bändigen ist. Unrecht dagegen hat sie darin, daß sie glaubt, es sei nur eine einmalige, 30 bindende, lebenslängliche Ordnung der vielen Unter-Ichs möglich. Infolge jenes Irrtums gelten viele Menschen für ‚normal°', ja für sozial° hochwertig, welche unheilbar verrückt sind, und umgekehrt werden manche für verrückt angesehen, 35 welche Genies sind. Wir ergänzen daher die lückenhafte Seelenlehre der Wissenschaft durch den Begriff, den wir Aufbaukunst nennen. Wir zeigen demjenigen, der das Auseinanderfallen seines Ichs erlebt hat, daß er die Stücke jederzeit in beliebiger 40 Ordnung neu zusammenstellen und daß er damit

270

mir . . . zur Verfügung *at my disposal*

zerfallen (inf.) *to fall to pieces, break up*

Schachfiguren *chess men*

eintönig *monotonously*

Vielheit *multiplicity*

zu bändigen ist *can be mastered*

Unter-Ichs *sub-egos*
hochwertig *of great value*

Genies *geniuses*
lückenhafte Seelenlehre *defective psychology*
Aufbaukunst *art of building up*

eine unendliche Mannigfaltigkeit des Lebensspieles erzielen kann. Wie der Dichter aus einer Handvoll° Figuren ein Drama° schafft, so bauen wir aus den Figuren unsres zerlegten Ichs immerzu neue
5 Gruppen, mit neuen Spielen und Spannungen, mit ewig neuen Situationen°. Sehen Sie!"

Mit den stillen, klugen Fingern griff er meine Figuren, alle die Greise, Jünglinge, Kinder, Frauen, alle die heitern und traurigen, starken und zarten
10 Figuren, ordnete sie rasch auf seinem Brett zu einem Spiel, in welchem sie alsbald zu Gruppen, Familien°, zu Spielen und Kämpfen, zu Freundschaften und Gegnerschaften sich aufbauten, eine Welt im kleinen bildend. Vor meinen entzückten
15 Augen ließ er die belebte und doch wohlgeordnete kleine Welt eine Weile° sich bewegen, spielen und kämpfen, heiraten, sich vermehren; es war in der Tat ein vielfiguriges, bewegtes und spannendes Drama.
20 Dann strich er mit heiterer Gebärde über das Brett, warf alle die Figuren sachte um, schob sie auf einen Haufen und baute nachdenklich, ein wählerischer Künstler, aus denselben Figuren ein ganz neues Spiel auf, mit ganz anderen Grup-
25 pierungen. Das zweite Spiel war dem ersten verwandt: es war dieselbe Welt, dasselbe Material°, aus dem er es aufbaute, aber die Tonart war verändert, das Tempo° gewechselt, die Motive° anders betont, die Situationen° anders gestellt.
30 Und so baute der kluge Aufbauer aus den Gestalten, deren jede ein Stück meiner selbst war, ein Spiel ums andre auf, alle einander von ferne ähnlich, alle erkennbar als derselben Welt angehörig, dennoch jedes völlig neu.
35 «Dies ist Lebenskunst", sprach er dozierend, «Sie selbst mögen künftig das Spiel Ihres Lebens beliebig weiter gestalten und beleben, verwickeln und bereichern, es liegt in Ihrer Hand. So wie die Verrücktheit, in einem höhern Sinn, der Anfang
40 aller Weisheit ist, so ist Schizophrenie° der Anfang aller Kunst, aller Phantasie. — Hier, stecken Sie

erzielen *attain*

zerlegten *dissected, disintegrated*

Gegnerschaften *enmities*

vielfiguriges *many-figured*

sachte *gently*

Tonart *key*

betont *stressed*

dozierend *lecturing*

bereichern *enrich*

Phantasie *imagination*

271

Ihre Figürchen nur zu sich, das Spiel wird Ihnen noch oft Freude machen. Ich wünsche viel Vergnügen, mein Herr."

Ich verbeugte mich tief und dankbar vor diesem begabten Schachspieler, steckte die Figür- 5 chen in meine Tasche und zog mich durch die schmale Türe zurück.

In another room, Harry has one of the most revolting experiences of his life. Here he first sees an animal trainer succeed in mastering the will of a wolf to the degree that the animal denies his true nature and becomes a repulsive unnatural creature, half dog, half human. The wolf even eats a bar of chocolate from the man's hand, after refusing to attack a rabbit and lamb which are placed before him. Then the roles are reversed; the wolf becomes a trainer, and it is now the turn of the man to deny his nature and will-lessly perform a succession of disgusting half dog-like, half wolf-like acts. The dehumanized man turns away from a proffered chocolate bar in disgust, but savagely tears to pieces and devours the rabbit and lamb. This too is all for Haller's own benefit, for the two performers represent the two sides of his own nature, as we learn from various hints, particularly when, on leaving the room, he detects the flavor of both chocolate and animal blood on his own lips. He learns that the absolute domination of either side of his nature would shamelessly degrade the other; this is not the way to a satisfactory existence.

Eigentlich hatte ich mir gedacht, ich würde nun alsbald im Korridor° mich an den Boden setzen und stundenlang, eine Ewigkeit lang, mit 10 den Figuren spielen, aber kaum stand ich wieder in dem hellen runden Theatergang, so zogen neue Strömungen, stärker als ich, mich davon. Ein Plakat flammte grell vor meinen Augen auf:

| WUNDER DER STEPPENWOLFDRESSUR | 15 |

Vielerlei Gefühle regte diese Inschrift in mir auf; allerlei Ängste und Zwänge aus meinem gewesenen Leben, aus der verlassenen Wirklichkeit her, zogen mir peinlich das Herz zusammen. Mit bebender Hand öffnete ich die Türe und kam in 20 eine Jahrmarktbude, darin sah ich ein Eisengitter

---

Theatergang   *theater corridor*

ein Plakat flammte grell . . . auf   *a placard flashed dazzlingly*

Steppenwolfdressur   *prairie wolf taming*

Jahrmarktbude   *stall at a fair*
ein Eisengitter   *iron bars*

272

errichtet, das mich von der dürftigen Schaubühne trennte. Auf der Bühne aber sah ich einen Tierbändiger stehen, der mir selbst auf eine recht widerwärtige Weise ähnlich sah. Dieser starke
5 Mann führte — jämmerlicher Anblick! — einen großen, schönen, aber furchtbar abgemagerten Wolf° an der Leine wie einen Hund. Und es war nun ebenso ekelhaft wie spannend, diesen brutalen° Bändiger das edle und doch so schmählich ge-
10 horsame Raubtier in einer Reihe von Tricks° und sensationellen° Szenen° vorführen zu sehen.

Der Mann, mein verfluchter Zerrspiegelzwilling, hatte seinen Wolf allerdings fabelhaft gezähmt. Der Wolf gehorchte aufmerksam jedem Befehl, er
15 fiel in die Knie, stellte sich tot, machte das Männchen, er trug ein Ei, ein Stück Fleisch, ein Körbchen folgsam und artig in der Schnauze, ja, er mußte dem Bändiger die Peitsche, die dieser hatte fallen lassen, aufheben und im Maule nachtragen. Es
20 wurde dem Wolf ein Kaninchen vorgeführt und dann ein weißes Lamm°, und er bleckte zwar die Zähne und ließ den Speichel tropfen vor zitternder Begierde, berührte aber keines der Tiere, sondern sprang auf Befehl über sie, die bebend am Boden
25 kauerten, in elegantem° Schwung hinweg, ja, er legte sich zwischen Hase und Lamm nieder, umarmte beide mit den Vorderpfoten und bildete mit ihnen eine rührende Familiengruppe°. Dazu fraß er aus des Menschen Hand eine Tafel Schoko-
30 lade°. Es war eine Qual mitanzusehen, bis zu welch phantastischem° Grade dieser Wolf seine Natur hatte verleugnen lernen.

Für diese Qual wurde jedoch der erregte Zuschauer im zweiten Teil der Vorführung, ebenso
35 wie der Wolf selbst, entschädigt. Nachdem der Bändiger über der Lamm- und Wolfgruppe sich triumphierend° mit süßem Lächeln verbeugt hatte, wurden die Rollen° vertauscht. Der Tierbändiger legte plötzlich seine Peitsche dem Wolfe zu Füßen
40 und begann ebenso zu zittern und elend auszusehen wie vorher das Tier. Der Wolf aber leckte sich

Schaubühne	*stage*
Tierbändiger	*animal trainer*
widerwärtige	*repulsive*
abgemagerten	*emaciated*
Leine	*leash*
ekelhaft	*repulsive*
Raubtier	*predatory animal*
vorführen (inf.)	*to present*
verfluchter Zerrspiegelzwilling	*accursed distorted double*
fabelhaft	*marvellously*
machte das Männchen	*sat up*
folgsam	*obediently*
Schnauze	*mouth*
Peitsche	*whip*
Kaninchen	*rabbit*
bleckte	*bared*
Speichel	*saliva*
kauerten	*crouched*
Vorderpfoten	*fore-paws*
entschädigt	*compensated*
leckte	*licked*

273

lachend das Maul, sein Blick leuchtete, sein ganzer Leib blühte in wiedererlangter Wildheit auf.

Und nun befahl der Wolf, und der Mensch mußte gehorchen. Auf Befehl sank der Mensch in die Knie nieder, spielte den Wolf, ließ die Zunge 5 heraushängen, riß sich mit den plombierten Zähnen die Kleider vom Leibe. Er ging, je nachdem der Menschenbändiger befahl, auf zweien oder auf vieren, machte das Männchen, stellte sich tot, ließ den Wolf auf sich reiten, trug ihm die Peitsche nach. 10 Hündisch und begabt ging er auf jede Demütigung und Perversion° ein. Ein schönes Mädchen kam auf die Bühne, näherte sich dem dressierten Mann, streichelte ihm das Kinn, rieb ihre Wange an seiner, aber er blieb auf allen vieren, blieb Vieh, 15 schüttelte den Kopf und fing an, der Schönen die Zähne zu zeigen, zuletzt so drohend und wölfisch°, daß sie entfloh. Schokolade° wurde ihm vorgesetzt, die er verächtlich wegstieß. Und zuletzt wurden das weiße Lamm und das fette Kaninchen wieder 20 hereingebracht, und der gelehrige Mensch spielte den Wolf, daß es eine Lust war. Mit Fingern und Zähnen packte er die schreienden Tierchen, riß ihnen Fetzen von Fell und Fleisch heraus, kaute ihr lebendiges Fleisch und soff hingegeben ihr 25 warmes Blut.

Entsetzt floh ich durch die Tür hinaus. Dieses magische Theater, sah ich, war kein reines Paradies°, alle Höllen lagen unter seiner hübschen Oberfläche. O Gott, gab es denn auch hier keine 30 Erlösung?

Angstvoll lief ich auf und ab, spürte den Geschmack von Blut und den Geschmack von Schokolade° im Munde, einen ebenso häßlich wie den andern, rang inbrünstig in mir selbst um 35 erträglichere, freundlichere Bilder. Zu Tode erschrocken lief ich durch den Korridor°, an den Türen vorbei, stand plötzlich dem riesigen Spiegel gegenüber, blickte hinein. Im Spiegel stand, hoch wie ich, ein riesiger schöner Wolf, stand still, blitzte 40 scheu aus unruhigen Augen.

plombierten Zähnen *teeth with dental fillings*

Menschenbändiger *man-tamer*

dressierten *trained*
streichelte *stroked*

gelehrige *docile*

Fetzen von Fell *shreds of hide*
soff hingegeben *drank with abandon*

inbrünstig *fervently*

The final resolution comes in the closing pages of the novel, when Haller finds himself in the presence of his beloved Mozart, while the strains of the last act of Don Giovanni *are heard. Mozart forces him to listen against his will to a crude radio broadcast (1927!) of a Händel concerto grosso, pointing out that even the most drastic distortions of the modern mechanical age cannot efface the enduring beauty of the music. "This," teaches Mozart, "is life. You must learn to accept it, not to spend all your energies rejecting or resisting it. Learn to experience its indestructible beauty, behind all of the distortions of the modern world." As Haller begins to comprehend, Mozart is suddenly transformed into his smiling friend Pablo, who looks very much like the chess player from the first room, and Harry Haller looks toward the future for the first time with hope and confidence and anticipation.*

Nochmals blickte ich in den Spiegel. Ich war toll gewesen. Kein Wolf stand hinter dem hohen Glas und rollte die Zunge im Maul. Im Spiegel stand Ich, stand Harry, mit grauem Gesicht, von
5 allen Spielen verlassen, von allen Lastern ermüdet, scheußlich bleich, aber immerhin ein Mensch, immerhin jemand, mit dem man reden konnte.

«Harry", sagte ich, «was tust du da?"

«Nichts", sagte der im Spiegel, «ich warte nur.
10 Ich warte auf den Tod."

«Wo ist denn der Tod?" fragte ich.

«Er kommt", sagte der andre. Und ich hörte, aus den leeren Räumen im Innern des Theaters her, eine Musik° tönen, eine schöne und schreck-
15 liche Musik, jene Musik aus dem «Don Juan", die das Auftreten des steinernen Gastes begleitet. Schauerlich hallten die eisigen Klänge durch das gespenstische Haus, aus dem Jenseits, von den Unsterblichen kommend.
20 «Mozart!" dachte ich und beschwor damit die geliebtesten und höchsten Bilder meines inneren Lebens.

Da klang hinter mir ein Gelächter, ein helles und eiskaltes Gelächter, aus einem den Menschen
25 unerhörten Jenseits von Gelittenhaben, von Götter-humor geboren. Ich wandte mich um, und da kam Mozart gegangen, lachend ging er an mir vorüber

scheußlich *hideously*

steinernen Gastes *stone guest (the statue which visits the Don)*
schauerlich hallten *resounded chillingly*

beschwor *evoked*

Gelittenhaben *having suffered*
Götterhumor *divine humor*

275

auf eine der Logentüren zu, öffnete sie und trat ein, und ich folgte ihm begierig, dem Gott meiner Jugend, dem lebenslangen Ziel meiner Liebe und Verehrung. Die Musik erklang weiter, Mozart stand an der Logenbrüstung, vom Theater war nichts zu 5 sehen, den grenzenlosen Raum füllte Finsternis.

«Wo sind wir?" fragte ich.

«Wir sind im letzten Akt° des Don Giovanni, Leporello° liegt schon auf den Knien. Eine vortreffliche Szene°, und auch die Musik kann sich 10 hören lassen, nun ja. Wenn sie auch noch allerlei sehr Menschliches in sich hat, man spürt doch schon das Jenseits heraus, das Lachen — nicht?"

«Es ist die letzte große Musik, die geschrieben worden ist", sagte ich feierlich wie ein Schullehrer. 15 «Ein Werk von so vollkommenem Guß ist seit dem Don Giovanni nicht mehr von Menschen gemacht worden."

Dicht neben mir setzte er sich hin, und beschäftigte sich mit einigen kleinen Apparaten° 20 und Instrumenten°, welche da herumstanden, und ich blickte mit Bewunderung auf seine geschickten Finger, die ich so gern einmal hätte Klavier spielen sehen. Gedankenvoll sah ich ihm zu, oder eigentlich nicht gedankenvoll, sondern träumerisch und in 25 den Anblick seiner schönen, klugen Hände verloren, vom Gefühl seiner Nähe erwärmt und auch etwas beängstigt. Was er da eigentlich treibe, darauf achtete ich gar nicht.

Es war aber ein Radioapparat, den er da 30 aufgestellt hatte und in Gang brachte, und jetzt schaltete er den Lautsprecher ein und sagte: «Man hört München°, das Concerto grosso in F-Dur von Händel."

«Mein Gott", rief ich entsetzt, «was tun Sie, 35 Mozart? Ist es Ihr Ernst, daß Sie diesen scheußlichen Apparat auf uns loslassen, den Triumph° unserer Zeit, ihre letzte siegreiche Waffe im Vernichtungskampf gegen die Kunst? Muß das sein, Mozart?"

O wie lachte da der unheimliche Mann, wie 40 lachte er kalt und geisterhaft, lautlos und doch alles

---

erklang *sounded*
Logenbrüstung *edge of the box*

Guß *mold, cast*

geschickten *skillful*
Klavier *piano*

treiben (inf.) *to do*

Radioapparat *radio*

schaltete . . . ein *tuned in*
F-Dur *F Major*

scheußlichen *revolting*

unheimliche *uncanny*
geisterhaft *ghostlike, spectrally*

276

„Flötenspiel", Gedicht von Hesse

Suhrkamp Verlag

durch sein Lachen zertrümmernd! Mit innigem
Vergnügen sah er meinen Qualen zu. Lachend gab
er mir Antwort.

zertrümmernd *destroying*

«Bitte kein Pathos°, Herr Nachbar! Haben Sie übrigens das Ritardando° da beachtet? Ein Einfall, hm? Lassen Sie diesen Einfall des alten Händel Ihr unruhiges Herz durchdringen und beruhigen! Hören Sie einmal, Sie Männlein, ohne 5 Pathos und ohne Spott, hinter dem in der Tat hoffnungslos idiotischen° Schleier dieses lächerlichen Apparates die ferne Gestalt dieser Göttermusik vorüberwandeln! Merken Sie auf, es läßt sich etwas dabei lernen. Achten Sie darauf, wie 10 diese irrsinnige Schallröhre scheinbar das Dümmste, Unnützeste und Verbotenste von der Welt tut und eine irgendwo gespielte Musik wahllos, dumm und roh, dazu jämmerlich entstellt, in einen fremden, nicht zu ihr gehörigen Raum hineinschmeißt — und 15 wie sie dennoch den Urgeist dieser Musik nicht zerstören kann, sondern an ihr nur ihre eigene ratlose Technik erweisen muß! Hören Sie gut zu, Männlein, es tut Ihnen not! Also, Ohren auf! So. Und nun hören Sie ja nicht bloß einen durch das 20 Radio vergewaltigten Händel, der dennoch auch noch göttlich ist, — Sie hören und sehen, Wertester, zugleich ein vortreffliches Gleichnis alles Lebens. Wenn Sie dem Radio zuhören, so hören und sehen Sie den Urkampf zwischen Ewigkeit und Zeit, 25 zwischen Göttlichem und Menschlichem. Gerade so, mein Lieber, wie das Radio die herrlichste Musik der Welt zehn Minuten lang wahllos in die unmöglichsten Räume wirft, in bürgerliche° Salons und in Dachkammern, zwischen schwatzende, 30 fressende, schlafende Abonnenten hinein, so, wie er diese Musik ihrer sinnlichen Schönheit beraubt, sie verdirbt, und dennoch ihren Geist nicht ganz umbringen kann — gerade so schmeißt das Leben, die sogenannte Wirklichkeit, mit dem herrlichen 35 Bilderspiel der Welt um sich, schiebt seine Technik°, seine wüste Notdurft und Eitelkeit überall zwischen Idee und Wirklichkeit, zwischen Orchester° und Ohr. Das ganze Leben ist so, mein Kleiner, und wir müssen es so sein lassen, und wenn 40 wir keine Esel sind, lachen wir dazu. Leuten von

irrsinnige Schallröhre *mad speaking tube*

entstellt *distorted*

Urgeist *original spirit*

ratlose *helpless*

vergewaltigten *violated*

Gleichnis *parable*

Urkampf *basic struggle*

Abonnenten *subscribers, listeners*

beraubt *robs*

Bilderspiel *picture puzzle*
Notdurft *meagerness*

Ihrer Art steht es durchaus nicht zu, am. Radio
oder am Leben Kritik zu üben. Lernen Sie lieber   Kritik *criticism*
erst zuhören! Lernen Sie ernstnehmen, was des
Ernstnehmens wert ist, und lachen über das andre!
5   Oder haben Sie selber es denn etwa besser
gemacht, edler, klüger, geschmackvoller? O nein,
Monsieur Harry, das haben Sie nicht. Sie haben
aus Ihrem Leben eine scheußliche Krankenge-   scheußliche *horrible*
schichte gemacht, aus Ihrer Begabung ein Unglück.
10 Sie werden sich also daran gewöhnen müssen, der
Radiomusik° des Lebens weiter zuzuhören. Es wird
Ihnen gut tun. Sie sind ungewöhnlich schwach
begabt, lieber dummer Kerl, aber so allmählich
werden Sie nun doch begriffen haben, was von
15 Ihnen verlangt wird. Sie sollen lachen lernen, das
wird von Ihnen verlangt. Sie sollen den Humor°
des Lebens, den Galgenhumor dieses Lebens er-   Galgenhumor *gallows humor,*
fassen. Aber natürlich sind Sie zu allem in der Welt   *grim humor*
bereit, nur nicht zu dem, was von Ihnen verlangt
20 wird! Für jede dumme und humorlose Veran-   humorlose Veranstaltung
staltung sind Sie zu haben, für alles, was pathetisch°   *humorless arrangement*
und witzlos ist! Sie wollen sterben, Sie Feigling,
aber nicht leben. Zum Teufel, aber leben sollen Sie
ja gerade! Sie sollen leben, und Sie sollen das
25 Lachen lernen. Sie sollen die verfluchte Radio-
musik des Lebens anhören lernen, sollen den Geist
hinter ihr verehren, sollen über den Klimbim in   Klimbim *jingle-jangle, hum-*
ihr lachen lernen. Fertig, mehr wird nicht von   *bug*
Ihnen verlangt.''
30   Leise, hinter zusammengebissenen Zähnen
hervor, fragte ich: «Und wenn ich mich weigere?''
    «Dann'', sagte Mozart friedlich, «würde ich
dir vorschlagen, noch eine von meinen hübschen
Zigaretten° zu rauchen.'' Und indes er es sagte und
35 eine Zigarette aus der Westentasche zauberte, die
er mir anbot, war er plötzlich nicht Mozart mehr,
sondern mein Freund Pablo, und glich wie ein
Zwillingsbruder dem Mann, der mich das Schach-   Zwillingsbruder *twin brother*
spiel mit den Figürchen gelehrt hatte.   Schachspiel *chess game*
40   «Pablo!'' rief ich aufzuckend, «Pablo, wo sind   aufzuckend *starting up*
wir?''

Pablo gab mir die Zigarette und Feuer dazu.

«Wir sind", lächelte er, «in meinem ma-
gischen° Theater, und falls du den Tango° lernen
oder General° werden oder dich mit Alexander
dem Großen unterhalten willst, so steht das alles ⁵
nächstesmal zu deiner Verfügung."

Angenehm duftete der süße schwere Rauch,
ich fühlte mich bereit, ein Jahr lang zu schlafen.

Oh, ich begriff alles, begriff Pablo, begriff
Mozart, hörte irgendwo hinter mir sein furchtbares ¹⁰
Lachen, wußte alle hunderttausend Figuren des
Lebensspiels in meiner Tasche, ahnte erschüttert
den Sinn, war gewillt, das Spiel nochmals zu
beginnen, seine Qualen nochmals zu kosten, vor
seinem Unsinn nochmals zu schaudern, die Hölle ¹⁵
meines Innern nochmals und noch oft zu durch-
wandern.

Einmal würde ich das Figurenspiel besser
spielen. Einmal würde ich das Lachen lernen.
Pablo wartete auf mich. Mozart wartete auf mich. ²⁰

Ende

zu deiner Verfügung *at your disposal*

duftete *smelled*

gewillt *willing*

Figurenspiel *game of figures*

280

Fragen

1. Tacitus: *Germania*

(Seite 1–8)

1. An welche Periode° der Geschichte Amerikas erinnert das Verhältnis zwischen Römern und Germanen? 2. Wann ungefähr wurde die *Germania* geschrieben? 3. Warum ist die *Germania* für die Geschichte der deutschen Kultur° so wichtig? 4. Was erhält die Stämme Germaniens rein? 5. Beschreiben Sie einen Germanen! 6. Was zeigt uns, daß die Germanen Silber und Gold nicht besonders schätzen? 7. Auf welche Weise glaubten die Germanen den Ausgang schwerer Kriege im voraus erfahren zu können? 8. Was tun die Männer, wenn sie nicht im Kriege sind? 9. Warum umgibt der Germane sein Haus mit einem freien Raum? 10. Welche von ihren Sitten sind am meisten zu loben? 11. Nennen Sie einige typische Geschenke, die ein Germane als Mitgift in die Ehe bringt! 12. Was tut der Gastgeber nach dem Gastmahl? 13. Beschreiben Sie Speise und Trank der Germanen! 14. Wie wären die Germanen wohl am leichtesten zu überwinden? 15. Was zeigen die abgebildeten Reliefs von der Markus-Säule in Rom? *(Siehe Seite 3, 4, 5)*

2. Einhard: *Karl der Große*

(Seite 9–20)

1. Was stellt die Abbildung auf Seite 10 dar? 2. Beschreiben Sie den Krönungsmantel, der auf Seite 12–13 abgebildet ist! 3. Was sieht man in der Kuppel des Aachener Doms? *(Siehe Abbildung Seite 16)* **Abschnitt 1.** 4. Was war das Schicksal des letzten Merowingers? 5. Wie machte der König seine Reisen? **Abschnitt 2.** 6. Warum kämpften die Franken gegen die Sachsen? 7. Warum dauerte dieser Krieg so lange? 8. Unter welchen Bedingungen wurde der Krieg beendet? **Abschnitt 3.** 9. Beschreiben Sie die Erziehung der Kinder des Königs! 10. Wen behielt Karl bis zu seinem Tode bei sich? **Abschnitt 4.** 11. Wie sah Karl der Große aus? 12. Worin war er unermüdlich? 13. Was hörte er gern beim Essen? **Abschnitt 5.** 14. In welchen Wissenschaften ließ sich Karl unterrichten? 15. Welche Fortschritte machte Karl im Schreiben? **Abschnitt 6.** 16. Wann erhielt Karl die Kaiserkrone? 17. Was hätte Karl getan, wenn er die Absicht des Papstes gekannt hätte? 18. Wie wurde Karls Sohn Ludwig zum Mitregenten im Reich? 19. Welche Krankheit befiel Karl im letzten Lebensjahre? 20. Wie alt war er, als er starb?

3. Gottfried von Straßburg: *Tristan und Isolde*

(Seite 21–35)

1. In welchem Jahrhundert erreichte die deutsche Literatur ihre erste Blüte? 2. Nennen Sie die vier größten epischen Gedichte dieser Zeit! 3. Was ist das Symbol für die magische Kraft der Liebe in Gottfrieds Gedicht? 4. Beschreiben Sie kurz das Bild auf Seite 24! 5. Was geschieht auf der Abbildung auf Seite 25? 6. Was tun Tristan und Isolde in der Illustration aus der *Tristan*-Handschrift auf Seite 26? **Abschnitt 1.** 7. Was beobachtete Isolde insgeheim? 8. Was entdeckte sie an dem Schwert? 9. Wie paßte der Splitter ins Schwert? 10. Warum quälten sie die beiden Namen? 11. Wie wollte sie sich rächen? 12. Warum durfte Tristan ohne Sorgen sein? **Abschnitt 2.** 13. Was benutzte Frau Isot, um den Liebestrank zu brauen? 14. Was sollte Brangäne mit diesem Trank tun? **Abschnitt 3.** 15. Wer brachte Tristan und Isolde den Trank? 16. Wie wirkte der Trank auf die beiden? **Abschnitt 4.** 17. Welche Personen sieht man auf der Abbildung auf Seite 27? 18. Wo verbargen sich Marke und Melot? 19. Wie bemerkte Tristan, daß Marke und Melot auf dem Baum saßen? 20. Wie zeigte Tristan der herbeieilenden Isolde, daß Gefahr drohte? 21. Geben Sie kurz ihr Gespräch wieder! **Abschnitt 5.** 22. Woran soll ihn der Ring erinnern, den Isolde ihm gibt? 23. Was soll ihr letzter Kuß besiegeln?

4. Albrecht Dürer

(Seite 36–46)

Abschnitt 1. 1. Wann wurde Dürers Mutter tödlich krank? 2. Wieviele Kinder hatte sie? 3. Wem hat sie vor ihrem Tode den Segen gegeben? 4. Wie sah sie im Tode aus? 5. Wie hat Dürer seine Mutter in der Zeichnung dargestellt, die auf Seite 37 abgebildet ist? **Abschnitt 2.** 6. Wer war Giovanni Bellini? 7. Was für ein Mann war er? 8. Wohin wollte Dürer zuerst reisen? 9. Wie lange wollte er dort bleiben? 10. Was sehen wir im Hintergrund des Kupferstichs auf Seite 40? **Abschnitt 3.** 11. Warum wollte Dürer über die Kunst der Malerei schreiben? 12. Was sollten die deutschen Maler lernen? **Abschnitt 4.** 13. Was hat Dürer im Schlaf gesehen? 14. Warum schienen die Wasser, die vom Himmel fielen, gleich langsam zu fallen? 15. Was machte Dürer, als er am Morgen aufstand? **Abschnitt 5.** 16. Wer sind die „vier Apostel" in Dürers Bildern? Sind alle vier wirklich Apostel? 17. Wem schenkte Dürer die Bilder? 18. Wie groß sind die Tafeln? 19. Wie sieht Johannes aus? 20. Welche Gestalten stehen im Hintergrunde der beiden Tafeln? 21. Was drückt sich in der Gestalt des Paulus aus?

5. Martin Luther

(Seite 47–60)

Abschnitt 1. 1. Wie heißt das erste Buch Mose auf Englisch? 2. Was ist der Inhalt dieser 27 Verse? 3. Beschreiben Sie die Illustration aus der ersten Lutherbibel auf Seite 50! **Abschnitt 2.** 4. Was für Übersetzungen der Bibel in die deutsche Sprache gab es vor Luther? 5. Vergleichen Sie die ursprüngliche Luther-Übersetzung des 23. Psalms *(Seite 53)* mit dem modernen Text *(Seite 52)*. Nennen Sie einige Unterschiede! **Abschnitt 3.** 6. Wen soll man fragen, wie man deutsch redet? 7. Was hätte Luther schreiben können statt «Diesen hat Gott der Vater versiegelt»? **Abschnitt 4.** 8. Wer ist «der alt' böse Feind»? 9. Wer schrieb die Melodie zu «Ein' feste Burg»? **Abschnitt 5.** 10. Was muß jedes Reich haben? 11. Wer kann allein über die Seele regieren? 12. Wie sollen die Untertanen des Kaisers und der Fürsten glauben? 13. Was ist Gott allein vorbehalten?

6. Das Faustbuch

(Seite 61–68)

1. Aus welchem Jahrhundert stammt die Faustlegende? 2. Nennen Sie sieben moderne° Versionen° der Faustlegende! **Abschnitt 1.** 3. Was hat Mephistopheles dem Doktor Faustus versprochen? 4. Wie lange soll der Kontrakt gelten? 5. Womit versiegelt Doktor Faustus das Dokument? 6. Wie sieht Mephisto in der Abbildung auf Seite 63 aus? **Abschnitt 2.** 7. Wovon wurde am Sonntag beim Nachtessen geredet? 8. Wovor mußte Doktor Faustus die Studenten warnen, bevor er ihnen die schöne Helena zeigen durfte? 9. Beschreiben Sie die Königin Helena! 10. Wie erscheint Helena in der Abbildung auf Seite 64? **Abschnitt 3.** 11. Warum bat Doktor Faustus die Studenten, die ganze Nacht bei ihm zu bleiben? 12. Warum ist Faustus davon überzeugt, daß der Teufel ihn diese Nacht holen werde? 13. Welche Lehre sollen die Studenten aus Faustus' schrecklichem Ende ziehen? 14. Was sollen die Studenten mit seinem Leib tun? 15. Warum konnten die Studenten nicht recht schlafen? 16. Was sahen sie, als es Tag wurde und sie in Faustus' Stube kamen? 17. Wo fanden sie seinen Leib? 18. Was sehen Sie von Doktor Faustus in der Abbildung auf Seite 68?

7. Die Aufklärung

(Seite 69–82)

Abschnitt 1. 1. Warum wollte der Zahnarzt einen schattigen Platz finden? 2. Wohin setzte er sich? 3. Worauf bestand der Eseltreiber? 4. Was machte das Volk mit dem Esel? 5. Warum sollte dem Esel ein Denkmal errichtet werden? **Abschnitt 2.** 6. Welche Meinung hatte Friedrich von den verschiedenen Religionen? 7. Was fordert er von seinem Volk? 8. Welchen Ehrgeiz haben Friedrichs Landsleute? 9. Was fehlt den Deutschen? 10. Welche Sprache spricht man in der guten Gesellschaft? **Abschnitt 3.** 11. Aus welchen Ursachen wollen viele Menschen unmündig bleiben? 12. Was wird zur Aufklärung eines Publikums erfordert? 13. Was würde von seiten eines Offiziers verderblich sein? 14. Welchen Fürsten lobt Kant? **Abschnitt 4.** 15. Was erwirbt der Mensch durch die Erziehung geschwinder und leichter? 16. Unter welchen Umständen sollte der Mensch nach Lessing wiederkommen? **Abschnitt 5.** 17. Was machte der Sohn nach dem Tode des Vaters? 18. Wo findet er den Schatz? 19. Wie findet man die Wahrheit?

8. Lessing: *Nathan der Weise*

(Seite 83–96)

1. Welcher berühmte Dichter hat vor Lessings Zeit die Geschichte der drei Ringe erzählt? 2. Was hat Saladin schon längst gewollt? 3. Was will der Sultan° von Nathan? 4. Welchen Titel° hofft Saladin von nun an mit Recht zu führen? 5. Was will Nathan tun, ehe er sich dem Sultan ganz vertraut? 6. Was besaß der Mann im Osten? 7. Welche Kraft besaß der Ring? 8. Wer sollte den Ring erhalten? 9. Auf wen kam der Ring endlich? 10. Warum wurde der gute Vater verlegen? 11. Was bestellte er bei dem Künstler? 12. Wem gab der Vater seinen Segen? 13. Warum stritten die drei Söhne? 14. Worauf gründen sich nach Nathans Meinung die Religionen°? 15. Was schwur jeder Sohn dem Richter? 16. Wen wollte der Richter holen lassen? 17. Was ist nach der Meinung des Richters mit dem echten Ringe geschehen? 18. Was sollte jeder der Söhne nun glauben? 19. Wonach sollten die drei Söhne streben? 20. Beschreiben Sie den Eindruck, den Nathans Geschichte auf Saladin macht! 21. Welche Unterschiede bemerken Sie zwischen den beiden Nathan-Darstellungen auf Seite 87 und 90?

9. Goethe: *Faust*
(*Seite 97–135*)

1. Wie unterscheidet sich Goethes *Faust* von dem Faustbuch? 2. Vergleichen Sie die drei Darstellungen von Faust in seinem Studierzimmer auf Seite 97, 98 und 101! **Abschnitt 1.** 3. Wovor fürchtet sich Faust nicht? 4. Was will Faust mit Hilfe der Magie erkennen? **Abschnitt 2.** 5. In welcher Gestalt gelingt es Mephistopheles, in Fausts Zimmer einzudringen? 6. Was tut der Hund? 7. Welche Wirkung hat Salomonis Schlüssel auf den Hund? 8. Was geschieht mit dem Hund in der Abbildung auf Seite 103? 9. Wie ist Mephistopheles gekleidet, als er hinter dem Ofen hervortritt? 10. Vergleichen Sie den Mephisto in der Lithographie von Delacroix mit dem auf dem Holzschnitt auf Seite 63! **Abschnitt 3.** 11. Wozu glaubt sich Faust zu alt? zu jung? 12. Warum möchte er bitter weinen? 13. Wozu ist Mephisto bereit? 14. Welcher Tag soll für Faust der letzte sein? 15. Womit soll Faust den Kontrakt unterzeichnen? 16. Welche zwei Welten verspricht Mephisto dem Doktor zu zeigen? 17. Wie werden Mephisto und Faust von Ort zu Ort kommen? **Abschnitt 4.** 18. Was tut Gretchen, während sie sich auszieht? 19. Was erblickt sie, als sie den Schrein öffnet? 20. Wo findet sie den Schlüssel zu dem Schmuckkästchen? 21. Worüber freuen sich Gretchen und Frau Marthe so sehr in der Photographie auf Seite 111? **Abschnitt 5.** 22. Warum hat Faust Gretchen verlassen? 23. Wo sitzt Gretchen während dieser ganzen Szene? 24. Warum findet Gretchen keine Ruhe? **Abschnitt 6.** 25. Warum wurde Gretchen ins Gefängnis geworfen? 26. Erzählen Sie kurz den Inhalt dieser Szene! 27. Vergleichen Sie die drei Photographien von Gretchen auf Seite 111, 113 und 118! **Abschnitt 7.** 28. Warum wird der zweite Teil des *Faust* nicht oft gelesen? 29. Welche von den beiden Welten sieht Faust in diesem Teil des Dramas? 30. Wen will der Kaiser sehen? 31. Was geschieht, als Faust den Schlüssel in die Hand nimmt? 32. Wohin wird Faust von dem magischen Schlüssel geführt? 33. Was soll er aus dem Reich der Mütter zurückbringen? 34. Was geschieht, als Faust auf den Boden stampft? **Abschnitt 8.** 35. Wer ist der schöne Jüngling, der hervortritt? 36. Was tut Paris im Schlaf? 37. Wie wirkt Helena auf Mephistopheles? auf Faust? auf die Herren? auf die Damen? 38. Beschreiben Sie die Liebesszene zwischen Paris und Helena! 39. Wie unterbricht Faust diese Szene? **Abschnitt 9.** 40. Warum klang Helena die Rede des Mannes seltsam? 41. Was beschreibt der Chor? **Abschnitt 10.** 42. Wie alt ist Faust geworden? 43. Was ist für Faust «der Weisheit letzter Schluß»? 44. Warum

können die Engel Faust erlösen? 45. Wer führt ihn in den Himmel? 46. Welche Abbildung in dem Faust-Kapitel zeigt den modernsten Stil?

10. Schiller: *Wilhelm Tell*
(*Seite 136–161*)

1. Wer war Deutschlands größter dramatischer Dichter? 2. Welcher berühmte Dichter war ein Zeitgenosse Schillers? 3. Beschreiben Sie kurz die Abbildung auf Seite 151! **Abschnitt 1.** 4. Wo sehen wir Geßlers Hut? 5. Was sagt Tell, als sein Sohn ihn auf den Hut aufmerksam macht? 6. Was spricht Tell, um die aufgeregte Menge zu beruhigen? 7. Wer kommt mit dem Landvogt? 8. Wie antwortet das Volk auf die Fragen des Landvogts? 9. Was sagt Tells Sohn, um zu beweisen, daß der Vater ein Meisterschütze ist? 10. Was verlangt Geßler von Tell? 11. Warum muß Tell den Apfel auf den ersten Schuß treffen? 12. Was nimmt Tell aus seinem Köcher? 13. Was tut Rudenz, als Geßler seinen Soldaten den Wink gibt, ihn gefangen zu nehmen? 14. Was ruft Stauffacher in diesem Augenblick? 15. Warum nimmt Geßler Tell gefangen? **Abschnitt 2.** 16. Warum glaubt Tell, die Gelegenheit sei günstig, Geßler zu ermorden? 17. Wen muß er vor der Wut des Landvogts schützen? 18. Zu welchem Zwecke hatte der Kaiser Geßler in dieses Land geschickt? 19. Was droht er in dem Augenblick, als ihn der Pfeil durchbohrt? 20. Was spricht Tell, als er auf der Höhe steht? 21. Woher stammen die Illustrationen auf Seite 142, 143 und 158? 22. Identifizieren Sie die Personen auf der Photographie auf Seite 147!

11. Ludwig van Beethoven
(*Seite 162–170*)

1. Wie alt war Beethoven, als er das Heiligenstädter Testament schrieb? 2. Wieviele seiner Symphonien° hatte er zu dieser Zeit schon komponiert? 3. In welchem Jahre starb er? 4. Welches Gedicht finden wir im letzten Teil der Neunten Symphonie? 5. Inwiefern tun ihm die Leute unrecht? 6. Was war ihm unmöglich? 7. Warum wird er in Gesellschaft ängstlich? 8. Was vernahm Beethoven, als ein Freund einen Hirten singen hörte? 9. Was hielt ihn davon zurück, sein Leben zu enden? 10. Wen erklärt er als Erben seines Vermögens? 11. Wofür dankt er seinem Bruder Karl insbesondere? 12. Wovon wird ihn der Tod befreien? 13. Wann wurde dieses Testament das erste Mal unterzeichnet? 14. Welche Worte aus Schillers Lied sehen wir in der Abbildung der Manuskriptseite der Neunten

Symphonie? 15. Welche Worte können Sie in der Abbildung auf Seite 165 lesen?

12. Deutsche Lyrik
(Seite 171–193)

1. Erzählen Sie kurz den Inhalt von drei Gedichten aus dieser Auswahl! 2. Welche Gedichte kann man auch als Lieder hören? 3. Wie heißen die Komponisten° dieser Lieder? 4. Beschreiben Sie den Unterschied zwischen einem gesprochenen und einem gesungenen Gedicht! 5. Wie passen die Abbildungen auf Seite 172, 174, 176, 179 und 190 zu den betreffenden Gedichten?

13. Jakob und Wilhelm Grimm: *Der Bärenhäuter*
(Seite 194–203)

1. Was für ein Soldat war der Held des Märchens? 2. Warum ging er zu seinen Brüdern? 3. Worum bat er die Brüder? 4. Wie sah der Mann aus, der auf der Heide erschien? 5. Was tat der Soldat, als er den Bären sah? 6. Unter welchen Bedingungen wollte der Teufel dem Soldaten helfen? 7. Warum sollte der Held „Bärenhäuter” heißen? 8. Wie sah der Soldat nach einigen Jahren aus? 9. Was mußte er dem Wirte versprechen? 10. Wen fand er im Nebenzimmer? 11. Warum sollte der Mann ins Gefängnis gesetzt werden? 12. Welchen Eindruck machte der Bärenhäuter auf die älteste Tochter? 13. Was sagte der Bärenhäuter, als er Abschied nahm? 14. Was tat er in den nächsten drei Jahren? 15. Was mußte der Teufel für den Bärenhäuter tun? 16. Wie fuhr der Bärenhäuter zu seiner Braut? 17. Was fand die jüngste Tochter im Becher? 18. Was hat der Teufel am Ende doch gewonnen? 19. Wo sammelten die Brüder Grimm zuerst ihre Märchen? 20. Was erzählte ihnen die Bäuerin aus Niederzwehrn?

14. Heine: *Die Harzreise*
(Seite 204–217)

1. In welchem Jahr erschien *Die Harzreise?* 2. Welche Reise wird hier beschrieben? 3. Was enthält das Werk außer der Reisebeschreibung? **Abschnitt 1.** 4. Wodurch ist Göttingen berühmt? 5. Wann gefällt einem die Stadt am besten? 6. Warum kann Heine nicht die Namen aller Professoren nennen? 7. Was machte der Professor mit den Papierchen, die er im Traum pflückte? 8. Wen vergleicht Heine mit den Pyramiden Ägyptens?

Abschnitt 2. 9. Was wußte der Geist des Gebirges? 10. Was klang lieblich in der Ferne? 11. Was haben Heine und der Hirt gegessen? 12. Wo läßt es sich gut sitzen? 13. Beschreiben Sie kurz die Photographie auf Seite 209! **Abschnitt 3.** 14. Was hatte der Burschenschafter in Berlin getan? 15. Was trank man nach dem Bier? 16. Was wurde voller, während die Flaschen leerer wurden? 17. Was tat der Mann, der sein Weinglas wie ein Perspektiv vor die Augen hielt? 18. Wen liebt der Greifswälder? 19. Warum schrieb Heine ein Gedicht über den Sonnenaufgang? 20. Beschreiben Sie das Brockenhotel! (*Siehe Abbildung Seite 213*) **Abschnitt 4.** 21. Erzählen Sie kurz die Sage von der Ilse! 22. Wozu lädt ihn die Prinzessin Ilse ein? 23. Wie paßt die Abbildung des Ilsetals auf Seite 211 zu Heines Beschreibung?

15. Richard Wagner: *Tristan und Isolde*
(*Seite 218–235*)

1. Was ist die Vorlage zu Wagners *Tristan und Isolde?* 2. Nennen Sie die vier Teile des *Ring des Nibelungen!* 3. Welcher Teil von Wagners *Tristan*-Handschrift ist auf Seite 219 abgebildet? **Abschnitt 1.** 4. Was fand Isolde in Morolds Haupt? 5. Wie wollte sie Morolds Tod rächen? 6. Warum ließ sie das Schwert fallen? **Abschnitt 2.** 7. Warum will Isolde sterben? 8. Beschreiben Sie, wie Tristan und Isolde den Becher leeren! 9. Was hört man von draußen, als Tristan und Isolde einander in die Arme sinken? 10. Welche Szene des Dramas finden Sie auf Seite 225 dargestellt? **Abschnitt 3.** 11. Wie wird der zweite Akt oft genannt? 12. Wo sind Tristan und Isolde, als Marke mit seinem Gefolge hereinstürzt? 13. Welche unwillkürliche Bewegung macht Tristan? 14. Warum fährt Melot wütend auf? 15. Beschreiben Sie den Kampf zwischen Tristan und Melot! **Abschnitt 4.** 16. Beschreiben Sie das Bühnenbild des letzten Aktes auf Seite 231! 17. Was sieht Tristan in seiner Vision? 18. Wie erfahren wir zum ersten Mal, daß das Schiff wirklich ankommt? 19. Was tut Tristan, nachdem er Kurwenal zum Schiff geschickt hat? 20. Wie stirbt er? **Abschnitt 5.** 21. Was beschreibt Isolde mit ihren letzten Worten? 22. Was tut Marke, als der Vorhang fällt?

16. Bismarck
(*Seite 236–246*)

Abschnitt 1. 1. Wofür haben die Preußen eine Vorliebe? 2. Woraufhin muß Preußen seine Kraft zusammenhalten? 3. Wodurch werden die großen Fragen der Zeit entschieden? 4. An welche Gefahr dachte Bismarck?

5. Warum fuhr er dem König entgegen?   6. Welches Schicksal erwartete der König?   7. Warum sollte der König nicht an Ludwig XVI. denken? 8. In welcher Rolle° sah sich der König jetzt?   9. In was für einer Stimmung kam er nach Berlin?   **Abschnitt 2.**   10. Wann erfuhr Bismarck vom Ziffertelegramm° aus Ems°?   11. Welchen Eindruck machte das Telegramm auf seine Gäste?   12. Was zwang Preußen nach Bismarcks Ansicht zum Kriege? 13. Wie sollte der neue Text° des Telegramms bekannt gemacht werden? 14. Welchen Eindruck sollte das Telegramm in Paris machen?   15. Was verlangte der französische Botschafter vom König?   16. Was hat der König dem Botschafter später mitgeteilt?   **Abschnitt 3.**   17. Was ist das «falsche Bild" von Bismarck, worüber Hassell schreibt?   18. Welches waren Bismarcks große Gaben?   19. Welches geschichtliche Ereignis zeigt Tenniels «Dropping the Pilot" (*siehe Abbildung Seite 246*)?

17. Friedrich Nietzsche: *Also sprach Zarathustra*
(*Seite 247–252*)

1. Beschreiben Sie Nietzsche, wie ihn Max Klinger dargestellt hat! (*Siehe Abbildung Seite 247*)   **Abschnitt 1.**   2. Wie heißt das bekannteste Werk Nietzsches?   3. Wohin kam Zarathustra?   4. Wen wollte das Volk auf dem Markt sehen?   5. Welchen Weg hat der Mensch nach Zarathustras Worten gemacht?   6. Was schrie einer aus dem Volke, nachdem Zarathustra gesprochen hatte?   7. Was ist am Menschen groß?   8. Beschreiben Sie kurz, was für Menschen Zarathustra liebt!   9. In welchen Bildern spricht Zarathustra von sich selbst am Schluß seiner zweiten Rede?   **Abschnitt 2.**   10. Worauf wartet Zarathustra?   11. Was soll die neue Ehre des Menschen ausmachen?   12. Was sollen die Menschen an ihren Kindern gutmachen?

18. Thomas Mann: *Buddenbrooks*
(*Seite 253–266*)

1. In welchem Jahr erhielt Thomas Mann den Nobelpreis?   2. Welches Werk Thomas Manns wird in Amerika am meisten gelesen?   3. Welchen Untertitel trägt *Buddenbrooks?*   4. Wieviele Generationen° der Buddenbrook-Familie° werden im Roman geschildert?   5. Warum wurde es still in der Klasse, als Dr. Mantelsack eintrat?   6. Wie konnte man feststellen, daß Dr. Mantelsack guter Laune war?   7. Warum war es wichtig, ob er guter oder schlechter Laune war?   8. Warum rang Hanno die Hände unter dem Tisch? 9. Wozu war Lüders zu träge?   10. Wie las Timm aus seinem offenen Buch? 11. Warum stockte Timm, als Dr. Mantelsack dicht neben ihm stand? 12. Wie

erklärte er es, daß er stockte? 13. Was schrieb Dr. Mantelsack in sein Notizbuch neben Timms Namen? 14. Warum fühlte sich Hanno erleichtert, als Mumme aufgerufen wurde? 15. Warum rief Dr. Mantelsack Hanno auf? 16. Was entdeckte Dr. Mantelsack, als Petersen rezitierte? 17. Was dachten die Schüler von Petersen? 18. Was taten die Schüler, als die Stunde dem Ende zuging?

19. Hermann Hesse: *Der Steppenwolf*
(*Seite 267–280*)

1. Wann erschien Hesses *Steppenwolf?* 2. Wie groß waren die Figuren, die Harrys Persönlichkeit darstellten? 3. Was zeigt das Lebensspiel demjenigen, dessen Ich auseinandergefallen ist? 4. Inwiefern unterschied sich das zweite Spiel von dem ersten? 5. Wohin steckte Haller seine Figürchen? 6. Wem sah der Tierbändiger ähnlich? 7. Zeigen Sie an drei Beispielen, wie der Wolf die Befehle des Tierbändigers ausführte! 8. Was machte der Mann mit der Schokolade, die ihm vorgesetzt wurde? 9. Was spürte Haller im Munde, als er im Theatergang auf und ab lief? 10. Was erblickte er im Spiegel das erste Mal? das zweite Mal? 11. Was hörte er auf einmal aus dem Innern des Theaters? 12. Mit was für einem Apparat beschäftigte sich Mozart? 13. Wozu war Haller am Ende bereit?

Translation of the picture captions

Page

1 *Germania:* English edition, 1598
3 Column of Marcus Aurelius in Rome: captured Germani
4 Column of Marcus Aurelius: Soldiers with Germanic women captives
5 Column of Marcus Aurelius: Roman soldier fighting a Germanic warrior
5 Germanic god of war
6 Models of Germanic houses
8 Germanic vessel
8 Roman coin
9 'Emperor Charles, a Christian'
10 Coronation of Charlemagne
11 Construction of the cathedral at Aachen
12 Imperial orb
12/13 Charlemagne's coronation robe
13 Imperial cross
14 Original manuscript of the *Vita Karoli*
16 Aachen cathedral: view from Charlemagne's throne to the cupola
17 Imperial crown
19 Charlemagne and Pope Leo III kneeling before St. Peter
20 Louis the Pious, son of Charlemagne
24/25 Illustrations from a Tristan manuscript: Tristan and Morold before the combat. Tristan slays Morold
33 Battle scene
37 Dürer's mother. Drawing
38 Marginal ornamentations from Emperor Maximilian's Prayer Book

Page

40 St. Anthony, with Nuremberg in the background. Copper engraving
40 Book plate
41 Willibald Pirckheimer. Drawing
42/43 Vision. Water color
45 The Four Apostles. Oil
46 Last Supper. Woodcut
49 Ornamented initial letter from the first Luther Bible
59 Title page of the first Luther Bible, 1533
60 The Wartburg. Drawing by Goethe
85 Title page of the first edition
87 Ernst Deutsch as Nathan. Ruhr Festival Performances 1956
95 From an 1873 edition
97 Appearance of the Earth Spirit. Drawing by Goethe
99 Faust in his study. Etching after Rembrandt. From volume 7 of Goethe's works, in which the unfinished *Faust* was published for the first time. 1790
106 From the Hamburg performance
115 Prison scene from the Hamburg performance
123 Ernst Barlach: Faust and Mephisto. Woodcut, 1923
133 Witches in magic circle. Drawing by Goethe
136 Schiller monument by Thorwaldsen in Stuttgart
138 Schiller's handwriting, third act, third scene
142 Illustrations from the first edition, printed in 1805
145 From a *Tell* performance in Stuttgart, 1950/1951.
151 Copper engraving, 1657

Page

156 Market place in Altdorf, with Tell monument

157 Tell tower in Altdorf. Old copper engraving

158 Illustration from the first edition, 1805. Rütli oath

172 From the Weingarten Songbook

176 Hans Beham: Death and the Maiden. Woodcut

177 First edition of Beethoven's musical setting of the «Mailied»

179 The poem, «Über allen Gipfeln ist Ruh", as written by Goethe on the wall of his garden house. *Right:* the garden house

183 Silhouette and handwriting of Hölderlin

188 First edition of the poetry collection containing Heine's «Wenn ich in deine Augen seh' "

190 Käthe Kollwitz: Mother protecting her children. Lithograph, 1942

191 First edition of the collection containing George's "Der Ringer", 1895

194 The Grimm Brothers

197 Ludwig Richter: illustration from an edition of the fairy tales

203 The fairy tale woman of Zwehrn

Page

206 University library at the time of the *Harzreise*

207 Towers of Göttingen

208 Harz region with the Brocken in the distance

211 The valley of the Ilse

213 Hotel on the Brocken, with observation tower

225 From a performance by the Municipal Opera, Berlin

227 Wagner at a Bayreuth rehearsal

231 Hans Knappertsbusch, Wolfgang Wagner, Herbert von Karajan and Wieland Wagner reading a Wagner score

242 Bismarck's revision of the telegram to the Prussian ambassadors

246 Tenniel's famous cartoon "Dropping the Pilot" depicting Bismarck's resignation

247 Max Klinger: bust of Nietzsche

255 Seal of Lübeck from the 13th century

257 Patrician houses of old Lübeck

260 City hall in Lübeck

264 View of Lübeck

269 Photographic portrait of the poet, 1955

277 «Flötenspiel", poem by Hesse

Vocabulary

The vocabulary is complete, except for articles, pronouns, pronominal adjectives, numerals, days of the week, and months; identical and obvious cognates which have been indicated by a superior circle in the text; and compounds whose meaning is readily derivable from the meanings of the components.

Verbs appear in the vocabulary only in their infinitive form. In the case of any irregular form from which the student is unable to derive the infinitive, he is expected to consult the List of Basic Verbs With Irregular Principal Parts. An asterisk (*) following an infinitive listed in the vocabulary indicates that the principal parts of its root verb appear in this table.

For a statement of the pedagogical principles upon which the vocabulary was constructed, see Preface.

List of Basic Verbs with Irregular Principal Parts

befehlen (er befiehlt)	befahl	befohlen
beißen	biß	gebissen
bergen (er birgt)	barg	geborgen
biegen	bog	gebogen
bieten	bot	geboten
binden	band	gebunden
bitten	bat	gebeten
blasen (er bläst)	blies	geblasen
bleiben	blieb	geblieben
braten (er brät)	briet	gebraten
brechen (er bricht)	brach	gebrochen
brennen	brannte	gebrannt
bringen	brachte	gebracht
denken	dachte	gedacht
dringen	drang	gedrungen
dürfen (er darf)	durfte	gedurft
empfehlen (er empfiehlt)	empfahl	empfohlen
essen (er ißt)	aß	gegessen
fahren (er fährt)	fuhr	gefahren
fallen (er fällt)	fiel	gefallen
fangen (er fängt)	fing	gefangen
finden	fand	gefunden
fliegen	flog	geflogen
fliehen	floh	geflohen
fließen	floß	geflossen
fressen (er frißt)	fraß	gefressen
frieren	fror	gefroren
geben (er gibt)	gab	gegeben
gehen	ging	gegangen
gelingen	gelang	gelungen
gelten (er gilt)	galt	gegolten
genießen	genoß	genossen
geschehen (es geschieht)	geschah	geschehen
gewinnen	gewann	gewonnen
gießen	goß	gegossen
gleichen	glich	geglichen
gleiten	glitt	geglitten
graben (er gräbt)	grub	gegraben
greifen	griff	gegriffen
halten (er hält)	hielt	gehalten
hangen (er hängt)	hing	gehangen
heben	hob	gehoben
heißen	hieß	geheißen

iii

helfen (er hilft)	half	geholfen
kennen	kannte	gekannt
klingen	klang	geklungen
kommen	kam	gekommen
können (er kann)	konnte	gekonnt
kriechen	kroch	gekrochen
laden (er lädt *or* ladet)	lud	geladen
lassen (er läßt)	ließ	gelassen
laufen (er läuft)	lief	gelaufen
leiden	litt	gelitten
leihen	lieh	geliehen
lesen (er liest)	las	gelesen
liegen	lag	gelegen
lügen	log	gelogen
meiden	mied	gemieden
messen (er mißt)	maß	gemessen
mögen (er mag)	mochte	gemocht
müssen (er muß)	mußte	gemußt
nehmen (er nimmt)	nahm	genommen
nennen	nannte	genannt
pfeifen	pfiff	gepfiffen
preisen	pries	gepriesen
raten (er rät)	riet	geraten
reiben	rieb	gerieben
reißen	riß	gerissen
reiten	ritt	geritten
rennen	rannte	gerannt
ringen	rang	gerungen
rinnen	rann	geronnen
rufen	rief	gerufen
schaffen	schuf	geschaffen
scheiden	schied	geschieden
scheinen	schien	geschienen
schelten (er schilt)	schalt	gescholten
schieben	schob	geschoben
schießen	schoß	geschossen
schlafen (er schläft)	schlief	geschlafen
schlagen (er schlägt)	schlug	geschlagen
schleichen	schlich	geschlichen
schließen	schloß	geschlossen
schmeißen	schmiß	geschmissen
schneiden	schnitt	geschnitten
schrecken (er schrickt)	schrak	geschrocken
schreiben	schrieb	geschrieben
schreien	schrie	geschrie(e)n

schreiten	schritt	geschritten
schweigen	schwieg	geschwiegen
schwellen (er schwillt)	schwoll	geschwollen
schwimmen	schwamm	geschwommen
schwinden	schwand	geschwunden
schwören	schwur	geschworen
sehen (er sieht)	sah	gesehen
sein (er ist)	war	gewesen
senden	sandte	gesandt
singen	sang	gesungen
sinken	sank	gesunken
sinnen	sann	gesonnen
sitzen	saß	gesessen
sprechen (er spricht)	sprach	gesprochen
springen	sprang	gesprungen
stehen	stand	gestanden
stehlen (er stiehlt)	stahl	gestohlen
steigen	stieg	gestiegen
sterben (er stirbt)	starb	gestorben
stoßen (er stößt)	stieß	gestoßen
streichen	strich	gestrichen
streiten	stritt	gestritten
tragen (er trägt)	trug	getragen
treffen (er trifft)	traf	getroffen
treiben	trieb	getrieben
treten (er tritt)	trat	getreten
trinken	trank	getrunken
trügen	trog	getrogen
tun	tat	getan
verderben (er verdirbt)	verdarb	verdorben
vergessen (er vergißt)	vergaß	vergessen
verlieren	verlor	verloren
verzeihen	verzieh	verziehen
wachsen (er wächst)	wuchs	gewachsen
waschen (er wäscht)	wusch	gewaschen
weichen	wich	gewichen
weisen	wies	gewiesen
wenden	wandte	gewandt
werben (er wirbt)	warb	geworben
werden (er wird)	wurde (or ward)	geworden
werfen (er wirft)	warf	geworfen
winden	wand	gewunden
wissen (er weiß)	wußte	gewußt
ziehen	zog	gezogen
zwingen	zwang	gezwungen

A

ab *off*

ab-ändern *to change, alter*

die Abbildung -en *illustration;* ab-bilden *to illustrate*

ab-brechen* *to break off; to turn from*

der Abend -s -e *evening;* abends *in the evening;* der Abendschein -s *light of evening*

das Abenteuer -s - *adventure;* abenteuerlich *fantastic, adventurous*

abermals *again*

abgebrochen *fragmentary*

ab-gehen (ist)* *to go off, go away, make an exit*

der Abgrund -s ̈-e *abyss*

ab-hangen* *to depend (on)*

ab-kühlen *to cool off, cool down*

ab-laufen (ist)* *to run down, expire*

ab-legen *to take off*

ab-lehnen *to refuse, reject*

ab-nehmen* *to decrease*

ab-sagen *to renounce*

der Abschied -s -e *departure, discharge;* Abschied nehmen *to say goodbye, take leave;* der Abschiedstrunk -s *parting drink, farewell drink*

ab-schlagen* *to strike off, beat off*

der Abschluß -sses ̈-sse *conclusion*

ab-schneiden* *to cut off;* der Abschnitt -s -e *section*

ab-schrecken *to frighten, terrify*

ab-schwächen *to weaken, diminish*

ab-setzen *to depose*

die Absicht -en *intention;* absichtlich *intentional*

ab-steigen (ist)* *to dismount, climb down*

ab-sterben (ist)* *to die off*

ab-tun* *to finish off*

ab-waschen* *to wash off*

ab-wenden* *to turn away*

ab-werfen* *to throw off*

die Abwesenheit *absence*

ab-ziehen* *to pull off, take off;* ab-ziehen (ist)* *to go away*

die Acht *care;* acht haben *to observe;* in acht nehmen *to note;* sich in acht nehmen *to take care;* achten *to pay attention to, consider, esteem*

der Affe -n -n *ape, monkey*

ahnen *to suspect, sense*

ähnlich *similar*

all *all;* alle *everybody, every;* alles *everything*

allein *alone;* (conj.) *but*

allerdings *to be sure*

allergeringst *slightest, least of all*

allerkleinst *very smallest*

allerlei *all kinds of*

allerorten *everywhere*

allertiefst *deepest of all*

allerwenigst *least of all*

allgemein *general*

allmächtig *almighty*

allmählich *gradual*

allzu *all too*

als *when, as, as if; than, but, except;* als ob *as if;* als wenn *as if;* als wie *as if*

alsbald *immediately*

also *so, therefore, thus*

alt *old, ancient;* älter *older, elderly;* das Alter -s - *age;* hohes Alter *advanced age*

das Amt -es ̈-er *office, official position, function;* wir tun, was unseres Amtes *we are doing our duty;* amtlich *official*

an *at, on, in, to, with respect to;* an sich *in itself*

an-bieten* *to offer (to)*

der Anblick -s *sight;* an-blicken *to look at*

an-brechen (ist)* *to dawn*

ander *other, next, different, second;* anders *otherwise, differently, else;* anderswo *elsewhere*

ändern *to change;* die Änderung -en *change, alteration*

aneinander *against one another*

aneinander-stoßen* *to abut, be adjacent to*

der Anfang -s ⸚e *beginning;* an-fangen* *to begin, start*

an-fassen *to seize, lay hold of*

an-füllen *to fill up*

an-geben* *to indicate, mark*

an-gehen (ist)* *to begin, have to do with;* es geht mich nichts an *it doesn't concern me*

an-gehören *to belong (to);* angehörig *belonging to*

angenehm *pleasant, pleasing*

das Angesicht -s -er *countenance*

angestrengt *intent*

an-greifen* *to attack, affect*

die Angst ⸚e *fear, anxiety;* ängstlich *anxious, disturbed, worried;* die Ängstlichkeit -en *anxiety;* angstvoll *fearful*

an-halten* *to stop*

an-hangen* *to cling (to)*

an-hören *to listen (to)*

an-kommen (ist)* *to arrive;* es kommt uns auf . . . an *we are concerned with . . . ;* es kommt darauf an *it depends;* die Ankunft ⸚e *arrival*

an-lächeln *to smile at;* an-lachen *to laugh at, smile at*

an-laufen (ist)* *to run to, attack*

die Anmerkung -en *comment*

die Anmut *charm, grace;* anmutig *graceful*

an-nehmen* *to assume; to accept*

der Anreiz -es -e *incitement*

an-rufen* *to appeal, call to, call upon*

an-rühren *to touch*

an-sagen *to say, tell*

an-schauen *to look at*

sich an-schließen* *to join*

an-sehen* *to look at, behold, consider;* man sieht es Ihnen an der Nase an *one can tell by looking at your nose;* das Ansehen -s *respect; appearance*

an-setzen *to put to one's lips; to begin to play*

die Ansicht -en *view, opinion*

der Anstand -s *grace, decency;* anständig *decent, honorable*

an-starren *to stare at*

an-stimmen *to strike up*

das Antlitz -es -e *face, countenance*

an-tun* *to put on*

die Antwort -en *answer;* antworten *to answer*

an-weisen* *to show, assign*

anwesend *present*

an-zeigen *to indicate*

an-ziehen* *to draw; to dress, put on*

der Apfel -s ⸚ *apple*

die Arbeit -en *work, exercise;* arbeiten *to work;* der Arbeiter -s - *worker*

arg *bad, wicked, evil*

arm *poor;* die Armut *poverty*

die Art -en *way, manner, kind, nature;* Art und Weise *manner;* artig *nice, pleasant, well-mannered*

der Arzt -es ⸚e *physician*

der Ast -es ⸚e *branch*

der Atem -s *breath;* die Atemkraft *vital power;* atmen *to breathe*

auch *also, too, even*

auf *at, in, on, to, for*

der Aufbau -s *construction;* auf-bauen *to construct;* der Aufbauer -s - *builder*

die Aufbewahrung *preservation*

auf-blicken *to look up*

auf-blühen *to bud*

auf-brechen* *to break open, break into*

aufeinander-stoßen (ist)* *to come together, collide*

auf-fassen *to interpret, comprehend; to collect; to lift up;* die Auffassung -en *conception, interpretation*

auf-fordern *to invite, ask, challenge*

auf-fressen* *to eat up*

die Aufgabe -n *task;* auf-geben* *to give up*

auf-gehen (ist)* *to rise, come up;* auf-gehen lassen *to bring forth*

auf-halten* *to stop*

auf-hängen* *to hang up*

auf-heben* *to pick up, keep;* Gastrecht aufheben *to withdraw hospitality*

auf-hören *to cease, stop*

auf-klären *to enlighten;* die Aufklärung *enlightenment*

auf-lauern *to lie in wait for*

auf-legen *to put on, lay on*

auf-leuchten *to light up*

auf-lösen *to dissolve*

auf-machen *to open*

auf-merken *to take note;* aufmerksam *attentive*

auf-nehmen* *to receive, take up, begin;* es mit jemand aufnehmen *to be a match for someone*

auf-putzen *to adorn*

aufrecht *upright*

auf-regen *to excite, stir up;* die Aufregung -en *excitement, agitation*

auf-reißen* *to tear open, expose*

auf-richten *to erect;* sich aufrichten *to arise*

aufrichtig *honest*

auf-rufen* *to call on*

auf-schieben* *to open; to postpone*

auf-schlagen* *to lift up, raise*

auf-schrecken *to startle*

auf-schreiben* *to write down*

auf-schreien* *to cry out*

der Aufseher -s - *supervisor*

auf-setzen *to set up; to put on*

auf-stecken *to set up; affix*

auf-stehen (ist)* *to get up, stand up*

auf-stellen *to set up*

auf-tauchen (ist) *to emerge, appear*

auf-tragen* *to serve*

auf-treten (ist)* *to enter*

auf-tun* *to open*

auf-wachen (ist) *to wake up*

das Auge -s -n *eye;* der Augenblick -s -e *moment;* augenleidend *having trouble with the eyes*

die Ausbildung *development*

aus-brechen (ist)* *to break out*

aus-breiten *to spread out*

der Ausbruch -s ¨e *outbreak*

der Ausdruck -s ¨e *expression;* aus-drücken *to express*

auseinander-fallen (ist)* *to fall apart*

auseinander-spalten *to split apart*

auseinander-treiben* *to scatter, disperse*

auserwählt *chosen*

aus-führen *to do, carry out;* ausführlich *explicit, detailed*

der Ausgang -s ¨e *conclusion, outcome*

aus-geben* *to give out, spend;* sich ausgeben *to claim to be*

aus-gehen (ist)* *to go out;* ausgehen lassen *to issue, publish*

aus-greifen* *to reach out*

aus-machen *to settle, make a difference; constitute*

ausnahmsweise *exceptionally*

ausreichend *sufficient*

aus-reißen* *to tear out*

aus-rufen* *to exclaim*

aus-ruhen *to rest*

aus-schicken *to send out*

aus-schließen* *to exclude*

aus-sehen* *to look, appear;* das Aussehen -s *appearance*

außen *outside;* nach außen *outward*

aus-senden* *to send out*

außer *out of, beside, except;* außer Spiel *not playing;* außerdem *besides;* außerhalb *outside of, out of*

äußern *to express, manifest*

außerordentlich *extraordinary*

äußerst *extremely*

die Äußerung -en *assertion, remark*

die Aussicht -en *prospect, view*

aus-spannen *to spread out*

aus-sprechen* *to utter, express*

aus-sterben (ist)* *to die out*

aus-stoßen* *to emit*
aus-strecken *to stretch out*
die Auswahl *selection*
auswendig *by heart*
aus-zeichnen *to distinguish*
aus-ziehen* *to draw out, pull out; to take off, undress;* aus-ziehen (ist)* *to leave*

B

der Bach -es ⸚e *brook*
die Backe -n *cheek*
das Bad -es ⸚er *bath;* baden *to bathe*
die Bahn -en *path, course, track;* der Bahnhof -s ⸚e *station*
bald *soon;* bald . . . bald *now . . . now*
das Band -es ⸚er *bond, ribbon;* der Band -es ⸚e *volume*
bang *anxious, alarmed*
die Bank ⸚e *bench*
die Barmherzigkeit *mercy, acts of charity*
der Bart -es ⸚e *beard*
bauen *to build*
der Bauer -s or -n -n *peasant, farmer;* bäuerlich *peasant*
der Baum -es ⸚e *tree;* die Baumwurzel -n *tree root*
beachten *to notice;* beachtenswert *noteworthy, worthy of consideration*
beängstigen *to frighten, worry*
beantworten *to answer;* die Beantwortung *answer, response*
beben *to tremble*
der Becher -s - *cup*
bedauerlich *regrettable*
bedecken *to cover*
bedenken* *to consider;* sich bedenken *to reflect*
bedeuten *to mean;* bedeutend *important, significant, serious;* die Bedeutung *meaning, significance*
bedienen *to serve;* sich bedienen *to make use of*
die Bedingung -en *condition*
bedrücken *to oppress*

beenden *to finish, end;* beendigen *to finish, end*
befallen* *to attack*
der Befehl -s -e *command;* befehlen* *to command, order*
befestigen *to strengthen*
sich befinden* *to be*
befördern *to foster*
befreien *to free*
befriedigen *to satisfy*
begabt *gifted, talented;* die Begabung -en *talent*
sich begeben* *to go*
begegnen (ist) *to meet*
begehren *to desire, demand*
begeistern *to inspire, enthuse;* die Begeisterung *enthusiasm*
die Begierde -n *desire;* begierig *eager*
begleiten *to accompany*
begraben* *to bury*
begreifen* *to comprehend;* der Begriff -s -e *concept;* im Begriff *about to*
begünstigen *to favor*
das Behagen -s *comfort*
behalten* *to keep, retain;* Recht behalten *to prove to be right*
behandeln *to treat*
behaupten *to assert, maintain, claim*
beherrschen *to rule over, have command of*
behüten *to preserve, guard;* behüte Gott! *God forbid!;* behutsam *cautious*
bei *at, by, in connection with, among, with, near, next to*
bei-behalten* *to retain*
beide *both, two*
der Beifall -s *applause, approval*
das Bein -s -e *leg; bone*
beinahe *almost*
das Beispiel -s -e *example*
bei-stehen* *to stand by, help*
bekannt *known, familiar, well known;* ich mache Euch bekannt *I will let you know;* der Bekannte -n -n *acquaintance*

bekennen* *to confess*
sich beklagen *to complain, object*
bekommen* *to receive, get*
bekräftigen *to confirm, strengthen*
bekränzen *to wreathe*
belauschen *to observe, listen in on*
sich beleben *to become animated;* belebt *animated*
belehren *to instruct*
beleidigen *to insult, hurt*
beleuchten *to illuminate, light up;* die Beleuchtung *illumination*
belieben *to please;* beliebig *any desired;* beliebt *beloved, popular*
bellen *to bark*
belügen* *to deceive*
bemalen *to paint*
bemerken *to observe, notice;* die Bemerkung -en *observation, remark*
sich bemühen *to make an effort, exert oneself;* das Bemühen -s *effort, exertion*
benachrichtigen *to inform*
sich benehmen* *to behave, act*
beneidenswert *enviable*
benutzen *to use*
beobachten *to observe*
bequem *comfortable;* die Bequemlichkeit *comfort*
bereit *ready;* bereiten *to prepare, provide*
der Berg -es -e *mountain;* bergab *downhill;* bergauf *uphill*
bergen* *to conceal*
der Beruf -s -e *profession, calling;* berufen* *to call, summon*
beruhigen *to pacify, calm*
berühmt *famous*
berühren *to touch*
beschäftigen *to occupy*
bescheiden *modest*
bescheinen* *to shine upon*
beschließen* *to decide*
beschränken *to limit*
beschreiben* *to describe; to write on;* die Beschreibung -en *description*
beschützen *to protect*

besiegeln *to seal*
besiegen *to conquer*
besingen* *to hymn, praise in song*
der Besitz -es -e *possession;* besitzen* *to possess*
besonder *special;* besonders *especially*
besorgen *to take care of, be concerned with*
bessern *to improve, correct*
beständig *constant*
die Bestätigung -en *confirmation*
bestehen* *to exist; to go through (with);* bestehen auf *to insist on;* bestehen aus *to consist of*
besteigen* *to climb*
bestellen *to order, arrange*
bestimmen *to determine;* bestimmt *definite, certain*
besuchen *to visit, attend*
beten *to pray*
betrachten *to consider, observe;* beträchtlich *considerable, noticeable*
betreffen* *to concern, move; to strike;* was . . . betrifft *as far as . . . is concerned;* betreffend *corresponding*
betreten* *to enter*
betrüben *to grieve, trouble*
der Betrug -s *deceit;* betrügen* *to deceive;* der Betrüger -s - *deceiver*
das Bett -es -en *bed*
betteln *to beg*
beugen *to bend, bow*
beurteilen *to judge, determine;* die Beurteilung *judgment*
der Beutel -s - *purse*
bevor *before*
bewachen *to guard, watch*
bewachsen (part.) *overgrown, grown over*
bewaffnen *to arm*
bewahren *to keep, preserve, save*
bewähren *to prove*
bewegen *to move;* sich bewegen *to stir, move;* bewegt *animated;* die Bewegung -en *motion, movement*
beweinen *to lament*

beweisen* *to prove, show*
bewirken *to bring about*
bewohnen *to inhabit;* der Bewohner
  -s - *inhabitant*
die Bewunderung *admiration*
bewußt *conscious*
bezahlen *to pay (for)*
bezeichnen *to designate*
bezeigen *to show*
bezeugen *to witness*
die Beziehung -en *relation, connection,
  association*
der Bezug -s *reference;* in Bezug auf
  with respect to
die Bibliothek -en *library*
bieten* *to offer*
das Bild -es -er *picture, image;* ihm zum
  Bilde *in his image;* bilden *to form,
  educate*
billig *cheap; fair, proper;* billigermaßen
  properly
binden* *to bind, tie*
die Birke -n *birch*
bis *until;* bis auf *up to; except for*
der Bischof -s -̈e *bishop*
bisher *until now*
bißchen *little bit*
der Bissen -s - *bite, bit*
die Bitte -n *request;* bitten* *to ask,
  request*
die Bitterkeit *bitterness*
blasen* *to blow, play*
das Blatt -es -̈er *leaf, sheet (of paper);*
  blättern *to page, turn the leaves*
blau *blue;* bläulich *bluish*
bleiben (ist)* *to remain*
bleich *pale*
der Bleistift -s -e *pencil*
blenden *to blind*
der Blick -es -e *glance, look;* blicken
  to look, gaze
der Blitz -es -e *flash (of lightning);*
  blitzen *to glisten, flash, glance*
bloß *mere, merely, only*

blühen *to blossom, flourish*
die Blume -n *flower*
das Blut -es *blood*
die Blüte -n *blossom; flourishing, period
  of flourishing*
bluten *to bleed;* blutig *bloody;* der
  Blutsverwandte -n -n *blood relation*
der Bock -es -̈e *goat*
der Boden -s -̈ *ground, floor*
der Bogen -s -̈ *or* - *bow, arch, curve*
die Bohne -n *bean;* blaue Bohnen
  bullets
bös(e) *bad, evil*
der Bote -n -n *messenger, courier;* der
  Botschafter -s -- *ambassador*
der Brand -es -̈e *fire, burning*
braten* *to roast, broil;* der Braten -s -
  roast
der Brauch -es -̈e *custom, usage, use;*
  brauchen *to need, use;* bräuchlich
  customary
die Braue -n *eyebrow*
brausen *to roar*
die Braut -̈e *bride, fiancée;* der Bräutigam -s -e *fiancé*
brav *good, true*
brechen* *to break; to grow dim (in death)*
breit *broad, wide*
brennen* *to burn*
das Brett -es -er *board*
der Brief -es -e *letter*
die Brille -n *spectacles, glasses*
bringen* *to bring, take;* um etwas
  bringen *to deprive of something*
das Brot -es -e *bread*
die Brücke -n *bridge*
der Bruder -s -̈ *brother*
brüllen *to roar*
brummen *to growl*
der Brunnen -s - *fountain, well*
die Brust -̈e *breast, chest*
der Bube -n -n *boy, scoundrel*
das Buch -es -̈er *book;* der Buchstabe
  -n -n *letter*

sich bücken *to bend over*

die Bühne -n *stage;* das Bühnenbild -es -er *stage setting*

der Bund -es -e *or* ̈e *group, union, league; bunch (of keys)*

das Bündel -s - *bundle*

bunt *gaily colored, colorful;* buntseiden *of gaily colored silk*

die Burg -en *castle, fortress;* der Bürger -s - *citizen;* bürgerlich *bourgeois, civic*

der Busen -s - *bosom*

büßen *to atone for;* die Büßerin -nen *penitent woman*

C

der Chor -s ̈e *choir, chorus*

der Christ -en -en *Christian;* christlich *Christian*

D

da (adv.) *there, here, then;* (conj.) *since, as, when, where, so that*

dabei *in that connection, thereat*

die Dachkammer -n *attic room*

dadurch *through it (them), because of that, thereby*

dafür *for it (them); in return; instead*

dagegen *against it (them); for that; on the other hand, in return*

daheim *at home*

daher *therefore*

daher-schleichen (ist)* *to creep up*

dahin *away, there;* bis dahin *till then;* dahinaus *out there*

dahin-bringen* *to bring to the point*

dahin-fahren (ist)* *to go away, go there; to expire*

damals *then, at that time*

die Dame -n *lady*

damit *with it (them);* (conj.) *so that*

dämmerig *dim;* dämmern *to grow light, grow dim*

der Dampf -es ̈e *steam, vapor;* dampfen *to steam*

danach *afterward; accordingly*

danieder *down*

der Dank -es *gratitude, thanks;* dankbar *thankful;* die Dankbarkeit *thankfulness, gratitude*

dann *then;* dann und wann *now and then*

daran *on it (them), from that, by that; to it; at the point of*

daran-kommen (ist)* *to be one's turn*

darauf *to it (them), to this, on it,* etc.

darein *into it (them); mingling*

darin *in it (them), into it; in which*

darinnen = darin

darnach = danach

dar-stellen *to represent;* die Darstellung -en *representation*

darüber *over it (them), concerning it;* es ging ihm nichts darüber *he treasured it above everything else*

darum *therefore, for the reason (that)*

das Dasein -s *existence*

daß *that*

die Dauer *duration, endurance;* dauern *to endure, last;* dauernd *permanent, constant*

davon *of it (them), from it, about it*

davon-bringen* *to take away*

dazu *to it (them), in addition; to which; at the same time; for this purpose;* dazu kamen *in addition there were*

die Decke -n *ceiling;* decken *to cover*

sich dehnen *to extend, stretch out*

demgegenüber *in contrast*

die Demütigung -en *humiliation*

denken* *to think;* sich denken *to imagine*

das Denkmal -s ̈er *or* -e *monument*

denn *for; then; anyway* (often left untranslated); *than, other than*

dennoch *nevertheless*

dergleichen *such, that kind of*

derselbige = derselbe

desgleichen *the same*

deshalb *therefore*

deuten *to point; explain;* deutlich *clear*

deutsch *German*

dicht *close, dense*

dichten *to imagine, invent;* der Dichter -s - *poet;* der Dichtermensch -en -en *poetic person*

dick *fat, thick*

diebisch *thievish*

dienen *to serve;* der Diener -s - *servant;* die Dienerschaft *group of servants;* der Dienst -es -e *service;* zu Dienst *as a service;* vom Dienst *on duty*

das Ding -es -e *thing;* guter Dinge *in good spirits*

doch *still, yet, nevertheless, after all, indeed*

donnern *to thunder*

doppelt *double*

das Dorf -es ⁻er *village*

dort *there;* dorthin *there, to that place*

der Drang -es *urge, impulse, desire;* drängen *to crowd, press, force, strive*

drauf = darauf

draußen *outside*

drehen *to turn*

dreifach *threefold*

drein = darein

drein-sehen* *to look, appear*

drin = darin

dringen* *to press*

drinne = drinnen *inside*

droben *above*

drohen *to threaten*

drüben *over there, up there*

drüber = darüber

der Druck -es *print;* in den Druck gesetzt *printed*

drücken *to press, oppress, depress*

drum = darum *therefore*

dulden *to suffer, tolerate*

dumm *stupid*

dumpf *dull*

dunkel *dark*

dünn *thin*

durch *through, by*

durchaus *thoroughly, absolutely*

durch-brechen (ist)* *to break through*

durch-dringen (ist)* *to penetrate*

durch-graben* *to dig through*

durch-laufen (ist)* *to pass through, run through*

durch-machen *to go through, experience*

durchschauen *to see through*

sich durch-schlagen* *to make one's way*

durch-stürmen *to storm through*

durch-wandern (ist) *to wander through, move through*

dürfen* *may, be permitted*

dürftig *inadequate*

der Durst -es *thirst*

düster *gloomy*

das Dutzend -s -e *dozen*

E

eben *just, simply*

die Ebene -n *plain*

ebenfalls *likewise;* ebenso *just as;* ebensolch *similar;* ebensowenig *just as little*

echt *real, genuine*

edel *noble;* die Edelfrau -en *noble lady*

ehe *before, rather*

die Ehe -n *marriage;* der Ehegemahl -s -e *spouse, husband*

eher *rather, sooner*

die Ehesitte -n *marriage custom*

die Ehre -n *honor, glory;* der Ehrengruß -es ⁻e *salute of honor;* der Ehrenmann -s ⁻er *man of honor;* ehrenvoll *honorable;* das Ehrgefühl -s *sense of honor;* der Ehrgeiz -es *ambition;* ehrlich *honorable, honest;* ehrwürdig *venerable*

das Ei -s -er *egg*

die Eiche -n *oak*

der Eid -es -e *oath*

der Eifer -s *zeal;* eifrig *zealous, keen, earnest*

eigen *own, individual, unique;* eigentlich *real*

eilen *to hurry;* eilig *quick*

ein *one, single;* die einen *some;* einander
  one another
sich ein-bilden *to imagine*
ein-dringen (ist)* *to penetrate, enter*
der Eindruck -s ̈e *impression*
sich einen *to unite*
einfach *simple*
der Einfall -s ̈e *idea*
ein-gehen (ist)* *to enter;* eingehen auf
  to enter into
eingenommen *partial (to)*
die Einheit -en *unity, unit*
einige *some, several*
ein-kehren (ist) *to enter*
das Einkommen -s - *income*
ein-laden* *to invite*
sich ein-lassen* *to venture*
einmal *once, once and for all;* auf einmal
  all at once; nicht einmal *not even;* ein-
  malig *unique*
ein-mischen *to mix, mix in*
einsam *lonely, lonesome*
ein-schenken *to fill a glass, pour*
ein-schränken *to limit*
ein-sehen* *to understand*
einseitig *one-sided, superficial*
ein-setzen *to set in, fit in; to risk*
die Einsicht -en *insight, understanding*
einst *once, in the future*
ein-teilen *to divide*
ein-treten (ist)* *to enter, take place*
ein-willigen *to consent, agree*
einzeln *single, individual*
ein-ziehen (ist)* *to enter*
einzig *only, single, unique*
das Eisen -s - *iron, steel*
eisig *icy*
die Eitelkeit *vanity*
elend *wretched;* das Elend -s *misery*
die Eltern *parents*
der Empfang -s ̈e *reception; receiving;*
  empfangen* *to receive, greet;* empfänglich *receptive, sensitive*
empfehlen* *to recommend*

empfinden* *to feel, perceive*
empor-heben* *to lift up, raise*
empor-springen (ist)* *to spring up*
empor-steigen (ist)* *to rise, climb, ascend*
enden *to finish;* endigen *to end, conclude;*
  endlich *finally;* endlos *endless*
eng *narrow, close, confined*
entbehren *to renounce; to lack, do without*
entblößt *stripped naked*
entdecken *to discover*
entfalten *to unfold, develop;* die Entfaltung *unfolding, expansion*
entfernen *to remove;* entfernt *distant;*
  im entferntesten *remotely*
entfliehen (ist)* *to escape, flee*
entführen *to take away, lead away, abduct*
entgegen *toward*
entgegen-fahren (ist)* *to go to meet*
entgegen-gehen (ist)* *to go toward*
entgegen-kommen (ist)* *to meet halfway,*
  come toward
entgegen-strecken *to stretch toward*
entgegen-stürzen (ist) *to rush toward*
entgegen-treten (ist)* *to step toward,*
  approach
entgegen-wirken *to counteract, work*
  against
enthalten* *to contain*
entlang *along*
entlassen* *to dismiss, let go, release*
entmutigen *to discourage*
entreißen* *to snatch away*
entsagen *to renounce;* die Entsagung
  renunciation
entscheiden* *to decide;* entscheidend
  decisive; entschieden *decisively, decided*
entschließen* *to decide, resolve;* entschlossen *resolute;* der Entschluß -sses
  ̈sse *resolution, decision*
entschuldigen *to excuse;* die Entschuldigung -en *excuse*
sich entsetzen *to be horrified;* das Entsetzen -s *horror;* entsetzlich *horrible,*
  terrible; entsetzt *terrified*

entsinken (ist)* *to fall from, drop from*
entspringen (ist)* *to spring from, arise from*
entstehen (ist)* *to arise, originate*
entweder *either*
entwickeln *to develop, evolve;* die Entwicklung *development*
entziehen* *to withdraw, remove*
entzücken *to charm, delight*
entzwei-brechen (ist)* *to break in two*
entzweien *to separate*
das Erbarmen -s *pity, mercy*
erbeben *to tremble, shake*
der Erbe -n -n *heir;* die Erbin -nen *heiress*
erbittern *to embitter*
erblicken *to catch sight of*
die Erde -n *earth*
erdenken* *to conceive, evolve*
das Erdenrund -s *globe;* der Erdentag -s *day on earth*
das Ereignis -ses -se *event, occurrence*
erfahren* *to learn, experience;* die Erfahrung -en *experience*
erfassen *to seize, grasp*
erfinden* *to invent;* die Erfindung -en *invention*
der Erfolg -s -e *success*
erfolgen *to follow*
erfordern *to demand, require*
erfreuen *to rejoice, make glad;* sich erfreuen *to enjoy*
erfüllen *to fulfill, fill*
ergänzen *to complete*
sich ergeben* *to surrender; to devote oneself;* ergeben *devoted (to);* die Ergebenheit *devotion*
ergießen* *to pour forth*
ergraut *graying*
ergreifen* *to seize*
erhaben *sublime*
erhalten* *to receive, keep, preserve*
erheben* *to raise;* sich erheben *to rise, be exalted*

die Erholung *relaxation, recovery*
erinnern *to remind, recall;* sich erinnern (an) *to remember;* die Erinnerung -en *memory, remembrance*
erkalten *to grow cold*
erkennbar *recognizable;* erkennen* *to recognize, become aware of, perceive, acknowledge;* die Erkenntnis -se *realization*
erklären *to declare, explain*
erklingen* *to resound, sound*
erlangen *to attain, acquire, reach*
erlauben *to permit;* die Erlaubnis -se *permission*
erleben *to experience*
erleichtern *to relieve;* die Erleichterung *relief*
erleiden* *to suffer*
erlernen *to learn*
erlösen *to redeem, release, free;* die Erlösung *redemption, salvation*
ermorden *to murder*
ermüden *to tire, exhaust*
ernst *earnest, serious;* der Ernst -es *seriousness;* ist es Ihr Ernst? *are you serious?;* mit Ernst *in earnest;* ernsthaft *serious;* ernstlich *seriously*
eröffnen *to open*
erquicken *to refresh, restore;* die Erquickung *comfort, refreshment*
erregen *to excite;* sich erregen *to stir*
erreichen *to reach, attain*
erretten *to save*
errichten *to erect*
erringen* *to acquire, attain, win*
erschauen *to catch sight of*
erscheinen (ist)* *to appear;* die Erscheinung -en *appearance, phenomenon;* in die Erscheinung treten *to appear*
erschlagen* *to kill, slay*
erschrecken* *to be startled;* erschrecklich *frightening*
erschüttern *to move profoundly;* die Erschütterung -en *emotion*

ersetzen *to replace*

erst *first, only, not until;* erst recht *all the more, really*

erstaunen *to astonish, be astonished;* das Erstaunen -s *astonishment*

ersticken *to smother*

erstrecken *to extend*

erteilen *to distribute*

ertönen *to sound*

ertragen * *to bear, endure;* erträglich *endurable*

ertrinken (ist) * *to drown, be drowned*

erwachen *to awaken*

die Erwägung -en *consideration*

erwähnen *to mention*

erwärmen *to warm*

erwarten *to await, expect*

erwecken *to awaken, wake*

erweichen *to soften, mollify;* er ließ sich erweichen *he relented*

erweisen * *to show, prove;* sich erweisen *to appear;* erweislich *demonstrable*

erweitern *to extend, expand*

erwerben * *to acquire, engender*

erwidern *to reply*

erwünschen *to wish for*

erzählen *to tell, narrate;* die Erzählung -en *tale*

erzeigen *to render, show, demonstrate*

erzeugen *to produce, engender*

erziehen * *to bring up, educate;* die Erziehung *education*

erzittern *to tremble*

der Esel -s - *donkey;* der Eseltreiber -s - *donkey-driver*

essen * *to eat;* das Essen -s *meal, food*

etlich *some, several*

etwa *perhaps, for example*

etwas *something, some, somewhat*

ewig *eternal;* die Ewigkeit *eternity*

F

das Fach -es ⸚er *profession, specialty*

die Fähigkeit -en *capacity*

fahren (ist) * *to go, pass, move;* die Fahrt -en *journey, trip, course*

der Fall -es ⸚e *case*

fallen (ist) * *to fall*

falls *in case*

falsch *false, wrong*

die Falte -n *fold*

der Familiensinn -s *family feeling*

fangen * *to catch, capture*

die Farbe -n *color;* farbig *colorful, colored*

fassen *to seize, take hold of, hold;* ins Auge fassen *to fix one's glance (on);* Mut fassen *to take courage;* die Fassung *composure*

fast *almost*

faul *lazy;* die Faulheit *laziness*

die Faust ⸚e *fist;* auf eigene Faust *on one's own*

die Feder -n *pen*

fehlen *to be lacking, miss;* es fehlt ihnen an *they lack;* der Fehler -s - *mistake, error;* fehlerhaft *erroneous, faulty*

feierlich *solemn; festive;* der Feiertag -s -e *holiday*

die Feigheit *cowardice;* der Feigling -s -e *coward*

fein *fine, subtle*

der Feind -es -e *enemy, foe;* feindlich *hostile*

die Feinheit *elegance*

das Feld -es -er *field*

der Fels(en) -ens -en *rock;* felsig *rocky*

das Fenster -s - *window*

die Ferien (pl.) *vacation*

fern *far, distant;* die Ferne *distance;* der Fernkampf -es *fighting at a distance*

fertig *ready, finished, done;* die Fertigkeit *capability, capacity*

fesseln *to shackle, chain, enchain*

fest *firm*

das Fest -es -e *festival*

fest-halten * *to maintain, hold firm, fix, preserve*

fest-setzen *to establish*

fest-stellen *to determine*

fett *fat*

das Feuer -s - *fire, light;* feurig *fiery;* feuertrunken *drunk with fire*

das Fieber -s - *fever;* der Fieberanfall -s ̈e *attack of fever*

finden* *to find*

finster *dark, obscure;* die Finsternis -se *darkness*

flach *shallow, flat*

die Flasche -n *bottle*

flattern (ist) *to flutter*

der Fleck -es -e *spot*

flehen *to implore*

das Fleisch -es *meat, flesh*

der Fleiß -es *zeal, industry;* fleißig *industrious*

fliegen (ist) * *to fly*

fliehen (ist) * *to flee*

der Fluch -es ̈e *curse*

der Flüchtling -s -e *fugitive*

der Flug -es ̈e *flight;* der Flügel -s - *wing*

die Flur -en *meadow*

flüstern *to whisper*

die Flut -en *flood, sea, tide*

folgen (ist) *to follow;* folglich *as a result*

fordern *to demand, request;* die Forderung -en *demand*

formen *to form*

förmlich *actually, veritably*

fort *away*

fort-drängen *to supplant*

fort-fahren (ist *or* hat)* *to continue*

fort-führen *to lead away*

fort-gehen (ist) * *to go away*

der Fortschritt -s -e *advance, progress*

fort-setzen *to continue*

fort-streben *to strive, strain to leave*

die Frage -n *question;* fragen *to ask*

(das) Frankreich *France;* französisch *French*

die Frau -en *woman, lady, wife;* das Fräulein -s - *Miss; lady*

frech *impudent, bold*

frei *free, open;* ins Freie *into the open;* die Freiheit -en *freedom*

freilich *to be sure, of course*

freiwillig *voluntary*

fremd *strange, foreign;* in der Fremde *in strange places*

fressen* *to eat, devour*

die Freude -n *joy;* freudenvoll *joyful;* freudig *joyous;* sich freuen (über *or* an) *to be delighted with, enjoy*

der Freund -es -e *friend;* freundlich *friendly;* die Freundlichkeit *friendliness;* die Freundschaft -en *friendship;* freundschaftlich *friendly*

der Friede(n) -ns *peace;* friedlich *peaceful*

frieren* *to freeze, be cold*

frisch *fresh, quick;* frisch und fröhlich *without hesitation*

froh *merry, happy;* fröhlich *joyful, gay;* die Fröhlichkeit *joy, merriment*

fromm *good, pious, kindly, innocent*

die Frucht ̈e *fruit;* fruchtbar *fruitful*

früh *early, soon*

sich fügen *to fit*

fühlen *to feel*

führen *to lead;* gefangen führen *to take as prisoner;* Krieg führen *to wage war;* der Führer -s - *leader;* die Führung *leadership, guidance*

die Fülle *abundance;* füllen *to fill*

der Funke(n) -ns -n *spark;* funkeln *to sparkle*

für *for, by, as*

die Furcht *fear;* furchtbar *fearful, terrible;* fürchten *to fear;* sich fürchten (vor) *to be afraid (of);* fürchterlich *fearful, frightful;* furchtsam *timid, cautious*

der Fürst -en -en *prince;* die Fürstin -nen *princess*

der Fuß -es ̈e *foot;* fußhoch *as high as one's foot;* das Fußvolk -s *infantry, foot soldiers*

G

die Gabe -n *gift*

der Gang -es ⸚e *pace, gait, course, way, passage;* sein hoher Gang *his noble gait;* in Gang bringen *to start*

ganz *whole, entire, complete, quite;* ganz und gar *completely;* gänzlich *wholly*

gar *very; even, at that*

die Gasse -n *street, alley, road;* öffnet die Gasse! *clear the way!*

der Gast -es ⸚e *guest;* der Gastfreund -s -e *host, guest;* der Gastgeber -s - *host;* das Gastrecht -s *right of hospitality*

die Gebärde -n *gesture*

das Gebäude -s - *building*

geben* *to give;* sich geben *to abate, pass by*

gebieten* *to command, order*

das Gebirge -s - *mountain range*

geboren *born*

das Gebot -s -e *command, commandment*

der Gebrauch -s ⸚e *use;* gebrauchen *to use*

die Geburt -en *birth*

das Gedächtnis -ses -se *memory*

der Gedanke -ns -n *thought;* gedankenvoll *thoughtful*

das Gedicht -s -e *poem*

das Gedränge -s *crowd*

die Geduld *patience*

die Gefahr -en *danger*

gefallen* *to please;* das Gefallen -s *pleasure, favor*

die Gefangenschaft *captivity;* das Gefängnis -ses -se *prison*

gefaßt *resolved, composed;* auf . . . gefaßt *prepared for*

das Gefolge -s - *retinue*

das Gefühl -s -e *feeling*

gegen *against; toward; compared with*

die Gegend -en *area, region*

der Gegensatz -es ⸚e *contrast*

der Gegenstand -s ⸚e *object*

gegenüber *opposite, in face of*

gegenüber-stellen *to oppose*

die Gegenwart *presence, present;* gegenwärtig *present, at present*

der Gegner -s - *foe, opponent*

geheim *secret;* das Geheimnis -ses -se *secret;* geheimnisvoll *mysterious*

gehen (ist)* *to go, depart;* es geht nicht *it won't do;* vor sich gehen *to take place*

das Gehirn -s -e *brain*

das Gehör -s *hearing*

gehorchen *to obey*

gehören *to belong, pertain to*

gehorsam *obedient;* der Gehorsam -s *obedience*

der Geist -es -er *spirit, intellect;* der Geisterchor -s ⸚e *chorus of spirits;* die Geisterwelt -en *spirit world;* geistlich *spiritual, religious;* der Geistliche -n -n *priest, clergyman*

das Gelächter -s *laughter, laughingstock*

gelangen *to attain*

gelb *yellow*

das Geld -es -er *money*

die Gelegenheit -en *occasion, opportunity*

gelehrt *learned;* der Gelehrte -n -n *scholar*

gelingen (ist)* *to succeed*

gelten* *to be valid, count, hold; to be a question of;* gelten für *to be considered*

gemäß *in accordance with*

gemein *common, mean, low;* die Gemeinde -n *community, company*

das Gemisch -es -e *mixture*

gemütlich *friendly, comfortable*

genau *exact, close*

genießen* *to enjoy*

genug *enough;* genügen *to suffice*

der Genuß -sses ⸚sse *enjoyment*

gerade *straight; just;* geradeaus *straight, straight ahead*

geraten (ist)* *to enter, get into*

gerecht *just;* gerecht werden *to do justice to;* die Gerechtigkeit *justice* das Gericht -s -e *judgment; course*

gering *slight, small*

gern(e) *gladly;* gern haben *to like*

der Gesandte -n -n *envoy;* die Gesandt-
schaft -en *legation*

der Gesang -s ̈-e *song*

das Geschäft -s -e *business, affair*

geschehen (ist) * *to happen, take place, be
done*

das Geschenk -s -e *gift*

die Geschichte -n *history, story;* ge-
schichtlich *historical*

das Geschick -s -e *fate*

geschickt *skillful, able, skilled*

das Geschlecht -s -er *race, kind, species,
family*

der Geschmack -s *taste;* geschmackvoll
tasteful

das Geschöpf -es -e *creature*

das Geschrei -s *uproar*

geschwind *swift;* die Geschwindigkeit
speed

der Geselle -n -n *apprentice, companion,
fellow;* die Gesellschaft -en *society,
company, party*

das Gesetz -es -e *law*

das Gesicht -s -er *face, countenance, sight;*
zu Gesicht fallen *to become visible;* das
Gesicht -s -e *vision;* der Gesichtszug
-s ̈-e *feature (of the face)*

die Gesinnung *conviction, disposition, attitude*

das Gespenst -s -er *ghost;* gespenstisch
ghostly

das Gespräch -s -e *conversation*

die Gestalt -en *form, figure;* gestalten *to
form*

gestern *yesterday*

gesund *healthy, sound;* gesunden *to recover
(health);* die Gesundheit *health*

das Getränk -s -e *drink*

getrauen *to trust*

getreu *faithful*

gewagt *daring, bold*

gewahren *to become aware of*

gewähren *to afford, grant*

die Gewalt -en *force, power;* gewaltig
powerful; huge, tremendous; gewaltsam
violent

das Gewand -es ̈-er *garment*

das Gewehr -s -e *gun, rifle*

gewesen *past*

der Gewinn -s -e *gain, profit, reward;*
gewinnen * *to win, gain*

gewiß *certain;* du bist mir gewiß *I am
sure of you;* das Gewissen -s - *conscience*

das Gewitter -s - *storm*

gewöhnen *to accustom;* gewöhnlich *usual;*
gewohnt *accustomed*

der Giftmischer -s - *poison brewer*

der Gipfel -s - *peak, mountain top*

der Glanz -es *glow, radiance;* glänzen *to
glow, be radiant, gleam*

glatt *smooth*

der Glaube(n) -ns -n *faith, belief;*
glauben *to believe*

gleich (adv.) *at once, equally;* (adj.) *equal,
like;* (prep.) *like;* gleichen * *to resemble;*
gleichgültig *indifferent, of no importance;*
gleichsam *as it were, so to speak;*
gleichzeitig *simultaneous*

gleiten (ist) * *to glide, fall*

das Glied -es -er *limb, member*

die Glocke -n *bell;* das Glockengeläute
-s *ringing of bells*

das Glück -es *happiness, fortune;* Glück
machen *to achieve success;* glücklich
happy; successful; safe

glühen *to glow;* die Glut -en *glow, ardor*

die Gnade *mercy, grace;* gnädig *gracious,
merciful*

goldfarbig *golden*

gönnen *to bestow, grant*

der Götterfunke(n) -ns -n *divine spark;*
göttlich *divine;* gottlos *godless*

das Grab -es ̈-er *grave;* graben * *to dig;*
der Graben -s ̈ *ditch*

der Grad -es -e *degree*

gradaus = geradeaus
der Graf -en -en *count;* die Grafschaft
-en *county*
der Gram -es *grief*
das Gras -es ¨er *grass*
grau *gray, dim;* vor grauen Jahren *many*
years ago
grauen *to dawn; to feel horror;* mir graut's
vor dir *I shudder at the sight of you;*
das Grauen -s *horror;* grausam *cruel,*
terrifying; die Grausamkeit *cruelty, vio-*
lence; grausen: es graust mir *I shudder,*
I am horrified
greifen* *to reach, seize; to comprehend;*
greifen in *to infringe on, seize hold of*
der Greis -es -e *old man*
die Grenze -n *border, boundary;* grenzenlos *boundless*
der Grimm -es *rage, fury;* grimmig *grim,*
angry
grob *rough, coarse*
groß *large, great, tall;* großartig *magnifi-*
cent, sublime; die Größe -n *size, great-*
ness; der Großvater -s ¨ *grandfather*
grün *green*
der Grund -es ¨e *ground, bottom; reason,*
foundation; gründen *to base;* gründlich
complete, thorough; grundlos *groundless,*
without cause; der Grundsatz -es ¨e
principle
die Gruppe -n *group;* die Gruppierung
grouping
die Gunst *favor;* günstig *favorable, well-*
disposed; der Günstling -s -e *favorite*
gut *good*
das Gut -es ¨er *property, estate*
die Güte *kindness;* gütig *gracious, kind*

H

das Haar -es -e *hair*
der Hafen -s ¨ *harbor*
der Hahn -es ¨e *cock, rooster;* der Hahnenschrei -s -e *cock crow*
halb *half;* die Hälfte -n *half*

der Hals -es ¨e *neck*
der Halt -es *hold;* Halt machen *to stop;*
halten* *to hold, stop, keep;* an sich
halten *to restrain oneself;* eine Mahlzeit
halten *to take a meal;* eine Rede halten
to give a speech; für . . . halten *to con-*
sider; sich halten *to behave, deport oneself;*
die Haltung *bearing; position, attitude*
die Hand ¨e *hand;* der Händedruck -s
pressure of the hand
der Handel -s ¨ *affair, business;* handeln
to act; to bargain; die Handlung -en
action
der Handschuh -s -e *glove*
hangen* (intransitive) *to hang, be sus-*
pended, cling
hängen (transitive) *to hang*
harmlos *innocent*
harren *to wait*
hart *hard, greatly;* hartherzig *hard-hearted;*
hartnäckig *obstinate*
der Hase -n -n *hare*
der Haß -sses *hate, hatred;* hassen *to hate;*
häßlich *ugly, hateful*
die Hast *haste, speed;* hastig *hasty*
der Hauch -es *breath*
der Haufe(n) -ns -n *pile, heap;* häufig
frequent
das Haupt -es ¨er *head;* zu Häupten ihm
at his head; der Hauptkopf -es ¨e
chief head; der Hauptmann -es Haupt-
leute *captain*
hausen *to dwell;* das Hausmärchen -s -
fairy tale for the home
die Haut ¨e *skin*
heben* *to lift, raise;* sich heben *to rise*
das Heer -es -e *army, host*
das Heft -es -e *notebook;* heften *to fasten,*
fix
heftig *violent*
die Heide -n *heath*
der Heide -n -n *heathen;* das Heidenvolk
-s ¨er *heathen*
heil! *hail!*

das Heil -es *salvation;* heilen *to heal, cure*

heilig *holy, sacred;* heiligen *to hallow;* der Heilige -n -n *saint;* das Heiligtum -s ⁻er *sanctuary*

heillos *incurable;* heilsam *beneficial;* die Heilung *cure, healing*

heim *home;* das Heim -es -e *home;* die Heimat -en *home;* heimisch *native;* heim-kehren (ist) *to return home;* heimlich *secret, mysterious*

heiraten *to wed, marry*

heiß *hot, intense, ardent*

heißen* *to be called; bid; mean;* das heißt *that is*

heiter *cheerful, serene*

der Heizer -s - *stoker*

der Held -en -en *hero;* die Heldin -nen *heroine*

helfen* *to help*

hell *bright, light, clear*

der Henker -s - *hangman*

her *here, to here*

herab *down*

heran-kommen (ist)* *to approach*

herauf *up*

herauf-steigen (ist)* *to rise*

sich heraus-arbeiten *to work one's way out of*

heraus-holen *to take out, bring out*

heraus-nehmen* *to remove, take out*

heraus-spüren *to detect (from)*

heraus-treten (ist)* *to emerge, step out*

herbei *up, this way; (come) here*

herbei-bringen* *to bring up*

herbei-eilen *to rush up*

herbei-kommen (ist)* *to approach, come up*

her-blicken *to look toward, look up*

der Herbst -es -e *autumn*

der Herd -es -e *hearth*

die Herde -n *herd*

herein-dringen (ist)* *to penetrate*

herein-eilen *to rush in*

herein-stürzen (ist) *to rush in*

herein-tragen* *to carry in*

her-hangen (ist)* *to hang down*

her-neigen *to incline*

hernieder *down*

der Herr -n -en *Mr., Lord, Sir, master, gentleman;* die Herrin -nen *mistress, lady;* herrlich *splendid;* die Herrlichkeit *glory, splendor;* herrschen *to rule;* der Herrscher -s - *ruler*

her-stellen *to establish, restore*

her-tragen* *to bear, bring*

herum *around, over, up*

herum-kehren (ist) *to turn around, turn back*

herum-springen (ist)* *to jump about*

sich herum-drehen *to turn around*

herum-stehen* *to stand around*

herum-ziehen (ist)* *to go around, wander around*

herunter-schauen *to look down*

herunter-sehen* *to look down*

hervor *forth, out*

hervor-bringen* *to bring forth*

hervor-gehen (ist)* *to emerge*

hervor-holen *to bring out, take out*

hervor-locken *to lure forth*

hervor-rufen* *to call forth, evoke*

hervor-springen (ist)* *to spring forth*

hervor-treten (ist)* *to step forth, protrude*

hervor-ziehen* *to draw forth, take out*

das Herz -ens -en *heart*

her-zählen *to enumerate*

das Herzeleid -s *sorrow, anguish;* die Herzensnot *anguish of heart;* das Herzklopfen -s *heartbeat;* herzlich *sincere, hearty;* (adv.) *extremely*

heulen *to howl*

heute *today*

hier *here;* hierauf *hereupon;* hiermit *herewith;* hierunter *in this respect, hereunder;* hierzu *for this*

die Hilfe *help, aid;* hilflos *helpless*

der Himmel -s - *heaven, sky;* himmelwärts *heavenward;* himmlisch *heavenly*

hin *away, gone;* hin und her *back and forth*
hin- und her-schwanken *to sway back and forth*
hinab *down*
sich hinab-beugen *to bend down*
hinab-laufen (ist)* *to run down*
hinab-rauschen *to rush down*
hinab-steigen (ist)* *to climb down*
hinab-stürzen (ist) *to rush down*
hinan-steigen (ist)* *to rise to*
hinauf-steigen (ist)* *to climb*
hinaus *out, beyond*
hin-beugen *to bend down, bow down*
hin-blicken *to look away*
hinderlich *obstructive;* das Hindernis -ses -se *hindrance, obstacle*
sich hin-drängen *to yearn, press*
hinein-blicken *to look into*
sich hinein-fühlen *to work oneself into*
hinein-gießen* *to pour in*
hinein-säen *to sow in (it)*
hinein-schmeißen* *to fling in(to)*
hin-geben* *to devote*
hin-halten* *to hold out*
hin-reichen *to hand over*
hin-reißen* *to sweep away*
hin-schleichen (ist)* *to creep (up)*
hin-stehen* *to stand*
hinten (adv.) *behind*
hinter (prep.) *behind;* (adj.) *rear;* das Hintergebäude -s - *back building;* der Hintergrund -s ⁻e *background;* hinterlassen* *to leave behind*
hin-treten (ist)* *to step up, step over*
hinunter *down*
sich hinunter-stürzen *to plunge down*
hinweg-springen (ist)* *to jump away*
hinweg-tragen* *to carry away*
hin-werfen* *to cast*
sich hinzu-drängen *to push forward, press close*
hinzu-fügen *to add*
hinzu-setzen *to add*
der Hirt -en -en *shepherd*

die Hitze *heat*
hoch *high, tall;* hochbegabt *very talented, very gifted;* das Hochfest -es -e *high festival;* hochgewölbt *high-arched;* höchst *extremely*
die Hochzeit -en *wedding;* der Hochzeittag -s -e *wedding day*
der Hof -es ⁻e *farm, court*
hoffen *to hope;* die Hoffnung -en *hope;* hoffnungslos *hopeless*
höfisch *courtly;* die Hofleute *courtiers*
die Höhe -n *height, heights; top;* in die Höhe *up, upward*
hohl *hollow, sunken*
der Hohn -es *scorn, mockery;* höhnisch *scornful*
hold *sweet, blessed, gracious*
holen *to get, go and get, fetch*
die Hölle *hell;* höllisch *infernal, hellish*
das Holz -es ⁻er *wood*
horchen *to listen*
hören *to hear*
hübsch *pretty*
der Hügel -s - *hill*
die Hülle -n *garment, cloak; husk;* hüllen *to wrap, enclose, envelop*
der Hund -es -e *dog;* hündisch *doglike, abject*
hüpfen *to hop*
der Hut -es ⁻e *hat*
die Hut *protection;* hüten *to guard;* sich hüten *to be careful*
die Hütte -n *hut, home*

I

die Idee -n *idea*
ihrerseits *for its (their) part*
ihresgleichen *its (their) like*
immer *always;* immerdar *forever;* immerhin *at any rate;* immerzu *constantly*
imstande *able*
indem (conj.) *while, as, in that;* (adv.) *meanwhile*
indes *in the meantime; while*
infolge *as a result of*

der Inhalt -s *content*

inne: inne haben *to possess;* inne werden* *to perceive, become aware of*

innen *within;* das Innere -n *interior, heart,
innermost soul;* innig *intense, fervent*

insbesondere *in particular, especially*

die Inschrift -en *inscription*

insofern *insofar*

inwiefern *to what extent*

inzwischen *meanwhile*

irgend *any;* irgend ein *any;* irgend
jemand *anybody at all;* irgendwie
somehow; irgendwo *somewhere or other*

irr *confused, distraught, astray;* irre-ma-
chen *to confuse;* (sich) irren *to err, make
a mistake;* der Irrtum -s ⁻er *error*

J

die Jagd -en *chase, hunt;* das Jagdhorn
-es ⁻er *hunting horn;* jagen *to chase,
hunt;* der Jäger -s - *hunter, huntsman*

das Jahr -es -e *year;* seit Jahr und Tag
for a long time; das Jahrhundert -s -e
century; jahrelang *for years*

der Jammer -s *grief;* jämmerlich *lament-
able;* jammern *to lament;* seines
Elendes jammerte mich *I pitied his
misery*

jauchzen *to be jubilant*

je *ever;* je . . . desto *the . . . the;* je . . . je
the . . . the; je nach *according to*

jedenfalls *in any case*

jeder *each, every, any;* ein jeder *each one;*
jedermann *every one;* jederzeit *at all
times*

jedoch *however*

jeglich: ein jeglicher = ein jeder

jemals *ever*

jemand *some one*

das Jenseits *the other world*

jetzt *now;* jetzig *present*

das Joch -es -e *yoke*

der Jubel -s *jubilation;* jubeln *to jubilate,
utter jubilantly*

der Jude -n -n *Jew*

die Jugend *youth;* die Jugendkraft ⁻e
youthful vigor

jung *young;* der Junge -ns -n *boy;* die
Jungfrau -en *maiden, virgin;* der
Jüngling -s -e *youth;* der Jünglings-
kopf -es ⁻e *head of a youth*

das Juwel -s -en *jewel*

K

kahl *bald*

der Kahn -es ⁻e *boat*

der Kaiser -s - *emperor;* kaiserlich *imperial*

das Kalb -es ⁻er *calf*

die Kälte *cold*

kämmen *to comb*

die Kammer -n *chamber;* das Kämmerlein -s - *chamber, cabin*

der Kampf -es ⁻e *struggle, battle, fight;*
kämpfen *to fight, battle;* der Kämpfer
-s - *warrior;* kampflustig *pugnacious*

der Käse -s *cheese*

der Kasten -s - or ⁻ *box*

die Katze -n *cat*

kauen *to chew*

kaufen *to buy;* der Kaufmann -s Kauf-
leute *merchant*

kaum *hardly, scarcely*

keck *insolent*

keineswegs *by no means*

kennen* *to know;* kennenlernen *to become acquainted with;* die Kenntnis -se
knowledge, insight

der Kerl -es -e *fellow*

der Kern -es -e *substance, kernel*

die Kette -n *chain*

das Kind -es -er *child, girl;* das Kinder-
märchen -s - *children's fairy tale;* die
Kindheit - *childhood;* kindlich *like a
child*

das Kinn -es -e *chin*

die Kirche -n *church*

die Kirsche -n *cherry*

das Kissen -s - *pillow*
die Klage -n *lamentation, sorrow;* klagen
   to complain, lament; to sue
der Klang -es ⁻e *sound*
klar *clear;* die Klarheit *clarity*
das Klavier -s -e *piano*
kleben *to cling, stick*
das Kleid -es -er *dress, clothes;* kleiden
   to dress; die Kleidung *clothing, costume*
klein *small, little;* die Kleinigkeit -en
   trifle
klingeln *to ring, jingle*
klingen* *to sound*
klopfen *to knock*
das Kloster -s ⁻ *monastery*
klug *clever, skillful, prudent*
der Knabe -n -n *boy*
der Knecht -es -e *bondsman, slave, servant,*
   helper
das Knie -s -e *knee;* knien *to kneel*
knüpfen *to tie*
kohlschwarz *coal-black*
kommen (ist)* *to come*
der König -s -e *king;* die Königin -nen
   queen; königlich *royal;* das Königs-
   mahl -es -e *royal feast;* das Königtum
   -s ⁻er *kingdom, monarchy*
können* *to be able; can*
der Kopf -es ⁻e *head;* der Kopfschmerz
   -es -en *headache*
der Korb -es ⁻e *basket*
der Körper -s - *body;* die Körperhaltung
   bearing, carriage
kostbar *precious;* die Kosten (pl.) *expense*
kosten *to taste; to cost;* köstlich *delicious*
die Kraft ⁻e *power;* in Kraft *by virtue (of);*
   nach Kräften *to the best of one's ability;*
   kräftig *powerful, robust*
der Kragen -s - *collar*
krähen *to crow*
krank *ill, sick;* kränken *to offend, hurt;*
   die Krankengeschichte -n *case history*
   (of an illness); die Krankheit -en *ill-*
   ness, sickness

der Kranz -es ⁻e *wreath, circle*
das Kraut -es ⁻er *plant, herb*
der Kreis -es -e *circle*
kreuzen *to cross*
kriechen (ist)* *to crawl*
der Krieg -es -e *war;* der Krieger -s -
   warrior; die Kriegsbereitschaft *readi-*
   ness for war; das Kriegshandwerk -s
   soldier's trade; kriegstüchtig *fit for war*
die Krone -n *crown*
die Küche -n *kitchen*
die Kugel -n *ball, sphere*
die Kuh ⁻e *cow*
kühl *cool;* die Kühle *coolness*
kühn *bold*
der Kummer -s *grief;* kümmern *to con-*
   cern, trouble; sich kümmern um *to be*
   concerned with
kund *known;* kund tun* *to make known;*
   kundig *expert*
künftig *(in the) future*
die Kunst ⁻e *art, skill;* die Kunstfähig-
   keit -en *artistic ability;* kunstgeübt
   skilled; der Künstler -s - *artist*
kurz *short, brief; in short;* kürzen *to*
   abbreviate; kürzlich *recently;* kurzsichtig *myopic, short-sighted*
der Kuß -sses ⁻sse *kiss;* küssen *to kiss*
die Küste -n *coast*

L

lächeln *to smile*
lachen *to laugh*
lächerlich *ridiculous*
laden* *to load; to summon, invite*
die Lage -n *location, situation*
das Lager -s - *couch, bed*
lähmen *to paralyze*
das Land -es ⁻er *land, country;* auf dem
   Lande *in the country;* der Landesteil
   -s -e *region;* das Landgut -s ⁻er *country*
   estate; die Landleute (pl.) *peasants,*
   country folk; die Landsleute (pl.) *(fel-*
   low) countrymen

lang *long;* lange *for a long time;* die Länge -n *length, duration;* länger *longer, rather long;* längst *long since*

langgezogen *(long) drawn out, drawling*

langsam *slow*

der Lärm -(e)s *noise;* lärmen *to be noisy, make a noise*

lassen* *to let, leave, refrain (from); to have (something) done;* läßt sich *can (be)*

die Last -en *burden*

das Laster -s - *vice*

lateinisch *Latin*

lauern *to lurk, lie in wait*

der Lauf -(e)s ̈-e *course, pace, path;* freien Lauf haben *to be free to go;* laufen (ist)* *to run*

die Laune -n *mood*

lauschen *to listen, peep forth*

laut *loud, aloud;* der Laut -(e)s -e *sound;* lauten *to sound;* lautlos *soundless*

lauter *pure; nothing but*

leben *to live;* leb' wohl *farewell;* das Leben -s - *life;* lebendig *living, lively, vivid;* die Lebensart -en *way of living;* die Lebensglut *vital energy;* lebenslänglich *life-long;* der Lebenslauf -s ̈-e *career, course of life;* lebhaft *lively;* leblos *lifeless*

das Leder -s *leather*

leer *empty, void;* leeren *to empty*

legen *to lay, place*

lehnen *to lean*

die Lehre *teaching, instruction;* sie nimmt ihn in die Lehre *she is teaching him;* lehren *to teach;* der Lehrer -s - *teacher*

der Leib -es -er *body*

die Leiche -n *body, corpse*

leicht *easy, light, gentle;* leichtfüßig *light-footed;* leichtsinnig *frivolous*

das Leid -es -en *sorrow, harm;* ein Leides tun *to do harm, hurt;* es tut (*or* ist) mir leid *I am sorry;* leiden* *to suffer, endure, tolerate*

die Leidenschaft -en *passion*

leider *unfortunately*

leidlich *tolerable*

leise *soft, gentle*

leisten *to accomplish, do*

die Leitung *direction, guidance*

lenken *to direct, guide, steer*

die Lerche -n *lark*

lernen *to learn, study*

lesen* *to read;* der Leser -s - *reader*

letzt *last;* letzter *latter*

leuchten *to shine, glow*

die Leute (pl.) *people*

das Licht -es -er *light*

lieb *dear;* das Liebchen -s - *sweetheart, darling;* die Liebe -n *love;* lieben *to love;* die Liebesglut *glow of love, passion;* lieblich *lovely, charming, pretty;* der Liebling -s -e *favorite*

lieber *rather*

das Lied -es -er *song*

liegen* *to lie, be located;* an . . . liegen *to matter*

das Lilienohr -s -en *lily-white ear*

die Linde -n *linden*

die List -en *cunning, deception;* listig *sly*

das Lob -es *praise, fame, character;* loben *to praise*

die Lockung -en *allurement, temptation*

der Lohn -es *payment, reward;* lohnen *to reward*

lösen *to solve, dissolve, redeem*

los-gehen (ist)* *to go off, be fired (of a gun);* auf . . . losgehen *to go right up to*

los-lassen* *to let loose*

los-lösen *to release*

los-machen *to unloose*

los-reißen* *to tear away*

der Löwe -n -n *lion*

die Luft ̈-e *air*

die Lüge -n *lie;* Lügen strafen *to give the lie to;* lügen* *to lie;* der Lügner -s - *liar*

die Lust ̈-e *desire, joy, enjoyment;* lustig *merry*

M

machen *to make, do*

die Macht ̈e *power;* mit Macht *forcibly, headlong;* mächtig *powerful, mighty;* machtlos *powerless*

das Mädchen -s - *girl*

das Mägdlein -s - *maid*

das Mahl -(e)s -e *or* ̈er *meal;* die Mahlzeit -en *meal*

mal = einmal

das Mal -s -e *time*

malen *to paint, draw;* die Malerei (*art of*) *painting*

mancherlei *of many kinds*

manchmal *sometimes*

der Mangel -s ̈ *deficiency;* mangeln *to lack*

der Mann -es ̈er *man, husband;* männlich *manly, masculine*

die Mannigfaltigkeit *variety, manifoldness*

der Mantel -s ̈ *cloak*

das Märchen -s - (*fairy*) *tale*

die Märchenlust *fabled happiness*

der Markt -es ̈e *market, market place*

das Maß -es -e *measure*

mäßig *moderate;* die Mäßigkeit *moderation*

matt *feeble, exhausted*

das Maul -s ̈er (*animal's*) *mouth*

das Meer -es -e *sea*

mehr *more, else;* mehren *to increase;* sich mehren *to multiply*

mehrere *several*

meiden* *to avoid, stay away from*

meinen *to think, believe, mean;* die Meinung -en *opinion, intention, meaning*

meist *for the most part;* meistens *mostly*

der Meister -s - *master*

melden *to report, announce*

die Menge -n *crowd, group, quantity*

der Mensch -en -en *man, human being, person;* die Menschenzahl *population;* die Menschheit *humanity, mankind;* menschlich *human;* aufs menschlichste *in a most friendly way*

merken *to mark, note;* merkwürdig *remarkable, noteworthy*

messen* *to measure;* die Messung -en *measurement*

die Miene -n *feature*

mieten *to rent* (*from someone*)

die Milch *milk*

mild *gentle*

minder *less*

mischen *to mix, mingle;* die Mischung -en *mixture*

mißtrauisch *distrustful, suspicious*

mit *with, along*

miteinander *together*

das Mitleid -s *sympathy;* mitleidig *sympathetic*

der Mittag -s *midday, noon*

die Mitte *middle, midst*

mit-teilen *to inform, impart*

das Mittel -s - *means, resources*

mittelgroß *of medium height*

mitten *in the midst;* mitten durch *through the midst of;* mitten in *in the midst of*

die Mitternacht ̈e *midnight*

die Mode -n *fashion, style, vogue*

mögen* *may, care to, like to*

möglich *possible*

der Mond -es -e *moon*

der Mord -es -e *murder;* der Mörder -s - *murderer;* mörderisch *murderous*

morgen *tomorrow;* morgen früh *tomorrow morning*

der Morgen -s - *morning;* die Morgendämmerung *dawn;* das Morgenrot *dawn;* morgens *in the morning;* der Morgentau -s *morning dew*

müde *tired, weary*

die Mühe -n *effort, trouble, difficulty;* sich Mühe geben *to take pains;* mühsam *painstaking*

der Mund -es -e *or* ̈er *mouth;* mündlich *oral*

munter *lively, gay*

murmeln *to murmur*

müssen* *must, to have to, be compelled to*

müßig *idle*

das Muster -s - *pattern, model;* das Musterbild -s -er *model*

der Mut -es *courage; mind; spirit;* zu Mute werden *to feel, begin to feel;* mutig *courageous*

die Mutter ¨ *mother;* die Mutterhut *maternal protection*

N

na *well*

nach *after, toward, for, according to;* nach und nach *gradually*

nach-ahmen *to imitate*

der Nachbar -n -n *neighbor*

nachdem (conj.) *after;* (adv.) *afterward*

nach-denken* *to ponder, reflect;* nachdenklich *meditative;* die Nachdenklichkeit *contemplation, meditation*

nach-folgen (ist) *to follow after*

nachher *afterward, later*

der Nachkomme -n -n *descendant*

der Nachname -ns -n *last name*

die Nachricht -en *news*

nach-schreiben* *to write from dictation*

nach-sehen* *to look up*

nach-sinnen* *to ponder*

nach-suchen *to search, look for*

die Nacht ¨e *night;* das Nachtessen -s - *evening meal;* nächtig *nocturnal;* nächtlich *nightly*

die Nachtigall -en *nightingale*

nach-tragen* *to carry after*

die Nachwelt *posterity*

der Nacken -s - *neck*

nackt *naked, bare*

der Nagel -s ¨ *nail*

nah(e) *near, close;* die Nähe *vicinity, nearness;* (sich) nahen, sich nähern *to approach;* der Nahkampf -s *close quarter fighting*

nähen *to sew*

die Nahrung *food, nourishment*

der Name -ns -n *name*

nämlich *namely, that is, same, in fact*

der Narr -en -en *fool*

die Nase -n *nose*

natürlich *natural, of course*

der Nebel -s - *mist, fog*

neben *beside;* die Nebenfigur -en *subsidiary figure;* der Nebenmann -s ¨er *man beside one;* das Nebenzimmer -s - *next room;* nebst *along with*

der Neffe -n -n *nephew*

nehmen* *to take, have;* gefangen nehmen *to take prisoner*

neigen *to incline, bow;* sich neigen *to bend;* die Neigung -en *inclination, affection*

nennen* *to name, call*

neu *new;* von neuem *again, anew;* neugierig *curious;* neulich *recently*

nichts *nothing*

nicken *to nod*

nie *never*

nieder *down;* der Niedergang *descent*

nieder-lassen* *to lay down;* sich niederlassen* *to sit down*

nieder-sehen* *to look down*

sich nieder-setzen *to sit down*

nieder-stoßen* *to strike down*

nieder-streben *to press downward, strive downward*

nieder-strecken *to stretch out*

nieder-stürzen (ist) *to sink down, plunge down*

niedrig *low*

niemand *no one*

nimmer *never;* nimmermehr *nevermore*

noch *yet; nor;* noch einmal *again;* nochmals *again*

der Norden -s *north*

die Not ¨e *need, distress;* nötig *necessary;* nötig haben *to need;* not-tun* *to be necessary;* notwendig *necessary;* die Notwendigkeit -en *necessity*

nu *well*

nun *now, well*

nur *only, just*
nützen *to use, be useful;* nützlich *useful;*
 die Nützlichkeit *usefulness*
O
ob *whether*
oben *above*
die Oberfläche -n *surface*
obgleich *although*
obschon *although*
das Obst -es *fruit*
obwohl *although*
der Ochsentreiber -s - *ox-driver*
öde *desolate*
oder *or*
der Ofen -s ¨ *stove*
offen *open*
offenbar *obvious, clear;* offenbaren *to re-*
 veal; die Offenbarung -en *revelation*
öffentlich *public*
öffnen *to open;* die Öffnung -en *opening*
oft *often;* öfters *frequently*
der Oheim -s -e *uncle*
ohne *without*
ohnmächtig *powerless, faint*
das Ohr -es -en *ear*
das Öl -s -e *oil*
das Opfer -s - *victim, sacrifice;* opfern *to*
 sacrifice; der Opfertisch -es -e *altar*
ordnen *to arrange;* die Ordnung -en
 order; ordnungsmäßig *regular*
der Ort -es ¨er *place, town*
der Osten -s *east*
Ostern (pl.) *Easter*
P
das Paar -es -e *pair;* ein paar *a few*
packen *to seize; to pack*
der Palast -s ¨e *palace*
der Palmenzweig -s -e *palm branch*
der Panzer -s - *armor*
passen *to suit, fit;* passend *suitable*
die Pein *pain, torture, agony;* peinlich
 painful
persönlich *personal;* die Persönlichkeit
 -en *personality*

der Pfad -es -e *path*
das Pfand -es ¨er *token, pledge*
pfeifen* *to whistle*
der Pfeil -s -e *arrow*
das Pferd -es -e *horse;* der Pferdefuß
 -es ¨e *horse's hoof, club foot*
die Pflanze -n *plant*
die Pflege *care;* pflegen *to be accustomed*
 to; to care for
die Pflicht -en *duty*
pflücken *to pluck*
die Plage -n *torment, wound;* plagen *to*
 torment, plague
der Platz -es ¨e *place, square, seat, room,*
 space; Platz nehmen *to take a seat*
plaudern *to chat*
plötzlich *sudden*
prächtig *splendid, glorious*
predigen *to preach*
der Preis -es -e *praise; price;* preisen* *to*
 praise
(das) Preußen *Prussia;* preußisch *Prus-*
 sian
das Priesterkleid -es -er *priestly garb*
die Probe -n *example, test, proof*
prüfen *to test;* die Prüfung -en *test*
das Pult -es -e *desk*
der Punkt -es -e *point, spot*
der Putz -es -e *adornment*

Q
die Qual -en *torment;* quälen *to torture,*
 torment
die Quelle -n *spring, source*
quer *crooked;* quer und krumm *all*
 around

R
die Rache *revenge;* rächen *to avenge*
der Rand -es ¨er *edge*
rasch *quick, fast*
rasieren *to shave*
rasten *to rest*
der Rat -es ¨e *council; counsel, advice;*
 raten* *to advise*

das Rätsel -s - *puzzle, riddle;* das Rätselwort -es -e *riddle*
der Raub -es *theft, rape, booty*
der Rauch -s *smoke;* rauchen *to smoke*
rauh *raw, bleak*
der Raum -es ⸚e *room, space, place*
rauschen *to roar, rustle, sound*
die Rechnung -en *bill, accounting*
das Recht -es -e *right, law;* recht *right,
correct; very, quite;* recht haben *to be right*
rechtfertigen *to justify*
rechtschaffen *honest, upright*
die Rede -n *speech, language;* reden *to
speak*
redlich *honest*
die Regel -n *rule*
der Regen -s - *rain*
regen *to move;* sich regen *to stir, be active*
regieren *to rule;* die Regierung -en
government
regnen *to rain*
die Regung -en *emotion, stirring*
reiben* *to rub*
das Reich -es -e *realm, kingdom*
reich *rich;* reichlich *abundant;* der Reichtum -s ⸚er *wealth*
reichen *to reach, extend, present*
die Reihe -n *row, rank;* er war an der
Reihe *it was his turn*
rein *pure;* reinigen *to purify, clean up;*
reinlich *clean, neat, tidy*
die Reise -n *journey, trip;* die Reisebeschreibung -en *description of a journey;*
reisen (ist) *to travel*
reißen* *to tear*
reiten (ist)* *to ride;* der Reiter -s - *rider*
der Reiz -es -e *charm, attractiveness;* reiz-
bar *sensitive;* reizen *to charm, attract;
to irritate, provoke*
der Religionsvorteil -s -e *religious advantage*
rennen (ist)* *to run*
der Rest -es -e *remnant, left-over*
retten *to save*

die Reue *repentance*
richten *to judge; to direct;* zugrunde
richten *to destroy;* der Richter -s -
judge; der Richterstuhl -s ⸚e *judgment
seat, judge's seat*
richtig *right, correct;* die Richtigkeit *cor-
rectness, accuracy;* hatte ihre Richtigkeit *was quite correct*
die Richtung -en *direction*
der Riese -n -n *giant;* riesig *gigantic*
das Rind -es -er *cattle*
ringen* *to struggle, wring;* flehend rang
vehemently implored; der Ringer -s -
wrestler
rings *round about;* ringsum *round about*
rinnen (ist)* *to run, flow*
der Ritter -s - *knight;* ritterlich *knightly,
chivalric;* das Ritterwort -es -e *word as
a knight*
der Rock -es ⸚e *coat*
roh *raw, crude*
der Roman -s -e *novel*
das Röslein -s - *little rose*
rot *red*
rotbekreuzt *with a red cross*
der Rücken -s - *back*
die Rücksicht -en *consideration, concern*
der Rücktritt -s -e *withdrawal, resignation*
der Ruf -es -e *call; reputation;* rufen* *to
call*
die Ruhe *rest;* vor dieser hätt' ich Ruhe
she wouldn't disturb me; ruhen *to rest;*
ruhig *calm, quiet*
der Ruhm -es *fame;* sich rühmen *to
boast;* rühmlich *laudable, glorious*
rühren *to touch, move;* die Rührung
emotion
rund *round;* in der Runde *round about*
die Rüstung -en *armament, armor*

S

der Saal -s Säle *hall*
die Sache -n *thing, matter, affair, cause*
der Sä(e)mann -es *sower*

der Saft -es -̈e *juice*
die Sage -n *legend*
sagen *to say, talk, tell*
der Same(n) -ns -n *seed*
sammeln *to gather, collect;* sich sammeln
to pull oneself together; sämtlich *all*
sanft *gentle;* sanft tun *to act with gentleness;* die Sanftmut *gentleness*
sauer *sour, bitter*
der Säugling -s -e *infant*
säumen *to tarry, delay;* die Säumnis -se
delay
säuseln *to rustle*
schade *too bad;* der Schaden -s -̈ *harm;*
zu Schaden kommen (+ dat.) *to
harm, hurt;* schaden *to harm;* schädlich
harmful
das Schaf -es -e *sheep*
schaffen *to bring, get*
schaffen* *to create, cause, do*
der Schall -s -e *or* -̈e *sound;* schallen *to
sound, resound, peal*
die Scham *shame, modesty;* sich schämen
to be ashamed
die Schande *disgrace, shame;* schänden
to disgrace; schändlich *disgraceful,
shameful*
die Schar -en *host, group*
scharf *sharp*
der Schatten -s - *shadow, shade;* schattig
shady
der Schatz -es -̈e *treasure; sweetheart;*
schätzen *to treasure, esteem, estimate*
schaudern *to shudder;* es schaudert mich
I shudder
schauen *to look, see;* das Schauspiel -s -e
play, spectacle, stage, theater; der Schau-
spieler -s - *actor;* der Schauspieler-
skandal *scandal among actors*
scheiden (ist)* *to depart;* scheiden (hat)*
to separate, divide
der Schein -es *shine, glow, light; appearance;* scheinbar *apparent;* scheinen* *to
shine; to seem*

schelten* *to scold, berate*
schenken *to present, give*
der Scherz -es -e *joke, jest;* scherzen *to
joke*
scheu *timid, shy, frightened*
schicken *to send*
sich schicken (in) *to adapt oneself (to);*
schicklich *proper*
das Schicksal -s -e *fate, destiny;* schicksallos *free of fate, beyond fate*
schieben* *to shove*
schießen* *to shoot, flash*
das Schiff -es -e *ship*
der Schild -es -e *shield*
schildern *to describe, portray*
der Schimpf -es *disgrace, insult*
die Schlacht -en *battle*
der Schlaf -es *sleep;* schlafen* *to sleep;*
das Schlafgemach -s -̈er *bedroom;*
schlaflos *sleepless;* schläfrig *sleepy;* der
Schlaftrunk -s -e *nightcap*
schlagen* *to strike, beat, dash; to fight*
die Schlange -n *serpent, snake*
schlecht *bad, poor*
der Schleier -s - *veil*
schließen* *to close, conclude, end;* schließlich *finally*
die Schlinge -n *trap*
das Schloß -sses -̈sser *castle*
schlummern *to slumber*
der Schluß -sses -̈sse *conclusion*
der Schlüssel -s - *key*
die Schmach *shame, disgrace, humiliation;*
schmählich *disgraceful*
schmal *narrow, slender*
schmeicheln *to flatter;* der Schmeichler
-s - *flatterer*
schmeißen* *to fling*
der Schmerz -es -en *pain;* schmerzen *to
pain;* schmerzlich *painful*
die Schmiede -n *smithy;* schmieden *to
forge*
der Schmuck -es *adornment, jewelry;* das
Schmuckkästchen *jewel box*

der Schmutz -es *dirt, filth;* schmutzig *dirty*

schneiden* *to cut;* der Schneider -s - *tailor*

schnell *quick*

schön *beautiful;* die Schönheit -en *beauty*

schonen *to spare*

schöpfen *to draw, get*

der Schöpfer -s - *creator*

der Schoß -es ⸚e *lap, bosom*

der Schrank -es ⸚e *chest*

schrecken *to frighten, terrify;* der Schrecken -s - *fright, horror;* schrecklich *terrible*

der Schrei -es -e *scream;* schreien* *to scream*

schreiben* *to write;* das Schreiben -s *letter;* der Schreiber -s - *scribe;* das Schreibtäfelchen -s - *writing slate*

die Schrift -en *document, writing;* schriftlich *in writing;* der Schriftsteller -s - *writer*

der Schritt -es -e *step, pace*

schüchtern *timid*

der Schuh -es -e *shoe*

die Schuld -en *guilt, debt;* schuldig *guilty;* der Schuldige -n -n *debtor;* schuldlos *guiltless*

der Schüler -s - *pupil*

der Schulmeister -s - *school teacher, school master*

die Schulter -n *shoulder*

der Schuß -sses ⸚sse *shot*

schütteln *to shake*

der Schutz -es *protection;* schützen *to protect*

der Schütze -n -n *bowman, archer*

schwach *weak;* die Schwäche -n *weakness;* die Schwachheit -en *weakness;* schwächlich *weak, feeble*

schwanken *to stagger, sway, waver*

der Schwanz -es ⸚e *tail*

schwarz *black;* der Schwarzkünstler -s - *necromancer*

schwatzen *to chatter, gossip*

schweben *to hover, move*

schweifen (ist) *to roam*

schweigen* *to be silent*

der Schweiß -es *sweat, toil*

die Schwelle -n *threshold*

schwellen (ist)* *to swell, bulge*

schwer *heavy, severe, difficult, hard, grievous*

das Schwert -es -er *sword*

die Schwester -n *sister*

schwimmen* *to swim, float;* mir schwimmt es vor den Augen *I am dizzy*

schwinden (ist)* *to disappear, vanish*

schwitzen *to sweat*

schwören* *to swear*

der Schwung -es ⸚e *swing, leap*

die Seele -n *soul*

das Segel -s - *sail*

der Segen -s - *blessing;* segnen *to bless*

sehen* *to see, look;* seherisch *prophetic, clairvoyant*

sehnen *to long;* die Sehnsucht *longing, yearning;* sehnsüchtig *longing;* der Sehnsuchtslaut -s -e *sound of longing*

sehr *very; very much*

das Seil -es -e *rope;* der Seiltänzer -s - *tightrope walker*

sein (ist)* *to be*

seinesgleichen *his like*

seit *since, for;* seitdem *since*

die Seite -n *side, page;* von Seiten *in regard to;* seitwärts *to the side*

selber *oneself, himself, herself,* etc.

selbst *even; oneself, himself, herself,* etc.

der Selbstmord -es -e *suicide*

selbstverständlich *of course, natural, self-evident*

selig *blessed, happy;* selig werden *to get to heaven;* die Seligkeit *salvation, blessedness*

selten *rare, seldom*

seltsam *strange, unusual*

senden* *to send*

senken *to sink, lower*

der Sessel -s - *seat, armchair*

setzen *to set, place, put, stake;* sich setzen *to sit down*

seufzen *to sigh;* der Seufzer -s - *sigh*

sicher *sure, certain, safe;* die Sicherheit *safety;* sicherlich *surely;* sichern *to assure*

sichtbar *visible;* sichtlich *visibly*

die Siebenmeilenstiefel (pl.) *seven league boots*

der Sieg -es -e *victory;* siegen *to conquer, be victorious;* siegreich *victorious*

das Siegel -s - *seal;* der Siegelring -es -e *signet ring*

die Silbe -n *syllable*

das Silber -s *silver;* silberhell *silvery;* silbern *silvery*

sinken (ist)* *to sink, collapse*

der Sinn -es -e *sense, mind;* sinnig *thoughtful, contemplative*

sinnlich *sensuous*

die Sitte -n *custom*

sitzen* *to sit*

der Sklave -n -n *slave*

so *thus, as;* so sehr auch *however much;* so was = so etwas *such a thing*

sobald *as soon as;* sobald . . . sobald *as soon as . . . so soon*

sofort *at once, immediately*

sogar *even*

sogenannt *so-called*

sogleich *at once*

der Sohn -es ⁻e *son*

solang(e) *as long as*

der Soldat -en -en *soldier*

sollen *to be to, ought to, should, be said to;* sollte *should, ought, could, might*

sonderbar *strange;* sonderlich *especially*

sondern *but on the contrary*

die Sonne -n *sun;* der Sonnenaufgang -s ⁻e *sunrise;* das Sonnenlicht -s -er *sunlight, ray of sun*

sonst *otherwise, formerly, usually*

sooft *as often as*

die Sorge -n *care, worry;* sorgen *to take care, be careful;* sorgenlos *carefree;* die Sorgfalt *care;* sorgfältig *careful*

soviel *as much*

sowohl . . . als *as well . . . as;* not only . . . *but also*

spannen *to stretch, pull tight;* spannend *exciting;* die Spannung -en *tension, emotion*

sparen *to spare, save*

der Spaß -es ⁻e *jest, joke;* spassen *to joke*

spät *late, distant*

spazieren gehen (ist)* *to go for a walk*

der Speer -es -e *spear*

die Speise -n *food;* speisen *to eat, dine*

der Spiegel -s - *mirror*

das Spiel -es -e *game;* spielen *to play; flash, sparkle;* der Spieler -s - *player*

der Spieß -es -e *spit, spear*

das Spinnrad -s ⁻er *spinning wheel*

die Spitze -n *tip, point, peak*

der Spott -es *mockery, scorn;* spotten *to mock*

die Sprache -n *language;* sprachlos *speechless;* sprechen* *to speak;* der Spruch -es ⁻e *decree, verdict*

der Sprung -es ⁻e *jump, leap*

spüren *to detect, trace*

das Staatsleben -s *existence as a state*

der Stab -es ⁻e *staff, bar*

die Stadt ⁻e *city, town*

der Stahl -es *steel*

der Stall -es ⁻e *stable*

der Stamm -es ⁻e *tribe;* stammen (ist) *to come from, originate*

der Stand -es ⁻e *class; position; state*

der Standpunkt -es -e *point of view, standpoint*

die Stange -n *pole*

stark *strong;* die Stärke *strength;* stärken *to strengthen*

starr *rigid, obstinate, stiff;* starren *to stare, look fixedly* statt *instead of*

die Statt, Stätte -n *place;* stattfinden* *to take place*

stattlich *stately; portly, fine*

der Staub -es *dust*

stecken *to stick, put, be;* zu sich stecken *to put in one's pocket*

stehen* *to stand; to suit*

stehlen* *to steal;* sich stehlen *to slink*

steigen (ist)* *to climb, rise*

der Stein -es -e *stone*

die Stelle -n *place, spot;* zur Stelle *at one's place;* zur Stelle schaffen *to bring here;* stellen *to place, assign;* sich stellen *to stand;* sich tot stellen *to play dead;* eine Frage stellen *to ask a question;* die Stellung -en *position*

sterben (ist)* *to die*

der Stern -es -e *star;* sternklar *bright with stars*

stet *constant;* stets *always*

der Stich: im Stich lassen *to leave in the lurch*

die Stille *stillness, silence*

still-schweigen* *to be silent*

die Stimme -n *voice*

die Stimmung -en *mood*

die Stirn(e) -en *forehead*

stocken *to falter, stop*

der Stoff -es -e *cloth, material*

stolz *proud*

stören *to disturb*

der Stoß -es ¨e *blow, thrust;* stoßen* *to push;* stoßen auf *come upon*

die Strafe -n *punishment, penalty;* strafen *to punish;* straflos *unpunished*

der Strahl -es -en *beam, ray;* strahlen *to beam*

der Strand -es -e *beach, shore*

die Straße -n *street, road, path*

streben *to strive*

strecken *to stretch*

streichen* *to stroke, pass one's hand;* die Streichung -en *deletion*

der Streit -es -e *struggle;* streiten* *to fight, quarrel*

streng *strict*

der Strom -es ¨e *stream;* strömen *to stream;* die Strömung -en *current*

die Stube -n *room;* zur Stube hinaus *out of the room*

das Stück -es -e *piece, fragment, bit;* in allen Stücken *in all respects*

studieren *to study*

die Stufe -n *step*

der Stuhl -es ¨e *chair*

stumm *silent, mute*

die Stunde -n *hour*

stürzen (ist) *to fall, plunge, rush;* sich stürzen (auf) *to fall (upon)*

suchen *to seek, search, try*

die Sünde -n *sin;* sündig *sinful*

süß *sweet;* die Süßigkeit -en *sweetness, something sweet*

T

der Tadel -s *bad mark, censure;* tadeln *to criticize, blame*

die Tafel -n *table, panel;* eine Tafel Schokolade *a bar of chocolate*

der Tag -es -e *day;* an Tag legen *to demonstrate;* meine Tage *all my life;* die Tagesordnung -en *order of the day;* täglich *daily*

das Tal -es ¨er *valley*

die Tanne -n *fir tree*

der Tanz -es ¨e *dance;* tanzen *to dance*

tapfer *brave;* die Tapferkeit *courage, bravery*

die Tasche -n *pocket*

die Tat -en *deed, act;* tätig *active*

der Tau -es *dew*

taub *deaf*

täuschen *to deceive*

tausendfach *thousandfold*

der Teich -es -e *pond*

der Teil -es -e *part, party;* teilen *to divide, share, separate;* teils *partly*

der Teppich -s -e *tapestry, rug, carpet*

teuer *dear, expensive*

der Teufel -s - *devil;* zum Teufel! *the
devil!;* teuflisch *devilish, diabolical*

tief *deep;* die Tiefe -n *depth, depths, deep;*
in der Tiefe *upstage*

das Tier -es -e *animal, beast*

die Tinte -n *ink*

der Tisch -es -e *table*

die Tochter ⁻ *daughter*

der Tod -es *death;* der Todestrotz -es
defiance of death; tödlich *deadly, fatal*

toll *mad*

der Ton -es ⁻e *tone, sound;* tönen *to
sound, resound*

das Tor -s -e *gate*

der Tor -en -en *fool;* die Torheit *folly;*
töricht *foolish*

tot *dead;* töten *to kill;* totenbleich *deathly
pale;* die Totenglocke -n *death knell,
funeral bell*

die Tracht -en *costume*

träge *lazy*

tragen* *to bear, carry; wear; endure*

die Träne -n *tear*

der Trank -es ⁻e *drink, draught, potion*

trauen *to trust*

die Trauer *sadness, grief;* trauern *to
sorrow;* trauervoll *sorrowful*

traulich *friendly, intimate*

der Traum -es ⁻e *dream;* träumen *to
dream;* träumerisch *dreamy*

traurig *sad, miserable;* die Traurigkeit
sadness

treffen* *to meet, strike, hit, encounter*

treiben* *to drive; to do, carry on; to wander,
drift; to push*

trennen *to separate*

die Treppe -n *stairway, steps*

treten (ist)* *to step*

treu *loyal;* der Treubruch -es ⁻e *breach
of faith;* die Treue *loyalty, faithfulness,
fidelity;* treuherzig *frank, candid;* treulich *faithful;* treulos *faithless;* die
Treulosigkeit *faithlessness*

der Trieb -es -e *inclination, impulse*

trinken* *to drink*

der Tritt -es -e *step, tread*

trocken *dry*

tropfen *to drip;* der Tropfen -s - *drop*

der Trost -es *comfort, cheer;* trösten *to
comfort*

trotz *in spite of;* trotzig *defiant*

trüben *to trouble*

sich trüben *to fade*

der Trug -es *deception*

trunken *drunken*

das Tuch -es ⁻er *cloth*

tüchtig *capable*

die Tugend -en *virtue*

tun* *to do, make*

die Tür -en *door*

der Turm -es ⁻e *tower*

U

übel *evil;* das Übel -s *evil, malady*

üben *to practice, train, exercise*

über *over, above; concerning; via, by way
of;* über sich hinaus *beyond themselves*

überall *everywhere*

der Überblick -s -e *survey, prospect*

überbringen* *to deliver*

überfallen* *to befall*

über-fließen (ist)* *to overflow;* der Überfluß -sses *abundance, overflow*

der Übergang -s ⁻e *transition*

übergeben* *to give up, submit*

über-gehen (ist)* *to go over, overflow; to
pass (to)*

übergroß *tremendous, vast, extreme*

überhaupt *in general, altogether;* überhaupt nicht *not at all*

überhören *not to listen to, not to hear*

überirdisch *supernatural; beyond the earth*

überlassen* *to leave (to);* sich überlassen
to yield, surrender

über-laufen (ist)* *to overflow*

überliefern *to transmit;* die Überlieferung
-en *tradition, transmission*

der Übermensch -en -en *superman*

übernehmen* *to take possession of, overcome*

übersetzen *to translate;* die Übersetzung -en *translation*

überstehen* *to survive*

übertreffen* *to surpass*

übervoll *overful, too full*

überwältigen *to overpower*

überwinden* *to overcome, conquer*

überzeugen *to convince;* die Überzeugung -en *conviction*

übrig *remaining, left;* übrigens *by the way*

die Übung -en *practice*

das Ufer -s - *shore, bank*

die Uhr -en *clock, watch, time; o'clock*

um *around, for, past, up, for the sake of, in regard to;* um uns her *around us;* um . . . willen *for the sake of;* um . . . zu *in order to;* ein Spiel ums andre *one game after another*

umarmen *to embrace;* die Umarmung -en *embrace*

(sich) um-blicken *to look around*

um-bringen* *to kill*

umfassen *to embrace, comprise*

der Umgang -s *association, companionship*

umgeben* *to surround;* die Umgebung *vicinity, neighborhood, circle*

um-gehen (ist)* *to walk around; to deal with*

umgekehrt *converse, opposite*

um-hängen* *to drape around, hang on*

umher-blicken *to look around*

umher-fahren (ist)* *to drive around, to range*

um-kehren (ist) *to turn around*

(sich) um-schauen *to look around*

sich um-sehen* *to look around*

umsonst *in vain; for nothing*

der Umstand -s ⸚e *circumstance*

der Umstehende -n -n *bystander*

um-stürzen *to overthrow*

sich um-wenden* *to turn around*

um-werfen* *to overturn*

unablässig *incessant, constant*

unaufhaltsam *irresistible*

unbedingt *absolute, unconditional*

unbefriedigt *unsatisfied*

unbegabt *untalented, ungifted*

unbekannt *unknown*

unberühmt *without fame*

unbeschreibbar *indescribable*

unbeweglich *immovable*

unbewußt *unconscious*

unendlich *infinite*

unentdeckt *undiscovered*

unerhört *unheard of*

unerkannt *unrecognized*

unermüdlich *inexhaustible*

unerträglich *unbearable*

unerweislich *not to be proved, undemonstrable*

unfreundlich *unfriendly, hostile*

ungebeugt *unbowed*

ungeduldig *impatient*

ungefähr *about, approximately*

ungeheuer *tremendous, monstrous;* das Ungeheuer -s - *monster*

ungeladen *uninvited*

ungemein *unusual, uncommon*

ungenügend *unsatisfactory, insufficient*

die Ungerechtigkeit -en *injustice, unfairness*

ungern *unwillingly, reluctantly*

ungerochen *unavenged*

ungestillt *unstilled*

ungestraft *unpunished*

ungewiß *uncertain*

ungewöhnlich *unusual*

unglaublich *incredible*

das Unglück -es -e *misfortune, evil;* unglücklich *unhappy, unfortunate*

unheilbar *incurable*

unleidlich *intolerable*

unmittelbar *direct, immediate*

unmöglich *impossible;* die Unmöglichkeit -en *impossibility*

unnütz *useless*

unrecht *wrong;* unrecht haben *to be wrong;* das Unrecht -es -e *wrong, injustice*

unrein *impure, unclean*

die Unruhe -n *unrest;* unruhig *restless*

unschätzbar *incalculable*

die Unschuld *innocence;* unschuldig *innocent*

unselig *unhappy, fatal*

unsicher *unsure, uncertain*

unsichtbar *invisible*

der Unsinn -s *nonsense;* unsinnig *senseless*

unsterblich *immortal*

unten *below, beneath;* unter *under, among, with*

unterbrechen* *to interrupt*

unterdessen *in the meantime*

der Untergang -s *downfall, ruin, extinction;* unter-gehen (ist)* *to descend, sink, disappear*

der Unterhalt -s *support, livelihood*

sich unterhalten* *to converse;* die Unterhaltung -en *conversation, entertainment*

unterirdisch *subterranean*

unterlassen* *to neglect*

unternehmen* *to undertake*

die Unterredung -en *conversation*

der Unterricht -s *instruction;* unterrichten *to instruct*

unterscheiden* *to distinguish;* der Unterschied -e *difference*

unterschreiben* *to sign*

untersuchen *to investigate*

unterwerfen* *to subdue, overcome, subject;* sich unterwerfen* *to submit*

untrennbar *inseparable*

unterzeichnen *to sign*

untreu *disloyal*

unverdorben *unspoiled*

unverhohlen *undisguised, freely*

unverletzt *unharmed*

unvernünftig *foolish*

unverschämt *brazen*

unwillkürlich *involuntary*

unwürdig *unworthy*

unzählig *countless, innumerable*

die Unzufriedenheit *dissatisfaction*

unzusammenhängend *disconnected*

uralt *ancient*

die Ursache -n *cause*

der Ursprung -s ⏜e *origin;* ursprünglich *original*

das Urteil -s -e *judgment;* urteilen *to judge*

der Urvater -s ⏜ *ancestor*

usw. = und so weiter *and so forth*

V

der Vater -s ⏜ *father;* der Vätersaal -s -säle *ancestral hall;* die Vätersitte -n *ancestral custom;* die Vaterstadt ⏜e *home town*

verachten *to despise;* der Verächter -s - *despiser;* verächtlich *scornful, contemptuous;* die Verachtung *scorn, contempt*

verändern *to change;* die Veränderung -en *change*

verbannen *to ban*

verbergen* *to hide, conceal*

der Verbesserer -s - *reformer*

sich verbeugen *to bow*

verbinden* *to bind, join; to oblige, obligate;* die Augen verbinden *to blindfold*

verbleiben (ist)* *to remain*

verboten *forbidden*

verbreiten *to spread;* sich verbreiten *to expand;* die Verbreitung *distribution*

verbrennen* *to burn up, consume*

verbringen* *to spend*

der Verdacht -s -e *suspicion*

verdammen *to damn, condemn*

verderben* *to ruin, spoil;* das Verderben -s *ruin;* verderblich *ruinous, harmful*

verdienen *to deserve, earn*

verdoppelt *doubled, redoubled*

verdrängen *to displace*

verdrießlich *irascible*

verehren *to venerate, respect, honor;* die Verehrung *veneration*

vereinen *to join, unite;* vereinigen *to unite*

verfahren* *to act, proceed;* das Verfahren *procedure*

der Verfall -s *decay, decline;* verfallen (ist)* *to decay;* (as participle) *forfeit*

die Verfassung -en *constitution*

verfluchen *to curse*

verführen *to seduce*

vergeben* *to forgive*

vergebens *in vain;* vergeblich *vain, in vain, futile*

vergehen (ist)* *to pass away, die, expire*

vergessen* *to forget*

vergiften *to poison*

vergleichen* *to compare*

das Vergnügen -s - *pleasure;* vergnügt *contented*

vergönnen *to grant, allow*

vergraben* *to bury*

verhaften *to arrest*

das Verhältnis -ses -se *relation, condition;* verhältnismäßig *relatively*

verhaßt *hated, hateful*

verhehlen *to conceal*

verhungern *to starve*

verhüten *to forbid, prevent*

verkaufen *to sell*

verklagen *to accuse*

verkündigen *to proclaim*

verlangen *to demand, require, desire;* mich verlangt *I desire*

verlassen* *to leave, forsake, desert;* sich verlassen auf *to depend on*

verlaufen (ist)* *to run away, pass by*

verlegen *embarrassed, at a loss;* die Verlegenheit -en *embarrassment*

verleihen* *to grant, bestow*

verleiten *to mislead*

verlernen *to forget*

verletzen *to injure, violate*

sich verlieben (in) *to fall in love (with)*

verlieren* *to lose*

der Verlust -s -e *loss;* verlustig gehen *to lose*

sich vermehren *to multiply*

vermeiden* *to avoid*

vermieten *to rent (to someone)*

vermissen *to miss*

vermögen *to be able, accomplish, avail;* das Vermögen -s - *ability; property*

vermutlich *presumable, probable*

vernachlässigen *to neglect*

vernehmen* *to hear, become aware of*

verneinen *to deny*

vernichten *to annihilate;* der Vernichtungskampf -s ̈-e *war of annihilation*

die Vernunft *reason;* vernünftig *reasonable, sensible, rational*

sich verpflichten *to guarantee*

der Verrat -s *treachery, treason;* verraten* *to betray;* der Verräter -s - *traitor*

verrückt *crazy, mad;* die Verrücktheit *madness, lunacy*

der Vers -es -e *verse*

versammeln *to gather;* die Versammlung -en *assembly*

versäumen *to miss, waste, neglect*

verschaffen *to procure, gain*

verschieden *different, various;* die Verschiedenheit -en *difference, variation*

verschlimmern *to worsen, make worse*

verschmähen *to disdain*

verschönern *to embellish*

verschwenden *to squander, waste*

verschwinden (ist)* *to vanish, disappear*

das Versehen -s - *mistake, error*

versetzen *to reply, transfer, move*

versichern *to assure, assert*

versiegeln *to seal*

versinken (ist)* *to sink down, be immersed*

versöhnen *to reconcile*

versorgen *to provide for*

versprechen* *to promise;* das Versprechen -s - *promise*

der Verstand -s *understanding;* verständig *intelligent, sensible; expert*

verstärken *to strengthen*

das Versteck -s -e *hiding place;* verstecken *to conceal, hide* verstehen* *to understand;* sich verstehen auf *to understand, judge;* das versteht sich *that is obvious*

verstohlen *stealthy*

verstummen *to grow silent, stop speaking*

der Versuch -s -e *attempt;* versuchen *to try;* die Versuchung -en *temptation*

vertauschen *to exchange*

verteidigen *to defend*

verteilen *to distribute*

sich vertragen* *to get along with*

vertrauen *to trust, entrust; to be familiar with;* das Vertrauen -s *trust, confidence*

die Vertraulichkeit -en *intimacy*

vertreiben* *to drive away, banish*

verursachen *to cause*

verwandeln *to transform*

verwandt *related;* der Verwandte -n -n *relative*

verwegen *daring, bold*

verweilen *to linger, tarry, stay*

verwenden *to use, employ*

verwerfen* *to reject*

verwickeln *to complicate, entangle*

verwirren *to confuse*

verwunden *to wound*

verzagen (an) *to despair (of)*

verzaubern *to enchant*

verzehren *to devour, consume*

verzeihen* *to pardon;* die Verzeihung -en *pardon*

die Verzweiflung *despair*

das Vieh -s *cattle; animal(s)*

vielerlei *many kinds of*

vielfach *manifold*

vielleicht *perhaps*

der Vogel -s ⸚ *bird*

das Volk -es ⸚er *folk, people*

voll *full*

vollbringen* *to carry out, execute*

vollenden *to accomplish, carry out, complete;* die Vollendung *completion, perfection*

vollführen *to execute, carry out*

völlig *fully*

vollkommen *complete;* die Vollkommenheit *perfection*

vollständig *complete*

vollziehen* *to carry out*

vor *before, in front of, against;* vor allem *above all;* vor vielen Jahren *many years ago*

voran *in advance*

voraus *in advance*

vor-behalten* *to reserve*

vorbei *past*

vorbei-ziehen (ist)* *to go by*

vor-bereiten *to prepare*

vor-beugen *to bend forward*

vor-biegen* *to bend forward*

vor-bringen* *to produce, bring forth*

vorder *front, fore*

der Vordergrund -s ⸚e *foreground*

vorderst *foremost*

der Vorfahr(e) -en -en *ancestor*

vor-führen *to bring before, perform;* die Vorführung -en *performance*

vor-halten* *to hold before, hold out*

vorhanden *present, in existence*

der Vorhang -s ⸚e *curtain*

vorher *previously*

vorhin *previously*

vorig *previous, former*

vor-kommen (ist)* *to appear, seem*

die Vorlage -n *model;* vor-legen *to lay before, place before*

vor-lesen* *to read aloud;* der Vorleser -s - *reader*

die Vorliebe *preference*

der Vorname -ns -n *first name*

vornehm *noble, distinguished*

vor-nehmen* *to call on;* sich vor-nehmen* *to resolve*

das Vorrecht -s -e *privilege, prerogative*

vor-schlagen* *to propose, suggest*

vor-schreiben* *to prescribe*

vor-setzen *to place before*

das Vorspiel -s -e *prelude*

vor-stellen *to present;* die Vorstellung -en
   idea; representation, conception
vor-strecken *to stretch out*
der Vorteil -s -e *advantage*
der Vortrag -s ̈-e *speech; report*
vor-tragen* *to present*
vortrefflich *excellent*
vor-treten (ist)* *to step forth, step up*
vorüber *past*
vorüber-gehen (ist)* *to pass*
vorüber-wandeln (ist) *to move past*
vorwärts *forward*
der Vorwurf -s ̈-e *reproach*
der Vorzug -s ̈-e *preference*
vorzüglich *excellent*

W

wachen *to be awake, watch*
wachsen (ist)* *to grow;* schwerer Arbeit
   gewachsen *equal to hard work*
der Wächter -s - *watchman, guard*
die Waffe -n *weapon;* der Waffenknecht
   -s -e *man at arms*
wagen *to dare, risk*
wägen *to weigh*
der Wagen -s - *wagon, carriage, cart, car*
die Wahl -en *choice, selection;* wählen *to
   choose;* wählerisch *particular (in choos-
   ing);* wahllos *unselective, random*
der Wahn -s *delusion;* der Wahnsinn -s
   madness
wahr *true;* wahrhaft, wahrhaftig *truly;*
   die Wahrheit -en *truth;* wahrlich *truly*
während *while; during*
wahr-nehmen* *to perceive*
wahrscheinlich *probable*
der Wald -es ̈-er *woods, forest*
die Wand ̈-e *wall*
wandeln *to move, walk*
die Wange -n *cheek*
wann *when, at what time*
warnen *to warn*
warten *to wait, wait upon*
warum *why*

was *what, why;* was = etwas *something,
   anything;* was für (ein) *what kind of;
   whatever;* was . . . auch *whatever*
waschen* *to wash*
das Wasser -s - *water, flood*
der Wechsel -s - *alternation, change;*
   wechseln *to change, exchange*
wecken *to waken*
weder . . . noch *neither . . . nor*
der Weg -es -e *way, road, path*
weg *away*
wegen *on account of, for the sake of*
weg-rücken (ist) *to move away*
sich weg-schleichen* *to slink away*
weg-stoßen* *to push away*
weh(e) *woe, alas;* weh tun* *to hurt, harm*
wehen *to blow, sweep, waft*
die Wehr -en *defense;* wehren *to prevent;*
   sich wehren *to defend oneself, resist;*
   wehrlos *defenseless*
das Weib -es -er *woman, wife;* die Weib-
   lichkeit *femininity*
weich *soft, gentle, smooth;* weichen (ist)*
   to yield, deviate, retreat; weichlich
   delicate
die Weide -n *willow; pasture;* weiden *to
   feed, pasture*
sich weigern *to refuse*
weil *because*
der Wein -s -e *wine*
weinen *to weep, cry*
weis(e) *wise;* die Weisheit *wisdom*
die Weise -n *manner, way; tune;* weisen*
   to direct, show, point, turn away; vom
   Hause weisen *to turn away from the door*
weiß *white*
weit *far, wide;* die Weite -n *distance*
weiter-schreiten (ist)* *to stride on*
der Weizen -s *wheat*
die Welle -n *wave*
die Welt -en *world;* der Weltlauf -s *way
   of the world;* weltlich *worldly, secular*
wenden* *to turn, direct;* die Wendung
   -en *turn*

wenig *little;* wenige *few;* nichts weniger als *anything but;* wenigstens *at least*

wenn *whenever, when, if;* wenn auch, wenn gleich *even if*

werden (ist)* *to become, be* (passive); es wird mir *I feel*

werfen* *to throw*

das Werk -es -e *work*

wert *worthy;* der Wert -es -e *worth, value;* wertlos *worthless*

das Wesen -s - *nature, being;* wesentlich *essential*

weshalb *why; for which (what) reason*

wichtig *important*

wider *contrary to, against*

widerfahren (ist)* *to occur (to)*

die Widerlegung -en *refutation*

widersprechen* *to contradict*

der Widerstand -s *resistance;* widerstandslos *unresisting;* widerstehen* *to resist*

der Widerwille(n) -ns *repugnance*

wie *how, like, as;* wie . . . auch *however, no matter how*

wieder *again*

wieder-erlangen *to reacquire*

wieder-geben* *to give back; repeat, reproduce*

wiederholen *to repeat;* die Wiederholung -en *repetition*

wieder-kommen (ist)* *to return*

wiederum *again, in turn; on the other hand*

die Wiege -n *cradle;* wiegen *to rock;* sich wiegen *to sway*

die Wiese -n *meadow*

die Wildheit *wildness, savagery*

der Wille -ns *will;* mit Willen *intentionally;* willig *willing*

der Wink -es -e *beckoning, signal, nod;* winken *to beckon*

der Wipfel -s - *tree-top*

wirken *to act, have an effect, give an effect;* die Wirkenskraft *effective power*

wirklich *real, actual;* die Wirklichkeit *reality*

wirksam *effective;* die Wirkung -en *effect*

der Wirt -es -e *host, innkeeper;* das Wirtshaus -es ̈-er *inn*

wissen* *to know;* die Wissenschaft -en *science, knowledge;* wissenschaftlich *scientific*

wittern *to scent, perceive*

der Witz -es -e *wit, joke;* witzlos *witless*

wobei *while, during which*

die Woche -n *week*

wodurch *through what (which), by what, because of what*

woher *from where, whence*

wohl *well, all right, certainly, safely, no doubt, to be sure*

wohlbepackt *well packed, filled*

das Wohlgefallen -s *pleasure, satisfaction*

wohlgeordnet *well ordered*

wohlgestaltet *well formed, well built*

wohl-tun* *to do good, give pleasure*

wohlverdient *well deserved*

wohnen *to live, dwell*

die Wolke -n *cloud*

wollen *to want, claim to, be on the point of*

das Wolleweben -s *weaving of wool*

womit *with which, with what*

die Wonne -n *ecstasy, bliss, joy, rapture;* wonnig *delightful, exquisite*

woran *on what (which), of what, at what, etc.*

worauf *on what (which)*

woraufhin *with what purpose*

worin *in what (which), into what*

das Wort -es ̈-er *or* -e *word;* wörtlich *literal*

worüber *about what (which)*

worum *for what (which), around what,* etc.

wovon *from what (which), of what, concerning what,* etc.

wovor *before what (which), of what,* etc.

wozu *why, for what purpose; to which, for what (which)*

die Wunde -n *wound*

das Wunder -s - *marvel, miracle;* wunderbar *wonderful, marvellous, strange;* die Wunderkraft ⸚e *miraculous power;* wunderlich *strange, peculiar;* der Wundermann -es *miracle man;* wundern *to puzzle, perplex;* sich wundern *to be perplexed;* wundersam *wondrous;* wunderschön *marvellously beautiful;* wundervoll *wonderful*

der Wunsch -es ⸚e *wish;* wünschen *to wish*

die Würde *dignity;* würdig *worthy, dignified*

der Wurf -es ⸚e *cast, throw of dice*

der Wurm -es ⸚er *worm; serpent*

die Wurst ⸚e *sausage*

die Wurzel -n *root*

wüst *desolate, waste*

die Wut *rage;* wüten *to rage, be furious*

Z

die Zahl -en *number;* zahlen *to pay;* zählen *to count;* zahlreich *numerous*

zähmen *to tame*

der Zahn -es ⸚e *tooth;* der Zahnarzt -s ⸚e *dentist*

zart *tender, delicate;* zärtlich *tender, delicate*

der Zauber -s - *magic, charm;* die Zauberei -en *sorcery;* der Zauberer -s - *magician;* der Zauberfluß -sses *enchanting flow;* die Zauberkunst ⸚e *magical art;* zaubern *to conjure;* der Zauberspruch -s ⸚e *magic spell, incantation*

z.B. = zum Beispiel *for example*

das Zeichen -s - *sign, token, mark*

zeichnen *to sketch*

der Zeigefinger -s - *index finger;* zeigen *to show, point;* sich zeigen *to appear; to turn out;* der Zeiger -s - *hand of a clock*

die Zeile -n *line*

die Zeit -en *time, season;* vor Zeiten *before, formerly;* die ganze Zeit über *the whole time;* das Zeitalter -s - *age;* der

Zeitgenosse -n -n *contemporary;* zeitig *early, soon;* zeitlebens *for life;* die Zeitung -en *newspaper*

zerbrechen * *to break to pieces;* den Kopf zerbrechen *to rack one's brains*

zerfließen (ist) * *to melt away, dissipate*

zerreißen * *to tear up, tear to pieces, tear asunder*

zerstören *to destroy*

zerstreuen *to scatter;* die Zerstreuung *diversion*

der Zeuge -n -n *witness;* zeugen *to testify;* das Zeugnis -ses -se *mark; witness*

der Zeuger -s - *begetter*

ziehen (ist) * *to go, move;* ziehen (hat) * *to draw, pull, drive*

das Ziel -es -e *goal, target;* zielen *to aim*

ziemlich *rather*

das Zimmer -s - *room*

zittern *to tremble*

zögern *to hesitate*

der Zorn -es *anger;* zornig *angry*

zu *to, at, for; too*

zu-bringen * *to bring to; spend, pass*

zueinander *to one another*

zuerst *at first, for the first time*

der Zufall -s ⸚e *accidental occurrence, chance*

zufallen (ist) * *to fall to, devolve upon*

zufrieden *content, satisfied*

zu-führen *to lead to, bring to*

der Zug -es ⸚e *train; feature*

zu-geben * *to admit, concede*

zu-gehen (ist) * *to go to, approach*

zugleich *at the same time*

zugrunde *to ruin;* zugrunde gehen *to go to ruin, be ruined;* zugrunde richten *to ruin*

zu-hören *to listen*

zu-kehren (ist) *to turn toward*

die Zukunft *future*

zu-lassen * *to permit*

zuletzt *in the end, at last*

zunächst *at first*

zünden *to kindle*
zu-nehmen* *to increase*
sich zu-neigen *to incline*
die Zunge -n *tongue*
zürnen *to be angry*
zurück *back, behind*
zurück-kehren (ist) *to return*
zurück-kommen (ist)* *to return*
zurück-schrecken (ist)* *to shrink back with fright*
zurück-stoßen* *to repel*
zurück-weichen (ist)* *to shrink back*
zurück-weisen* *to reject, refuse;* die Zurückweisung -en *rejection*
zurück-wirken *to react; have a reverse effect*
zusammen *together*
zusammen-ballen *to clench*
zusammen-beißen* *to set (one's teeth)*
zusammen-fallen (ist)* *to collapse*
der Zusammenhang -s ⸚e *connection, sequence*
zusammen-laufen (ist)* *to congregate*
zusammen-passen *to fit together*
zusammen-schlagen* *to strike together, beat together*
zusammen-stellen *to combine, put together, compose*
zusammen-ziehen (ist)* *to contract;* (hat) *to draw together*

zu-schießen* *to shoot away*
der Zuschauer -s - *spectator*
zu-schreiben* *to attribute*
zu-sehen* *to look on, watch, see*
der Zustand -es ⸚e *condition, circumstance*
zustande bringen* *to bring about, produce;* zustande kommen (ist)* *to be accomplished, be completed*
zu-stehen* *to suit*
die Zustimmung -en *consent*
zu-stürzen (ist) *to rush toward*
zutraulich *familiar, friendly*
zu-tun* *to close*
die Zuversicht *conviction, confidence;* zuversichtlich *confident*
zuvor *before, previously, first*
zuweilen *occasionally*
zuwider *against*
der Zwang -s ⸚e *compulsion*
zwar *to be sure, indeed*
der Zweck -es -e *purpose;* die Zweckmäßigkeit *purposefulness, practicality*
der Zweifel -s - *doubt;* zweifelhaft *doubtful;* zweifeln *to doubt*
der Zweig -es -e *branch*
zweit *second;* zu zweit *for two*
der Zwerg -es -e *dwarf*
zwingen* *to force*
zwischen *between, among*

Acknowledgments

Einhard: Karl der Große

German text adapted from the translation by Johannes Bühler, *Einhard: Das Leben Kaiser Karls des Großen*, Insel-Verlag, Leipzig

Albrecht Dürer

Discussion of the Four Apostles from Heinrich Wölfflin, *Die Kunst Albrecht Dürers*, 5. Auflage, F. Bruckmann, München, 1926

Die Aufklärung

The letter of Friedrich der Große to Voltaire is adapted from the translation in: *Friedrich der Große, Denkwürdigkeiten seines Lebens*, II, pp. 239-241, F. W. Grunow, Leipzig, 1886

Deutsche Lyrik

Richard Dehmel, «Der Arbeitsmann,» Courtesy Mrs. Vera Tügel-Dehmel, Hamburg-Blankenese

Rainer Maria Rilke, «Der Panther,» from: Rainer Maria Rilke, *Sämtliche Werke*, Band 1, Insel-Verlag Anton Kippenberg, Zweigstelle Wiesbaden, 1955

Stefan George, «Der Ringer,» from: Stefan George: *Die Bücher der Hirten- und Preisgedichte Der Sagen und Sänge und Der Hängenden Gärten*, Verlag Helmut Küpper vormals Georg Bondi, Düsseldorf/München

Franz Werfel, «An den Leser,» S. Fischer Verlag, Frankfurt a.M.

Bismarck

Ulrich von Hassell, *Vom anderen Deutschland*, 2. Auflage, Atlantis-Verlag, Zürich, 1946

Thomas Mann: Buddenbrooks

S. Fischer Verlag, Frankfurt

Hermann Hesse: Der Steppenwolf

Suhrkamp Verlag, Frankfurt

About the illustrations on the cover of this book:

On the front—view from the Freiburg Cathedral (*photo by* Dr. Wolff
      & Tritschler, Frankfurt)

On the back—the Rhine with barges, with the Cologne Cathedral
      in the background (*Courtesy:* German Tourist Infor-
      mation Office)